Prospect Heights Public Library
W9-DDV-242

АКТЕРСКАЯ КНИГА

СЕРГЕЙ ЮРСКИЙ

ЧЕТВЕРТОЕ ИЗМЕРЕНИЕ

аст
ИЗДАТЕЛЬСТВО

зебра е москва

УДК 821.161.1
ББК 84 (2Рос=Рус)6
Ю64

Художественное оформление Андрея Рыбакова

Фотография на обложке: Валерий Плотников

Подписано в печать 27.12.06. Формат $60x90^{1}/_{16}$.
Усл. печ. л. 38. Тираж 5 000 экз. Заказ № 5868.

Юрский, Сергей

Ю64 Четвертое измерение / Сергей Юрский. — М.: АСТ: Зебра Е, 2007. — 413, [3] с. — (Актёрская книга).

ISBN 5-17-042095-1 (ООО «Издательство АСТ»)
ISBN 5-94663-394-5 (Издательство «Зебра Е»)

Сергей Юрский – выдающийся мастер Театра и Кино. Его актерские роли поражают разнообразием, гротеском и глубиной. Актерский диапазон – невероятный – от Остапа Бендера до «импровизаторов» в «Маленьких трагедиях» А. Пушкина. Такая же многоплановость и многогранность отличает литературное творчество С. Юрского. Оно сравнимо по мироощущению и темпераменту с творчеством таких корифеев как М. Зощенко и Д. Хармс. В нем гармонично соседствуют ностальгические мотивы и жесткий современный ритм, сюрреалистические видения, юмор нашей эклектической жизни, а также изящные зарисовки многочисленных поездок автора. Проза Юрского, как бы продолжение его актерской и режиссерской ипостасей.

ПОВЕСТИ

Чернов

1

На крутом повороте поезд был виден целиком — семь новеньких пассажирских вагонов, невероятно длинный почтовый с четырьмя дверями посередине, тяжелый и более высокий, чем остальные, — багажный и тепловоз. Тепловоз миновал светофор. Зеленый свет под нижним длинным козырьком погас, и сразу же уверенно и успокаивающе зажегся красный. Блокировка работала великолепно. Господин Пьер Ч. жмурился от удовольствия. Толстый ветер скорости плотно облегал его лицо. Ветер состоял из придивного, по-вечернему прогретого лесного кислорода, приятно покалывающих твердых частичек и необыкновенной смеси исключительно железнодорожных запахов — ржавчины, гари, пыли, теплого железа. Колеса постукивали в горе миноре и легко аккомпанировали любой мелодии. Господин Пьер Ч. тихонько напевал, без слов, не разжимая губ. Сейчас поезд обогнет холм и покажется встречный. Вот он! Товарный! Пульманы и цистерны с паровозом во главе. Господин Пьер Ч. загадал: его вагон и паровоз встречного сойдутся как раз у домика обходчика. Встречный загудел. Ветер стал жестче и тревожнее, чувствовалось быстрое приближение огромной массы. «Нет, кажется, мы не успеем к домику обходчика, тот домчится раньше. – Сжалось сердце в азарте. – Ну-ну, давай! Ему же тяжелее, там груженые вагоны, бензин и лес – сортовые доски. Двести метров осталось! Ах, черт, теперь наш идет слишком быстро. Сто! Не беги так, не беги, я же загадал... Точно! Гип-гип-ура!!!»

– Сэндвичи, роглики, пивечко! Сэндвичи, роглики, пивечко!

Господин Пьер Ч. достал из кармана большой плоский бумажник. Деньги в нем лежали распластанными во всю свою ширь. Новенькие купюры упруго и точно входили в кожаное вместилище, их не надо было ни сминать, ни складывать вдвое. Господин Пьер Ч. легким движением пальцев извлек одну, накупил рогликов, сэндвичей, пивечка, дал на чай положенные десять процентов и все равно получил большую сдачу, состоящую из многих бумажек меньшего размера. Аккуратно сложил их стопочкой, подровнял и втиснул в другое отделение бумажника, где они тоже удобно заняли все пространство.

– Купе драй, – сказал господин Пьер Ч. и показал разносчику три пальца, а потом указательным пальцем показал на соседнюю дверь, потому что «купе драй» находилось за его спиной.

– Добри вечур, пани, – сказал кельнер и поставил бутылки и пакеты на столик.

Крашеная блондинка, лежавшая на левой полке двухместного купе, оторвалась от книги в яркой обложке и улыбнулась господину Пьеру Ч. Она лежала поверх аккуратно расстеленного коричневого одеяла. На ней был синий спортивный костюм. Брюки со штрипками четко обрисовывали красивую полноту ее ног.

– Добра ноц! – сказал кельнер и вышел.

Быстро темнело. На виллах на маленьких станциях, мимо которых катился поезд, зажглись первые огни.

Проезжали большой завод. Четыре трубы смотрели в небо. На каждой было по цифре, и все четыре складывались в число 1971 – год постройки... У ворот стоял грузовик, в кузове было шесть бочек... Тоненько затрещал звонок переезда. У шлагбаума терпеливо дожидались два продуктовых фургона... Вдали медленно проплывала роща. Деревья были совершенно одинаковые. Их было двенадцать.

– Давай ужинать, Айрин, – сказал господин Пьер Ч. Он открыл бутылку пива и взял сэндвич. – В 10.56 будет Прага. Главный вокзал. Нас отведут на запасный путь, и мы будем стоять там всю ночь и весь день. Мы можем погулять по городу.

– Я хочу полежать. Погуляй один, милый, – сказала Айрин.

– Я хочу посидеть на скамейке на Староместской площади, выпить пива в кафе «У калиха» и побывать на Северном вокзале. Оттуда ходят местные поезда в Брандыс над Лабем, в Гронов и Наход.

– А куда мы поедем завтра? – спросила Айрин.

– В 20.11 мы тронемся. В 21.30 пересечем немецкую границу и в 23.40 будем в Дрездене. Там мы будем ночевать. А потом поезд пойдет на север... Берлин, потом Западный Берлин... Потом в Бельгию, потом... – У господина Пьера Ч. слипались глаза. – Из Франции в Испанию дорога еще не выстроена, но она уже строится. Мы подождем в Париже... или в Бордо.

– Ты засыпаешь? – Айрин улыбалась. Брови ее поднялись удивленно. Левая бровь была испорчена давней неудачей на лыжном трамплине. Но была особая милота в этой сломанной брови на смуглом лице под шапкой низко растущих крашеных, выгоревших волос... В Испании она загорит еще больше.

– Нет, – сказал господин Пьер Ч. – Я пойду в город. Днем я буду занят, а сейчас, ночью, мы можем погулять.

Он допил свое пиво. Рельсы множились. Было уже семь путей. Аккуратные светящиеся стрелки. Будка... Водокачка... Стояла темная электричка. На сегодня она уже отработала. Маленький тепловоз тащил платформу на сортировочную горку. Проезжали застекленное здание депо с тремя воротами. На стене депо были цифры – 1971. Приближался вокзал. Было слышно, как радио неразборчиво оповещало о прибытии их поезда. Их приняли на первый путь. Естественно – это был очень дальний поезд.

2

По словам Бориса Жилинского, это был счастливый год – праздники пришлись на четверг-пятницу! А потом еще суббота-воскресенье – целый отпуск! Это возбуждало. Поэтому и предпраздничная среда тоже оказалась абсолютно пропащей для работы. Учреждение гудело. Если кто чего и делал, то с ленцой, с иронической улыбочкой, играючи. Начальники играли в разносы подчиненных, заканчивая их неизменным: «Ну ладно, после праздника вернемся к этому вопросу». Мрачным пришельцам с затравленными глазами, и обиженными губами, и запутанными делами секретарши, сверкая особенно яркой сегодня помадой, отвечали весело и обещающе: «Зайдите после праздников. Сегодня сами понимаете...» И пришелец, как человек зависимый, сам понимал. Его хватало только на то, чтобы невнятно спросить: «Но уж после праздников?..» – «Конечно, конечно! После праздника обязательно!» Праздник, праздник! Короткий день! Безответственность! Легкость!

– Александр Петрович, премию получите. Ада просила, чтобы сию минуту.

– Народу там много?

– Да никого нет. Бегите скорее.

Александр Петрович спустился в кассу.

– Ада Ефимовна, там мне премия...

– Что ж вы так поздно... я уже кассу сдаю, завтра праздник.

– Да я думал...

– Та-ак... Чернов... шестьдесят... расписывайтесь.

Полная, одышливая кассирша повернула к нему ведомость и положила на нее две купюры по двадцать пять и десятку.

– Что вы так плохо выглядите, Чернов? Вы стали худой и страшный, как мой сын.

– Десяточку разменяйте помельче, пожалуйста.

– Ой, все хотят помельче. – Ада Ефимовна облизнула седую щетинку над верхней губой. – Я вам разобью на пять, три и два рубля мелочью, хотите? Да, Чернов, зайдите в бухгалтерию. У меня на вас птичка, видите? – Она ткнула ручкой в ведомость.

Александр Петрович поднялся в бухгалтерию.

– Вы меня вызывали?

– Вообще-то, Чернов, вам самому надо бы об этом заботиться... так что с вас приходится. Кончился ваш исполнительный лист.

– То есть?

– То есть ваш сын достиг совершеннолетия и с алиментами покончено. И за прошлый месяц можете получить разницу. Ну? Что скажете? Приходится с вас?

– Приходится... А как же... Откуда?

– Все по закону. Удивительная у вас супруга, Чернов. Я тридцать лет на деньгах сижу, такого не видел. Точненько в день совершеннолетия – письмо. Сейчас... я его тут отложил. Ну, в общем... благодарность за аккуратность и сообщение: все, хватит, больше не нуждаемся... Сейчас... где-то я его положил.

– Да ладно, Василий Иванович, не трудитесь.

– Удивило меня письмецо. Уж больно все как-то аккуратно... Как в аптеке.

– Так она и работает завaптекой.

– Ха-ха, это здорово. Всегда она у вас такая была?

– Не всегда. Ну, до свидания.

Александр Петрович Чернов толкнул дверь с изображением мужского силуэта. У писсуара стоял Жилинский Борис Ростиславович, по прозвищу Бporя. Брося отвлекся от того, на чем был сосредоточен. Маленькая головка медленно повернулась на гигантской высоте Бросиного роста.

– К Севке пойдешь? – сказал Брося.

– Зачем?

– Как зачем? К Всеволоду Матвеевичу... день рождения, мы же собирались...

– Не знаю.

– Как не знаешь?

– Так не знаю.

Александр Петрович вошел в кабинку. Крючок был оторван. Он сел, вытянутой рукой ухватился за дверную ручку и заплакал. Как он мог прозевать день рождения Петьки, да еще такой день рождения, он сам не понимал. Но грустно ему было не от этого. Он представил, как Таня сидит, сгорбившись, над журнальным столиком в их квартире с зелеными стенами и пишет это идиотское письмо в бухгалтерию. Голову ломило.

Брося сказал в щель:

– Мы там на подарок собирались скинуться. Ирина командует. Ты ей скажи. Она спрашивала тебя, слышишь? Или купи бутылку и приходи, слышишь? И пораньше, часам к шести... Ты слушаешь меня?

Брося подергал дверь. Александр Петрович держал крепко.

– Это ты там? – испуганно спросил Брося. – Кто тут?

– Я, я! Все понял.

– Ну пока.

Взвизгнула дверь.

Александр Петрович долго мыл руки. Полотенце было грязное. Он нажал кнопку электросушилки и долго мял руками горячую струю. Потом присел на корточки и подставил под струю лицо. Голову ломило.

Александр Петрович зашел к себе в отдел.

– Алло! Да. Кого? Петрову? А? Кого, кого?.. Чернова?

Александр Петрович испуганно замахал руками: нет меня! меня нет!

– А он вышел... Не знаю... Ну, минут через десять... Из клуба? (Александр Петрович стиснул зубы и замотал головой.) Я не знаю... А может, через полчаса... Сейчас запишу... Кому позвонить? Кому, кому? (Александр Петрович безнадежно махнул рукой: здесь я! я здесь!) А, вот он как раз вошел. Александр Петрович, вас! Ффу-у-у.

– Слушаю... Да нет, тут меня вызывали...

Голос с той стороны:

– ПрЛости, ЧерЛнов, но ты стал манкирЛовать. Клуб – дело добрЛовольное, но ты зампредседателя, и ты не имеешь прЛава...

– Пал Палыч, мне не очень удобно говорить отсюда... Тут совещание... Позвони домой вечерком, попозже...

– Ты же не берЛешь трЛубку... Подожди, одна минута дело... Не прЛиходишь на заседания – хрЛен с тобой. Но прЛими ты этого Деяна. Он нам позарЛез нужен, надо его прЛивлечь. Ему напели прЛо твою дорЛогу, он мне всю плешь прЛоел. Покажи ты ему... Полчаса дело. Ты же сам заинтерЛесован... Тебе вагоны нужны?

– Товарные?

– Любые! Ты не понял, что ли, – человек едет в ФРЛГ. Его надо прЛивлечь. Слушай, давай завтрЛа.

– Завтра праздник. Ладно, давай сегодня, в 5.00.

– Все! В ажурЛе! Даю ему твой адрЛес. Спасибо. Жму рЛуку. Да, забыл – с прЛаздничком!

Потом было совещание у Блинова по макету застройки. Обсуждали вяло. Костя, Шляпин заикнулся было снова о «принципе Ярмака» и о том, что, мол, надо определить, за что мы и против чего, и подумать об ответственности перед простыми русскими людьми, которые... но Блинов прервал его своим монотонным гнусавым голосом:

– Брежде БсеБо Бы должДы осуществлять текущую заБланироБанную работу. Строительные организации ждать Де Богут. Им ДужДы Даши оцеДки и рекоБендации. А что касается стратегических проблем, о которых Бы говорите, того же «принципа ЯрБака», то к этому Дадо подходить Де с кондачка. Сегодня для этого Де время и Де место. К тоБу же ЯрБак отсутствует.

– Сева болен, – сказал Чернов.

– ЗДаю. Поэтому перейдем к обсуждению данного Бакета и Де будеБ отвлекаться. Прошу!

Брося первым взял слово, но сказать ему было абсолютно нечего, и он, помекав и побекав, умолк. Ни авторов, ни представителей проектного института не было. Из управления тоже никого не было. Все понимали, что совещание носит промежуточный характер и ничего не решит. Проект был приличный. Нормальный. Сколько таких и подобных уже было. Именно против этой «нормальности» Чернов когда-то восстал. В борьбе с нею и возник «принцип Ярмака», так называемый «принцип Ярмака». Но теперь Александр Петрович думал, что дело вообще не в проекте. Дело в том, как осуществлять.

Прохаживались вокруг макетного стола – большого, два на три. Посвистывали беззвучно. Трогали пальцами прелестные детальки – антенну на крыше, калиточку в заборчике, дверцу в подвал... Краснолицый Коля-макетчик бегал, шаркая ногами, от плана, висевшего на стене, к макету и, невнятно матюгаясь, передвигал что-то на одному ему видимые миллиметры, выколупывал негнущимися пальцами какие-то соринки. Коля был, как всегда, под газом. Макетчик он был великолепный. Ему прощалось. Чернов завороженно смотрел на игрушечные водосточные трубы, сделанные с чудовищной натуральностью, на окна, в которых по-настоящему посверкивало настоящее солнце, светившее в окно кабинета.

Говорил Воровский. Не говорил, а гудел. У Воровского был необыкновенно низкий голос. Он его обожал. Поэтому говорить мог с утра до вечера. Ему было все равно, что именно говорить. С полузакрытыми глазами он нес чепуху на двух низких нотах с назойливыми дикторскими интонациями. Тощая грудь резонировала. Голос гудел, как бы даже с реверберацией.

Начальство уважало Воровского за солидность. В партбюро его избирали всегда, а последние два года он стал даже секретарем. Он часто председательствовал на собраниях, и всегда все получалось красиво и солидно — после каждого выступления он долго повторял то, что было только что сказано другим. Но аудитория его слушалась. К тому же Роман Романович Воровский по таинственным причинам пользовался громадным успехом у женщин. Когда он говорил, женщины смотрели на него не отвлекаясь. Роман Романович был неумный человек. Ирина Одинцова однажды назвала его «Роман с контрабасом». Прозвище приклеилось. Потом его стали звать просто Контрабас, потом еще короче — Контрик, что было полной бессмыслицей. Но все равно — так звали.

Контрик гудел. Чернов поглаживал рукой тротуарчик.

— А что скажет Александр Петрович? — спросил Блинов.

Чернов промямлил что-то вопросительное насчет подъездных путей. Ему никто не ответил. Потом с обычным для него надрывом выступил Костя Шляпин. Призывал изменить все! Саму систему обсуждения, планирования, строительства, оплаты, руководства. Костя говорил остро. Но так часто и так одинаково, что никто уже не пугался. Костя рубил рукой воздух, часто произносил слово «вообще» и с этим словом переходил в более высокую тональность и к критике еще более высоких учреждений. Когда, раздолбав управление, Костя сказал «и вообще» и перешел к министерству, Блинов широко зевнул. Зевок перешел в кашель. Шляпин умолк.

– Ладно, – сказал Блинов. – После праздника вернемся к этому вопросу.

Толкались в дверях. Воровский подробно и нудно рассказывал про кошмарное убийство в Иркутске, о котором он прочел сегодня в «Известиях». Женщины слушали внимательно и ужасались. Костя Шляпин тревожно и ожидающе взглядывал всем в глаза – ждал поздравлений со смелым выступлением. Поздравителей не нашлось, и Костя угасал на глазах.

– Александр Петрович, вас Одинцова искала.

– Я знаю... Я сейчас, сейчас... Коля, ты к себе? У меня к тебе дельце.

В подвале у макетчика было прохладно. Пахло краской и пылью. Александр Петрович мотался между столом и лавками, ища свободного местечка, чтобы хоть портфель поставить. Все было завалено книгами, бумагами, фотографиями, чертежами, коробками. Тысячами проволочек, стерженечков, гаечек и болточков, вещичек и обломочков. Игрушечной мебелью и бумажными человеческими фигурками размером в ноготь. Александр Петрович неловко пристроил портфель на колене и начал борьбу с замком. Месяц уже не мог собраться его починить и каждый раз мучился. Коля клацнул большим рубильником, и в углу, в трубе, заныл вентилятор.

– Значит, Коля, во-первых, спасибо за кирпичики и бочечки. Это здорово... Потом, я тебе должен... – Александр Петрович швырнул портфель на пол и полез в карман за бумажником. – Я тебе должен за эти... – он мучительно думал, сколько дать, – за скамейки для вокзала.

– Да ладно, – сказал Коля.

– Нет-нет, так не пойдет. Вот восемь рублей… Это за то.

– Да чего там… – сказал Коля.

– Потом, деревья ты мне делал. Так что… – Александр Петрович положил две бумажки – три и пять рублей – на ящик, но струей ветра от вентилятора их сразу сдуло, и они разлетелись, утонули в хламе. – Ах, черт дери. – Александр Петрович трешку нашел, а пятерку – никак. Он заглядывал в узкое пыльное пространство между стеной и тяжелым сундуком, прижимаясь потным лбом к холодной пупырчатой масляной краске стены.

– Вот она! – Коля показал толстым, расширяющимся к концу курносым пальцем с черным ногтем.

Пятерку заклинило между двумя банками краски. Александр Петрович аккуратно взял ее. Угол был желтым. Чернов стал вытирать пятерку носовым платком.

– Да ладно, – сказал Коля.

Александр Петрович положил деньги на стол и прижал сверху пакетом с гвоздиками.

– Вот что, Коля… ты мастер-экстра… вот какое дело… – Александр Петрович опять пытался открыть портфель. – Надо мне сделать спальный вагон… разборный и с очень подробными внутренностями. Это не к спеху, но сделать надо… Ну, так, как ты умеешь, понимаешь? – Портфель вдруг открылся. Александр Петрович утер со лба пот и достал из глубины портфеля бутылку простой водки. – Вот это тебе, так сказать, с праздничком.

– Да ну, – сказал Коля, – не стоило… Ну да ладно, давай, зайдешь еще… – Коля взял бутылку за горлышко двумя пальцами и пустил внутрь ближайшего рулона из торчащих в углу. Зашуршало. Коля глубоко, почти до плеча, запустил руку в соседний рулон и достал оттуда другую бутылку, уже начатую. – Возни много с вагоном. Это все купе, что ли, делать, или пару-тройку?

— Все, все, — испуганно затряс головой Чернов, — но они ведь двухместные, всего две полки. И коридор, и все двери. Я чертеж дам.

— Много возни... Мне сейчас сына в санаторий надо... путевку и на дорогу ему... и вообще... а у меня премию начисто украли. — Коля налил до краев маленькие пластмассовые стаканчики, из кармана пиджака достал пакет и вывернул оттуда два сплюснутых бутерброда: один с сыром, другой с яйцом и килькой. — Заснул вчера на скамейке в садике днем... в обеденный перерыв... пригрелся, там и заснул... и обобрали... всю. Мне сейчас в долг сто рублей надо позарез... сына в санаторий... с ножками у него, сам знаешь... суставы и всякое такое, а меня обобрали... всю премию. А вагон сделать можно... мне бы в долг сто рублей... я отдам, вон макет стоит, заверну налево для Дома культуры — и отдам... Вагон я тебе сделаю, и восемь рублей забери... Ну, с праздничком!

Выпили. Жевали отсыревшую булку и затвердевшие сыр и яйца.

— Сто рублей я не могу сейчас. Я, Коля, прямо тебе скажу — не могу. Я дам двадцать пять и вот эти восемь — тридцать три.

— Да не надо, — Коля обиженно щурил глаза, глядел в угол, — мне сто рублей, а эти не надо.

— Ну все же... остальные еще у кого-нибудь...

— Да ладно... давай еще по одной, — Коля налил. — Это мне все до луковки. У сына... ножки... понял? Тут подвал, дома подвал — генетика, понял? Ревматическая болезнь. Ну, будь здоров!

Выпили.

— Коля! Я дам тебе пятьдесят! — Чернов решительно полез за бумажником.

— Иди ты отсюда знаешь куда? — Колю развозило. — И пятьдесят свои забери... Уснул тут на скамеечке, понял? Я в долг прошу! У меня вон — левый макет... к десятому числу дили-донн!.. и сто восемьдесят рублей. А мне сейчас надо... Обобрали, так? А санаторий ждать будет? Ни х... Всю премию... кудык... и дили-донн!

Чернов потел и мучился. Он с тоской думал, что все и правда, и беззастенчивая ложь одновременно. Про ножки, и про сына, и про подвалы – правда. Только никто Колю не обворовывал, пропил он все в компании с институтским художником-диаграммистом Асеевым и лаборанткой Зоей. И эти пропьет. Чернов совал ему в карман две бумажки по двадцать пять рублей. Коля отбивался.

– Иди ты... не надо, не купишь... знаю я вас...

– Да Коля, да возьми, я от души...

– Иди ты... знаю, зачем тебе спальный вагон... мне снизу видно все.

Смолк вентилятор. У рубильника стояла Ирина Одинцова в очень светлом пыльнике, с очень строгим лицом, с очень тонкими губами. Всегда тонкими, а теперь еще обиженно поджатыми. Стало тихо и гулко. Чернов представил, как выглядят они с Колей со стороны – борющиеся с деньгами в руках в этой захламленной комнате. И эта водка... и этот кусочек кильки на листе хорошей белой бумаги, и расплывающееся вокруг него масляное пятно.

– Я искала тебя по всему зданию!

Коля встал, сложил руки в замок, покачался и с маху, как топором, стиснув зубы, толкнул локтями нагромождение банок, книжек и рулонов. Посыпалось, зашуршало, покатилось. И очистился кусок скамейки.

– Садитесь, Ирина Андреевна.

– Спасибо, я спешу.

– Я сейчас, – сказал Чернов Ирине.

– Мне ведь ничего не надо. Это ты меня должен искать.

– Я сейчас, – сказал Чернов Коле и взял Ирину за локоть. Ирина вырвала руку и вышла. Чернов переступил через высокий порог и закрыл за собой тяжелую железную дверь.

Они стояли в подвальном тамбуре среди мешков с песком и огнетушителей. Одинцова нервничала. Шрам над бровью покраснел, и лицо ее в свете засетченной дежурной лампочки было некрасивым.

– Что с тобой происходит? – говорила она. – Если ты болен, то пойди к врачу, а если здоров, то отвечай за свои поступки. Мы идем к Севке или нет? Мне безразлично, но я должна знать.

– И мне безразлично, – сказал Чернов, тюкая носком ботинка в мешок с песком.

– А тебе все безразлично, кроме твоих идиотских вагонов. Знаешь, мне стало скучно с тобой. И странности твои больше меня не привлекают. Раньше мне казалось, что за этим есть какая-то идея, какое-то зерно, а теперь – нет. С тобой душно, как в этом подвале. Хочу рядом нормального мужчину, ну тебя к черту! – Одинцова начала подниматься по каменной лестнице. Вот исчезла ее голова... плечи.

Чернов понимал, что должен окликнуть ее, но ему не хотелось. Он с трудом разлепил губы, прямо силой оторвал верхнюю от нижней, но десятки каких-то липких ниточек связывали еще одну с другой. Он провел тыльной стороной запястья по губам, сорвал ниточки, скатал в комок.

– Ирина!

Нижняя половина Ирины остановилась. Повернулась к нему.

– Ну? Что?

Чернов облизывал губы и думал о двадцатипятирублевках, которые, кажется, упали в хлам возле скамейки. Он думал о том, что надо скорее вернуться в макетную и найти их, потому что Коля может их забрать и спьяну забыть, а потом напомнить неловко... И тогда они вообще пропадут... совсем... Коля их пропьет и не заметит.

– Я тебя сейчас догоню.

Одинцова спускалась. Появились плечи. Потом голова.

– Ты к Всеволоду Матвеевичу собираешься?

– Да.

– Дай мне денег.

– Сколько?

– Дай пятьдесят. Я куплю подарок от всех. Потом они с тобой рассчитаются.

– Сейчас...

Чернов вернулся в макетную. Коля спал на скамейке откинув голову, привалившись спиной к бумажным рулонам. Смял их. Длинные тяжелые руки с брезгливо растопыренными пальцами свисали между колен. Рот был открыт, и дышал Коля тяжело. Из левого кармана куртки высовывались две двадцатипятирублевки. Александр Петрович оглянулся. На дне бутылки еще было на полногтя водки. Чернов схватил бутылку и стал пить из горлышка. Спиной почувствовал, что Ирина стоит в дверях. Дернулся. Жгучая жидкость попала не в то горло. Закашлялся, как залаял, сотрясаясь всем телом. Замахал на Ирину руками, затопал ногами, не в силах сказать ни слова. Лоб и вся голова под волосами густо вспотели. Ирина пожала плечами и вышла. Чернов, тяжело дыша и все еще изредка кашляя, повернулся и увидел, что Коля не пошевелился. Спал. Александр Петрович решительно выдернул двадцатипятирублевки из Колиного кармана, со стола из-под гвоздей вытянул пятерку и трешку. Уже протянул руку, чтобы засунуть их в Колину куртку. И тут Коля открыл глаза. Смотрел на Чернова зло и трезво. Дышал с шумом. Сердце у Чернова испуганно колыхнулось. Он почувствовал, что у него вспотели ноги и брюки сразу прилипли к икрам. Краснолицый Коля начал бледнеть на глазах. Дышал все чаще и шумнее.

«Сейчас он меня ударит, – подумал Чернов. – Я украл у него свои собственные деньги и ничего не могу объяснить. Это ужасно».

Коля все бледнел.

«Я потом отдам ему, – думал Чернов, – он пьян, ему нельзя иметь много денег, его обкрадут».

Коля с лицом цвета бумаги взревел и выплюнул на пол желтую жижу с почти не прожеванными кильками с яйцом, потом повалился боком на рулоны, на коробки, на банки, на гвозди и захрапел.

Чернов сунул пятерку и трешку в оттопырившийся карман его брюк. Сжимая в потной руке две двадцатипятирублевки, кашляя и отплевываясь, Александр Петрович бежал вверх по каменной лестнице.

3

Господин Пьер Ч. постукивал пальцами по столику. Вторые сутки в Вене шел дождь. Вторые сутки бастовали железнодорожники. Поезда стояли. Вчера еще было электричество. Сегодня аккумуляторы сели, и никто не хотел их подзарядить, боясь обвинения в штрейкбрехерстве. В купе было почти темно. Было семь часов вечера. Поезд стоял у второй платформы Нордбанхофа. Соседний путь был свободен, а на следующем застыл «Восточный экспресс». Господин Пьер Ч. неподвижно смотрел на темно-зеленый вагон с крупными серебряными накладными буквами поверху, во всю длину: «ОРИЕНТ-ЭКСПРЕСС», и на маленькую белую табличку под центральным окном: «ОСТЕНДЕ–БЕОГРАД». Это был вагон номер восемь. В вагоне ходили люди, опускали окна, кричали на непонятном языке. Потом появились длинноволосые тощие парни, видимо нанятые вместо носильщиков, и начали вытаскивать чемоданы. Пассажиры перебирались в город. Большинство было навеселе. Женщины взвизгивали, соскакивая с высоких подножек.

Мужчины смеялись и непрерывно говорили что-то звучными сдобными голосами. Раскрывали зонты, прикрывались газетами, прыгали через лужи. Уходили направо по узкому туннелю между поездами.

– Надо и нам уходить, милый, – сказала Айрин, – я не могу без света.

– Наш поезд не могут оставить без света. Они обязаны подумать о нас.

– В поезде никого нет. Я думаю, мы остались одни, – сказала Айрин.

– Они не имеют права. По расписанию... – начал господин Пьер Ч.

– Ах, какое там расписание. Ты же видишь! – сказала Айрин. – Не говоря уже о том, что вместо Швейцарии мы оказались в совсем другой стране.

– Да, – сказал господин Пьер Ч.

Но они всё еще сидели в темноте. Сидели и молчали. Они сидели, когда дождь превратился в ливень, и потом, когда опять стал моросить, и потом, когда капли стали редкими и крупными и медленно стекали по стеклу, каждая отдельно. Господин Пьер Ч. барабанил пальцами по столику.

Стало темно и на улице. Уже нельзя было разглядеть надпись «ОСТЕНДЕ–БЕОГРАД» на белой табличке, но большая надпись еще прочитывалась. Потом темнота стала поглощать и серебряные буквы. По свободному пути проехала дрезина с яркой фарой. Двое людей в шляпах держали над головами мокрый плакат с лозунгом. Третий кричал что-то в рупор по-немецки.

– Мне скучно, милый, – сказала Айрин.

Из-под колес «Восточного экспресса» вылез человек в белой куртке и с красным фонарем в руках. Человек раскрыл зонт и стал махать фонарем.

– Проводник вернулся, – сказала Айрин.

Господин Пьер Ч. опустил стекло. Дождь был холодный и косой. Дождь летел внутрь вагона, больно бил по глазам. Проводник приблизился.

– Что нового, Клод? – спросил господин Пьер Ч. – Будет движение?

– Нет. По крайней мере еще сутки. Вам надо уходить. На всей станции нет ни одной души, кроме пикетчиков.

– А где вы сами собираетесь ночевать, Клод?

– Я бы хотел уйти в город. У меня здесь есть подруга. Я бы запер вагон. Но если вы останетесь...

– Мы сейчас решим. – Господин Пьер Ч. поднял стекло. – Как ты хочешь, Айрин?

– Я не могу без света. Мне ничего не нужно, но я не могу без света. И потом, я хочу вымыться.

– Если ты так хочешь...

– Я не могу без света, – повторила Айрин.

Господин Пьер Ч. снова опустил окно.

– Мы уходим.

– Я возьму ваши чемоданы и провожу вас до такси, – сказал Клод.

Они шли по пустому темному вокзалу. Впереди Клод с чемоданами, за ним Айрин с открытым зонтом. Последним шел господин Пьер Ч. с красным фонарем проводника и двумя сложенными зонтами – Клода и своим. Господин Пьер Ч. смотрел на Айрин. Смотрел на ее спину, бедра, зад, мягко обрисованные кожей дорогого пальто, на ее ноги в брюках и в туфлях на очень высоком каблуке. Айрин шла прямо, почти не раскачивая бедрами. У нее был короткий шаг с четкой и очень прямой постановкой ноги – носок туфли смотрел точно по направлению движения. Потом, когда нога перекатывалась с пятки на носок, она делала легкий, едва заметный поворотик на носке. С легким бесстыдством приоткрывалась полная икра, носок смотрел в сторону, наружную от оси движения, и тогда происходил толчок внешней стороной большого пальца, спрятанного в чулок и в туфлю. Все туфли у Айрин снашивались именно здесь, почти у самого носка, на внутренней стороне. Когда-то его сводила с ума ее походка.

Когда она впервые, сидя на его кровати, сняла туфлю и он увидел этот живой, почти пульсирующий след ее отталкиваний от земли, эту трогательную, едва заметную потертость на подошве, у него закружилась голова от нежности и желания. Туфли хранили живые усилия ее тела. Ни одна другая часть туалета не говорила ему о ней там много и так интимно.

Потом, когда они уже не будут вместе, господин Пьер Ч. увидит однажды в гостиничном коридоре пару чуть стоптанных у носка женских туфель и задохнется от жалости к себе и к ней, к тому, что все это уже прошло, и со слезами на глазах поймет то, чего он никак не может понять сейчас, идя вслед за ней с красным фонарем проводника, – понять, нужна она ему или нет, испытывает он к ней что-нибудь, кроме чувства собственника и привычной нежности к чуть надоевшей вещи.

Красный свет изменил все цвета – розовое пальто Айрин выцвело и стало серым, синие брюки и синие туфли обрели глубокий черный цвет, белые волосы стали желтыми, и ослепительно белой, как бенгальский огонь, точкой светилась сигарета в тонкой, элегантно изломанной кисти, зажатая в двух напряженно вытянутых пальцах.

Шофер такси посоветовал «Центрум-Отель». Машина свернула с Пратера на Ринг. Слева возникали и исчезали буйно освещенные улицы. Дождь не переставал.

– Ты жалеешь, что связалась со мной? – спросил господин Пьер Ч. Он долго обдумывал эту фразу, от самого вокзала. Несколько раз произнес ее про себя, предположил ответ Айрин, и потом, когда фраза ему совсем разонравилась и он решил не говорить ее, она вдруг сказалась сама собой, эта глупая фраза: – Ты жалеешь, что связалась со мной?

– Иногда.

Такого ответа господин Пьер Ч. не ожидал, и у него заболело сердце.

– Почему?

– Потому что тебе нужна другая женщина. Вернее, тебе вообще не нужна женщина. Я обещала доехать с тобой до конца, и я поеду, если ты меня не выгонишь. Но это очень долго.

– Подумаешь, три года, – сказал господин Пьер Ч.

– Я уже состарюсь.

– Ты и старая будешь красивая.

Айрин расхохоталась и закурила.

– Почему у тебя плохое настроение? – спросил господин Пьер Ч.

– Это у тебя плохое настроение, милый.

Господину Пьеру Ч. стало очень грустно и обидно.

– Да, – сказал он. – Потому что я не люблю городов. Я люблю поезда.

4

Город захлебывался в предпраздничной суете. В отчаянном рывке, до судороги напрягши ноги и сплюснув спиной чье-то влажное жирное тело, ударившись о толстую резину уже закрывающихся дверей, Чернов выскочил из троллейбуса. Уличные громкоговорители готовились к завтрашним лозунгам и маршам, а пока пробовали себя вполголоса на заурядных последних известиях. Сквозь уличный шум Чернов расслышал, как тонко пропели сигналы времени – пять часов. Чернов побежал. Пот тек из-под волос на лоб, набухал в бровях, скапливался в глазных впадинах. Чернов его не вытирал – все равно через секунду было все то же самое. Левым плечом вклиниваясь в массу идущих навстречу, делая непрерывные зигзаги, он медленно бежал в праздничной жаркой полуобнаженной толпе. Он продирался сквозь женские плечи, его прижимало к тугим и вялым грудям, об него терлись боками, он утыкался в туго обтянутые зады. Чернов задыхался от жары. Злился. Медленно бежал. Зигзагами. В пустом холодном туннеле подворотни он перешел на шаг. Всем телом толкнул тяжелую дверь парадной и, закрыв глаза, стараясь сдержать громкое дыхание, начал подниматься по лестнице.

На подоконнике возле его двери сидел очень маленький человек. Миниатюрные ножки далеко не доставали до пола. Постукивали пяточками по ребрам батареи. Сильный слепящий свет лился в окно, и лицо человечка было неразборчивым. Чернов разглядел только большие очки, коротенькую аккуратную стрижку с проборчиком и белый отложной воротничок на темном костюме. Человечек спрыгнул с подоконника.

– Александр Петрович! – сказал он утвердительно, то ли опознавая Чернова, то ли сам представляясь.

– Да, извините, я чуть опоздал... – выдохнул Чернов. – Вы Деян?

– Лев Бенедиктович, – так же утвердительно и раздельно, почти по буквам, сказал человек. Голос у него был тоненький, но интонация уверенная, достойная.

Они шли по длинному коммунальному коридору, заставленному обшарпанными шкафами. В пещерных углублениях между шкафами густо лежала темнота. По мере их хода темнота надрезалась сама собой ослепительной вертикальной чертой дневного света, и обнаруживалась дверь, а за ней голова с подозрительными глазами. Голов было много – мужские, женские, детские и старческие. Чернов здоровался направо и налево с пещерными жителями, и Деян за его спиной вторил своим писклявым, но достойным голоском. Тусклая лампочка освещала нагромождение сундуков, велосипедов, детскую коляску, одну лыжу, груду оконных рам и заднюю половину мопеда. Девять счетчиков гнездились над низкой дверью в кухне и зловеще зацокали при появлении людей.

– Вас не пугают коммуналки? – спросил Чернов.

– Нет, не пугают. Мне много пришлось жить в коммунальных квартирах.

Открыв дверь своей комнаты, Чернов пропустил Деяна вперед и наконец смог рассмотреть его. Там, на лестнице, Деян показался ему почти подростком. Теперь он с изумлением видел, что это человек далеко не первой молодости, скорее, даже пожилой. Впрочем, потом, во время разговора, Деян минутами опять как бы молодел и становился похожим на смешного важного мальчика, а еще через мгновение Чернов видел перед собой просто старого и сурового человека. Лицо у Деяна было гладкое, без малейшего намека на растительность, но не бабье. В этой гладкости и миниатюрности и еще в очках было что-то от японца. Может быть, поэтому и возраст, как у японца, определить было невозможно.

Деян сел в предложенное кресло и неотрывно смотрел на громадный самодельный стол, покрытый белой простыней. Стол стоял на шести ножках, а с углов его подпирали грязные строительные козлы. Стол занимал почти треть большой комнаты. Кроме стола, в комнате помещались: большой книжный шкаф, в полстены по длине и до потолка по высоте, тахта, около нее маленький журнальный столик, торшер, старый буфет со множеством отделений и прекрасная кафельная печь, рядом с которой на полу стоял открытый проигрыватель с запыленной пластинкой. Под столом толпились картонные ящики, покрытые газетами. Четыре стула сиротливо и непонятно стояли возле двери, и их странный строй завершало до краев наполненное мусором ведро. Кроме того, было старое кресло красного дерева, в котором сидел Деян. Кроме того, над тахтой висела фотография, на которой Чернов стоял в трусах на берегу моря, держа за руку маленького мальчика без трусов. На обоях были треуголки, сделанные из газеты. Вся обстановка как бы противостояла громадному загадочному столу под белой двуспальной простыней, но стол не хотел этого замечать. Он съел большую часть пространства и царил.

Чернов взгромоздился коленями на высокий подоконник и уже довольно долго возился с массивной прошловековой ручкой шпингалета – пытался открыть окно. Стекла дребезжали. Чернов кряхтел. Наконец раскрылось большое окно. Хлынул шум и пыльный жар. Чернов неловко соскочил на пол, зацепился за батарею и, потирая ушибленное колено, заметался по комнате.

– Могу предложить вам чаю... или растворимого кофе... Вы курите?

– Спасибо. Курю. Ничего не нужно, – отрывисто сказал Деян. – Время мое весьма ограничено. Если можно, начнем.

– Да-да, сейчас... Фу, как жарко. Руки не хотите сполоснуть? Я весь мокрый... извините...

– Пожалуйста. Давайте... – Деян встал.

Чернов сдернул с гвоздика несвежее махровое полотенце и распахнул дверь. Кухня была большая, темная и прохладная. В углу – маленькое окно со стеклами, покрытыми частичками жира и копоти. Даже мысль о прикосновении к такому стеклу неприятна. Между рамами окна пирамидой стояли консервные банки, обволокнутые противной ружейной смазкой. Окно выходило на кирпичную стену, и в той стене тоже окно и такая же пирамидка дефицитной тушенки между рамами. Этот зеркальный эффект одинаковых окон, смотревших друг на друга, всегда вызывал у Чернова легкое подташнивание. Банки в окнах стояли уже давно, может быть, год, может, пять. Тушенку когда-то в невероятном количестве выбросили вдруг в соседнем магазине. Закупали банки всей квартирой – занимали друг другу очередь, помогали донести. В пирамидке были две банки, принадлежащие Чернову. Но за год (или за пять лет?) ни здесь, ни в том окне, напротив, никто пирамидок не коснулся. Смазка обросла пылью, к этой массе прилипали мухи и умирали там, и образовалось на банках, на их жирной почве, мушиное кладбище. Над ним летали живые мухи и бились в жирные стекла. И все это зеркалило, отражалось в окне той, другой квартиры, а в узкую щель между домами било солнце – насквозь, всеми лучами напролом, в кирпич стены, ни одним лучиком не заглядывая в коммунальные кухонные окна.

Чернов и Деян протиснулись между личными столами съемщиков к облупившейся железной раковине. На кран была намотана тряпка, и концы ее свисали до дна раковины, смешивались своей бахромой с картофельными очистками на черной решетке. Чернов поднял концы тряпки и навесил на трубу.

– Мойтесь, – сказал Чернов. Он смотрел на эту десятки лет знакомую кухню глазами гостя, и ему было стыдно и тошно.

Деян вытянул руки из манжетов и подставил запястья под струю.

– Мытье не спасает от жары, – сказал Деян. – Надо просто охладить вены на руках или на ногах, и будет легче. Меня научили этому в Индии.

Чернов протянул ему полотенце и, низко наклонившись, долго плескал воду на лицо, думая о том, что Деян не стал мыться не по причине индийского опыта, а просто из брезгливости.

Они снова вернулись в комнату.

– Пожалуйста, начнем, – тихо и очень тонким голосом сказал Деян.

Чернов протиснулся между окнами и большим столом в дальний угол и взялся за конец простыни.

– Давайте вместе.

Деян взялся за ближайший к нему конец. Начали отворачивать. Простыня цеплялась за какие-то острия, спрятанные под ней. Аккуратно отдирали и отворачивали...

отворачивали. Наконец сероватая от пыли ткань упала на пол. Долго молча смотрели на открывшийся перед ними мир. Голова Деяна склонилась набок, взгляд был отрешенным и грустным. Под окном надрывно трещал мотоцикл.

— Закройте окно, — тихо и твердо приказал Деян, не отрывая взгляда от стола.

Чернов опять полез и на этот раз справился с замком довольно легко. Спрыгнул, опять ударился о батарею и, чертыхаясь, захромал по комнате, бесцельно, из угла в угол. Теперь он видел спину Деяна. Деян стоял неподвижно, как на похоронах. Чернов подошел, встал рядом.

— Изумительно, — прошептал Деян.

Там, внизу, были пологие холмы. На холмах росли леса. Леса не были похожи на настоящие — все деревья были ровные и одинаковые, и именно это было прекрасно. Росли они на настоящей земле, и земля была чистая. И были там, за холмами, дома, и был завод с четырьмя трубами. И в разных концах были три прекрасной архитектуры вокзала с платформами, со множеством путей, с сортировочной горкой. Были депо и дороги. А там, совсем далеко, за многими лесами, у самого окна, — дивное современное высотное здание, какая-то небывалая гостиница, и рядом площадь с машинами и еще один совершенно белый, из известняка, маленький вокзальчик. И были мосты и голубая река. Асфальтированные улицы. Стекла в крошечных окнах домов. И ко всем домам, ко всем холмам, ко всем лесам вели рельсы. Повсюду можно было доехать. Множество составов, паровозов, тепловозов, вагонов стояло на путях и у платформ. И высовывались из стеклянных дверей депо. И были в дороге.

— Невозможная жара... извините... Я сниму рубашку, — сказал Чернов. — А вы не хотите раздеться? Дышать нечем.

— Хочу, — шепнул Деян и, не отрывая взгляда от серо-зеленых холмов, снял пиджак, аккуратно расстегнул пуговицы на белоснежной свежей рубашке, сложил и то и другое на кресло. Странный контраст составляло его гладкое безволосое лицо с телом, густо заросшим и с груди и со спины курчавой с сильной проседью шерстью. Деян присел на корточки, снял очки, близко придвинул глаза к окнам вагончика, заглянул внутрь. – Там все есть, – прошептал Деян. Тонким пальчиком уперся в крышу вагона и медленно повез его мимо водокачки. Колеса щелкнули на стрелке – упруго и смачно.

Деян встал на колени. Чернов шел вокруг стола, заботливо и осторожно поправляя чуть покосившиеся столбики электропередач... съехавшие слегка на обочину грузовички... ногтем мизинца подвел часы на башне вокзала. Зайдя на противоположный край, он тоже встал на колени и стал резиновой грушей высасывать пыль из ложбины между двумя холмами. Несмотря на простыню, в долины пыль все-таки забивалась. Он посмотрел вдаль, за черту холмов, сквозь путаницу горизонталей проводов и вертикалей светофоров, и увидел там, около вокзала, незащищенные выпуклые близорукие глаза Деяна. Деян прицепил три вагона к паровозу и вез составчик со станции дальше, по мосту через реку, вдоль сверкающего стеклом озерца к готическому городку. Дальше он дотянуться не мог.

– Помогите, – сказал Деян.

Чернов повел состав на себя – через лес. Деян смотрел вдоль узкой колеи в хвост последнему вагону.

Громко постучали в дверь. Деян вздрогнул. Чернов крикнул: «Сейчас!» – и полез под столом между ящиками. Вынырнул на другой стороне возле Деяна. Вставая, почувствовал, как коснулся – прошелся локтем по Деяновой шерсти на плече. За дверью стояла взрослая соседская дочка, умоляюще моргала крашеными глазами:

– Три рубля до послепраздника, и чтобы папа не узнал.

Чернову очень хотелось дать, но не было.

– Совсем нет. Может, вечером? Мне отдать должны.

– Мне сейчас... очень...

– Только к вечеру.

– Ну ладно.

Уходила. Засасывалась темнотой коридора. Последнее, что было видно, – две длинные светлые полоски высоко обнаженных ног... покачались в темноте и растворились.

Чернов вернулся в комнату и запер дверь. Деян опять вздрогнул, но не обернулся. Стоял на коленях, низко склонив голову. И рук не было видно – как будто молился. Странный у него был вид – дикая звериная спина увенчивалась маленькой цивилизованной головкой с прилизанными прямыми волосиками и проборчиком. Чернов прошелся по комнате. Наткнулся на мусорное ведро. Подумал, что надо бы вынести его, но... снова щелкать ключом в двери... опять вздрогнет Деян... Чернов глянул на давно не замечаемую фотографию – свою с сыном. И вдруг ему стало по-знакомому стыдно. Даже испарина выступила, так стыдно стало, что маленький Петька видит с фотографии эту запущенную комнату, и в ней запущенного отца, и этого полуголого шерстистого иудея с армянской фамилией, молящегося средь бела дня над детской игрушкой. Раньше, когда к Александру Петровичу приходили женщины, он сдергивал со стены фотографию. Оставшись один, снова вешал на стену. И вот тут-то и бывал этот момент стыда – Петька и сам он смотрели с фотографии прямо в лоб.

Чернов достал сигарету, чиркнул спичкой. Деян вскочил с колен, задумчиво отряхнул брюки, так же задумчиво, глядя куда-то в пол и вбок, достал из кармана своего пиджака невиданную пачку сигарет – плоскую, квадратную. Тряхнул пачку, и одна сигарета ловко, как у фокусника, выдвинулась наполовину из общего ряда. Протянул пачку Чернову, глядя все так же вбок и вниз открытым невнимательным глазом с удивленно поднятой бровью. Пачка в руке легко покачивалась, предлагая себя.

– Я курю, – сказал Чернов и показал свою дымящуюся сигарету.

– Возьмите. Это очень хорошие сигареты. Это самые лучшие сигареты. – Деян все смотрел на него и говорил медленно.

Чернов взял сигарету и положил на буфет. Деян снова тряхнул пачкой, и опять одна сигарета приготовилась на выход. Он зацепил ее губами и совсем застыл, окаменел. Невидящий скошенный глаз, задранная бровь, тонкая пачка сигарет в тонких пальчиках. Чернов поднес ему зажженную спичку. Деян закурил, сладострастно, по-наркомански затянулся, прикрыв глаза, медленно выпустил дым через нос... и ожил. Бросился в кресло, резко закинул ногу на ногу, заговорил быстро и настойчиво, с неожиданными низкими властными нотами.

– Мне очень понравилось, Александр Петрович. Я не предполагал ничего подобного. Такая вещь может только присниться. Как же нам быть? – Снова с сопением выдохнул дым через нос. – Сколько лет вы занимаетесь этим?

– Да уж десять.

– А сколько примерно все это стоит?

– Стоит? Трудно сказать.

– Я думаю, очень дорого. Очень. Вы кто по профессии? Где работаете?

Александра Петровича начал раздражать самоуверенный и властный тон полуголого гостя. Чернов скороговоркой произнес чудовищное нагромождение согласных букв – сокращенное название своего института. Чернову хотелось хоть на мгновение поставить гостя в тупик. Заставить переспросить. Но, к полному его изумлению, Деян не спасовал. Секунду он молчал: компьютер в его голове, видимо, расшифровывал кошмарный узел. Потом сказал утвердительно:

– Вы архитектор. У вас был директором Кроманов. Я его знал... Василий Иванович. А теперь кто у вас?

– Блинов.

– Не знаю. А Всеволод Ярмак, это из вашего института?

– Да.

– Я читал его книгу «Эстетика строительства». Это интересно. Вам нравится?

Чернов, скривившись, выковыривал спичкой соринку из зубов.

– Я имею некоторое отношение к этой книге, так что...

Он выковырял довольно большой дурно пахнущий кусок лука, с омерзением швырнул его вместе со спичкой в ведро. Не попал и еще больше разозлился. Он понял вдруг главную причину своего, теперь уже давнего, глухого раздражения, соединенного с апатией. Дело в Севе. А сегодня еще надо идти к нему, и сидеть вечер, и сочувствовать, и поддакивать, поднимать бокалы и говорить тосты.

– А вы где работаете? – грубовато спросил Чернов.

– Я теоретик, – коротко ответил Деян и опустил глаза.

Помолчали. С улицы из громкоговорителя доносился марш.

– У меня плохие руки, – резко и презрительно сказал Деян. – Мне никогда не сделать такое. Мне нужно готовое. Мне нужно. Вам не надоела эта игра?

– Это не игра. Это хобби, – деланно улыбнулся Чернов.

– Это игра, Александр Петрович. И, как всякая игра, это дело весьма интимное, я понимаю. Но вы играете уже десять лет. Может, вам надоело? Может быть, вы хотите другую игру? У меня неплохая коллекция икон. Я могу подарить вам ее.

Чернов засмеялся.

– Сколько же это может стоить? – серьезно продолжал Деян. – Три? Четыре? Пять тысяч? Александр Петрович, я буду вас соблазнять. У меня большие возможности, и я буду пользоваться ими.

– Мне непонятен ваш тон, Лев Бенедиктович.

– Что вы делаете с этим, Александр Петрович?

– Ничего... просто привычка. – Чернов опустил глаза.

– Если только привычка, то вам выгодно будет отказаться от нее. Мы с вами немолодые люди, нам нужна встряска и тайна. Все явное и привычное отягощает нас. У вас плохая квартира. Вы могли бы быстро построить кооператив, я взял бы на себя и организацию и оплату. Или вы можете купить автомобиль... Боюсь только, что для вас это не только привычка... Я не хочу лезть к вам в душу, но... – Деян хмыкнул и погасил сигарету о каблук ботинка. – Не может быть, чтобы двум людям одновременно была жизненно необходима одна и та же, в сущности, бессмысленная вещь... хотя это бывает в случае с женщиной...

– Странно вы говорите, – повторил Чернов. Закуривая, заметил, что у него дрожат пальцы.

– Вам нужны деньги? Большие деньги? – спросил Деян.

– Давайте отложим этот разговор. Тем более, вы уезжаете.

– Куда?

– В ФРГ! – громко, раздраженно выкрикнул Чернов, стараясь стряхнуть наваждение.

– Ваш товарищ не понял. В ФРГ едет один из моих сотрудников и может, если нужно, привезти вагоны и паровозики. Сам я уже давно не выезжаю за рубеж. Александр Петрович, вам нужны деньги? Мне кажется, вы не очень ловкий человек в жизни. Продайте мне дорогу. Это будет ловкий поступок, и вы почувствуете себя увереннее и веселее. Нельзя слишком долго играть в одну игру, это кончается сумасшествием.

– Вы Мефистофель, Лев Бенедиктович. Вы меня пугаете.

– Я искушаю вас, это правда. Но я вам предлагаю не закабаление, а освобождение. Вам нужно немного денег сейчас, сию минуту?

Чернов подумал о ста рублях, которые просил макетчик Коля, но тут же вспомнил, что теперь вагон ему будет не нужен. Комок обиды подкатил к горлу. Потом мелькнула мысль, что соседке Аллочке нужны три рубля. Потом подумал, что Петьке надо бы сделать хороший подарок к совершеннолетию, еще надо купить дубленку, заплатить за квартиру за тот месяц и за этот. Потом представил себя (скоро! завтра!) за рулем настоящего автомобиля, подъезжающим к своей квартире в каком-то совсем другом, новом, чистом районе. Все это провернулось в мозгу колючим калейдоскопом.

– К сожалению, я вынужден отказаться, – сказал Чернов. Он поднял глаза и остолбенел.

Полуголый гость сидел на стуле, а не в кресле. Сидел очень прямо, раскинув руки в стороны, как индийский божок. В левой руке был объемистый бумажник, а в правой небольшая денежная бумажка, на которой было написано: «200 рублей». Чернов даже не знал, что бывают купюры такого достоинства.

– Мы с вами похожие люди, – сказал Деян, – у нас одинаковый ритм. Нам не надо дружить. Каждым общением мы будем разоблачать и мучить друг друга. Давайте разойдемся. Мне кажется, я догадываюсь о ваших бедах и комплексах. Они похожи на мои. Я не хочу расспрашивать вас и тем более раздеваться перед вами. И все-таки... пожалуйста... возьмите эти двести рублей. Если вы решитесь, я заплачу вам еще пять тысяч восемьсот. Если нет, вы позвоните мне через неделю по телефону, который я вам назову, и отдадите эти деньги. Не подумайте ничего плохого: я не тайный миллионер, и не шпион, и не спекулянт. Просто у меня очень большая зарплата и критический момент в жизни. Я не переплачиваю. Ваши поезда стоят этой суммы. Примерно столько же я выручу от продажи коллекции икон, так что я ничего не потеряю. Если сумма в шесть тысяч вам кажется недостаточной, я готов увеличить ее.

Чернов ошеломленно смотрел на маленького волосатого человечка с гладким лицом. Деян протянул ему двухсотрублевую новенькую, незалапанную бумажку. Глаза его были беззащитными и умоляющими.

– Как у Марка Твена – «билет в миллион фунтов стерлингов». Такую бумажку и не разменяют нигде. Может быть, у вас есть помельче?

– У меня нет, – испуганно пискнул Деян. Чернов мучительно покраснел и, вертя головой, стряхивая этим верчением стыд, пробормотал:

– Извините, может быть, вы дадите мне тогда еще три рубля, мне срочно нужно.

Деян торопливо положил двухсотрублевку на колени и дрожащими пальцами зашарил в бумажнике. Достал мятую трешку. Медленно, аккуратно положил грязную дешевую бумажку на новенькую, очень дорогую и снова поднял на Чернова умоляющие глаза. Александр Петрович вскочил, натянул на взмокшее тело рубаху, наспех заправил ее в брюки, решительно кинулся к гостю и схватил бумажки с его колен.

– Я сейчас! – крикнул он. Рванулся к двери, резко повернул ключ и выскочил в темный коридор. Пройдя шагов десять в полной темноте, он безошибочно свернул в нишу и стукнул в дверь.

– Кто?

– Алла, – позвал он и сразу пошел назад по коридору. Правая рука с ненужной силой сжимала две бумажки. Сердце сильно стучало. Он услышал за спиной, как открывалась и закрывалась дверь, услышал каблучки по паркету. Повернулся. Она была рядом. Левой рукой он взял мятую трешку, протянул в черноту, нащупал ее руку, вложил. Почему-то жутко стучало сердце. Он почувствовал прикосновение тугих полных губ к своему плохо выбритому подбородку, и опять застучали каблуки по паркету. Ему казалось, что он видит качающиеся полосы полных ног, но это была фантазия. На этот раз было совсем темно.

Когда он вошел в комнату, Деян был в рубашке и в пиджаке. Стоял у самой двери.

– До свидания, – сказал Деян.

– Я вас провожу, мне тоже в город.

– Я вас подвезу.

На лестнице Деян подхватил его под руку, сказал тихо:

– Я надеюсь, вы согласитесь, что весь разговор касается только нас двоих. Вам куда ехать?

– На Георгиу-Деж. – Чернову захотелось хоть на минуту увидеть сына.

На улице у ворот стояла черная «Волга» с особенным специальным номером. Крепкий парень с глубоко посаженными глазами выскочил с места водителя, обошел машину и открыл переднюю дверь Деяну.

– Садитесь назад, – сказал Деян, усаживаясь.

Шофер закрыл за ним дверцу и снова пошел вокруг машины. Александр Петрович открыл заднюю дверцу и увидел, что в углу сидит мальчик лет двенадцати с английским журналом в руках. Мальчик был очень похож на Деяна, но в то же время по-настоящему красив яркой и изысканной восточной (или еврейской?) красотой. Мальчик оторвал взгляд от журнала и посмотрел на Чернова вопросительно.

– Здравствуйте, – сказал Чернов и захлопнул дверцу.

– Здравствуйте, – сказал мальчик. – Пап! Что так долго?

– У нас была встреча, Вадик. Николай Иванович, – обратился он к шоферу, – на Георгиу-Деж. Потом завезем Вадика к маме, а потом к нам, в главное, я уже опаздываю.

Машина мягко тронулась, набирая скорость, свернула на проспект и смело рванула, опережая многих, в самую гущу предпраздничного движения. Чернов ехал знакомым и давно забытым путем к родной улице, но все теперь было не так. Странно. Слишком удобно и тревожно. За всю дорогу Деян обернулся два раза. Первый раз:

– Александр Петрович! – протянул что-то. Чернов взял – это была бумажка с телефоном. Второй раз он обернулся к сыну:

– Вадим! (Мальчик оторвался от журнала.) Вадим, скажи маме, что этот месяц я буду занят, а в начале следующего зайду к вам и, если она разрешит, возьму тебя на двенадцать дней на Рижское взморье. Мы будем с тобой гулять и кататься на велосипедах.

– Ага, – сказал Вадим и уткнулся в журнал.

– Направо? Налево? – спросил шофер.

– Можно здесь. Я дойду. Здесь близко. До свидания.

– До свидания, Александр Петрович. Всего вам хорошего.

– И вам.

Чернов захлопнул дверцу. Машина рванула с места. Чернов стоял на углу бывшей своей улицы и неоправданно болезненно улыбался. Одиночество было приятно. Наваждение проходило. Ему стало легче, когда он вышел из машины и машина исчезла. Но вместе с тем он чувствовал, что приближается какая-то роковая черта в его жизни, когда он должен будет принять решение. А этого он всегда боялся.

5

Александр Петрович обнял высокого, худого, совершенно лишенного мышц человека, который был его сыном. Как ни странно, в этом объятии он вдруг почувствовал себя крепким, здоровым и даже молодым. Объятие было в его пользу. Ему даже стало чуть стыдно от победы над партнером неравного веса. Он очень удивился, что голос его звучит на красивых, непривычно низких нотах, с легкой хрипотцой.

– Петр Александрович! – с удовольствием произнес он. – Я тебя поздравляю. Ты стал взрослым. Мама дома? Я тебе не помешал?

– Нет, – ответил сын сразу на оба вопроса.

Тот же полумрак – занавески задернуты, шторы полузакрыты. Тяжело пыхтит прачечная на первом этаже, и мелко позвякивает посуда в серванте... Сверкающий пол, зеленая краска стен, неразличимые темные картины в тяжелых сверкающих рамах – ничего не изменилось в этой квартире. Через открытую дверь видна смежная комната. И там все так же. Их с Таней кровать с кружевным бежевым покрывалом. Репродукция «Северного вокзала» Моне над кроватью (как он радовался, когда купил эту картину, да и правда, очень хорошее качество). Виден кусок зеркала, в нем отражается окно той, смежной комнаты. В окне густая липа – это новое: дерево выросло, раньше так не было.

– Как дела? Как мама?

– Хорошо, – ответил сын сразу на оба вопроса. Александр Петрович усадил сына рядом с собой на широкий диван с валиками и откинулся на локти. Шумно выдохнул воздух. Чувствовал, как приятно забирается прохлада во все потные уголки тела.

– Я, Петушок, хотел тебе подарок сделать и ничего не сообразил. Что ты хочешь? Что тебе в радость? Стой! Что это? Наклонись-ка! Что у тебя с волосами? Что это?

– Я лысею, папа.

– Да ты что? С какой стати? В восемнадцать лет! – Голос у Александра Петровича звучал очень красиво, низко.

– Гены, наверное. – Сын медленно улыбнулся.

– Откуда? Я-то ведь не лысею.

– И ты лысеешь, папа.

– Где?

– Вот. – Сын погладил его по макушке. – Лысеешь.

– Но я и постарше все-таки.

– Лысеешь. – Сын все гладил его по макушке, и это было очень приятно.

– Ну расскажи. Расскажи мне про себя. Как вы тут живете? Мама здорова?

– Более или менее.

– Как глаза у нее?

– Глаза болят. А так все более или менее.

– Ну говори, говори дальше. Как в институте? Интересно тебе?

– В каком институте? – Сын смотрел на него, сильно вывернув шею, с искренним интересом, без насмешки.

Александр Петрович почувствовал холодок в спине:

– Что случилось, Петух?

– Отец, – сказал сын, – все, что произойдет дальше, уже описано в разных повестях много раз. Я не знаю, как у тебя со временем, у меня времени мало. Что ты молчишь?

– Говори дальше.

– Я не учусь в институте давно. Год. Ушел сам. Ушел, когда получил белый билет и понял, что меня не заберут в армию.

– Дальше, – сказал Александр Петрович и тяжело прикрыл веки.

Сын встал, сделал длинный скользящий шаг по тускло сверкающему паркету, балетно повернулся на носке и встал напротив Чернова, уткнув длинные трубочки рук в костлявые бедра.

Александр Петрович испытал нежную жалость вместо гнева, которого он от себя ожидал.

– Ну, дальше! – сказал он.

Сын скользящими движениями сделал четыре шага назад и прислонился спиной к стене возле окна. Из окна бил зеленый лиственный свет, и, отрезанный пучком этого света, сын был почти неразличим в своем углу.

– Дальше, – тихо сказал Александр Петрович.

– Дальше некуда, – тихо сказал сын. Он вытянул вперед свои худые руки с растопыренными пальцами. Кисти попали в сноп света, по ним задвигались зайчики. Дерево шумело листьями за окном, но казалось, что шелест этот исходит от хрупких длинных пальцев, по которым бегали тени и вспышки. Потом он уронил руки вдоль тела. – Папа, все переменилось.

– Что переменилось, Петруша? Ты меня не мучь.

– Да что ты! Не надо мучиться! – тихо вскрикнул сын. – Я тебе все объясню. Только, боюсь, трудно нам будет... хотя нет... ты поймешь. Я тебя не мучу, папа. Ты говоришь: дальше! дальше! А уж и так очень далеко. Почти не видно.

Александр Петрович подался вперед, упер локти в колени, крепко сплел пальцы.

– О чем ты говоришь? Что случилось? Почему у тебя белый билет? Ты болен?

– Чепуха. Глаза. Мамина болезнь. Это вовсе не страшно. Но в армию не взяли. Тебя это огорчает?

– А что случилось в институте? Почему мне не сообщили? У тебя неприятности?

Сын вышел из угла, медленно прошел вдоль стены и опустился в кресло возле двери в смежную комнату. Они сидели друг против друга, разделенные и соединенные тремя шагами натертого малоисхоженного пола. Александр Петрович видел серое каменное лицо Петра, чуть левее, в глубине другой комнаты, зеркало, в зеркале листву, сквозь листву проблески солнца. Перспектива была бездонной. Сын начал говорить:

– Когда я должен был родиться, вы с мамой планировали мальчика или девочку? Ты можешь не отвечать. Это не имеет значения. Пусть даже вы хотели мальчика и угадали, все равно вы же не именно меня, вот такого, планировали. Значит, я не только ваш сын, но еще и сын случая. Правда? Без тебя я уже давно. Одну треть моей сознательной жизни. Правда, говорят, голос крови. Но ведь голос крови – это не только твой голос. Это голос всех предков, твоих и маминых, которых и ты не знаешь. Но, впрочем, все эти голоса – только половина, а вторая половина – голос случая. Ближе тебя, кроме мамы, у меня никого нет, и за это ты не волнуйся, ближе нет. Но это не значит, что ты близко. Ближе, чем другие, но очень далеко. А близко никого нет. И не будет. Это первое, что я понял.

– О чем ты? – тихо произнес Александр Петрович.

Оба помолчали. Шумно шелестели листья за окном, и на басовых нотах им аккомпанировала снизу из прачечной стиральная машина. Сын сидел подсунув под себя кисти рук, ладонями вниз. Плечи задернулись, голова склонилась набок. Он был похож на игрушечного паяца-попрыгунчика, вертящегося на резиновом турнике между двух палочек.

– Чудеса бывают, – сказал сын. – Чудес довольно много. Но тут такая особенность – мы признаем чудесами только то, что происходит вне нас, чему мы – посторонние зрители. Вулкан огнем рыгает, наводнение, когда все залито, везде гибель... Или человек выпал из вертолета и не разбился... это чудо... И эти чудеса, в которые мы верим, всегда связаны для нас с особо страшной угрозой смерти или с избавлением от смерти. (Странно только, что мы в Христа не верим. Но не верим. Мало кто верит.) Вот... это чудеса... А тому, в чем мы сами участвуем, чудесам жизни, так сказать, мы как чудесам не доверяем. Снам не верим, над прозрениями смеемся. Великие совпадения считаем случайностями. Короче – мы привыкли обманывать друг друга и подозреваем, что Жизнь с большой буквы тоже нас обманывает, играет с нами в нашу же корыстную игру. Выгадывает что-то, хитрит, дурит голову... Тебе, отец, трудно жить, это видно. (Александр Петрович вздрогнул и выпрямился.) Ты нас с мамой оставил и... повесил этим себе камень на шею, а вовсе не освободился. Мучаешься, считаешь себя виноватым до сих пор и перед всеми оправдываешься, перед собой больше всего... Ты не перебивай, я понимаю, что ты хочешь сказать... дослушай, пожалуйста... Ты не словами оправдываешься, а всей жизнью. Вот сейчас пришел, чтобы доказать, что думаешь обо мне и о маме, а на самом деле не думаешь или редко думаешь и стесняешься этого... Я ведь не в упрек говорю. Пойми! Наоборот! Ты зря мучаешься. Ты все сделал правильно... вспомни... Ты начал рушиться изнутри, и это было ужасно. Рушился умный, интересный, веселый человек... Ты ведь редкий человек, отец... Я правда так думаю!.. Ну вот... Стал ты рушиться и почувствовал: на наших с мамой глазах тебе не спастись, потому что мы свидетели перемен в тебе. Надо остаться одному, и тогда, без упрекающих и «понимающих» глаз рядом, можно, может быть, выползти опять в живую жизнь. Так ты подумал. Правильно ты подумал. И сделал правильно. И поверь – распад семьи не всегда зло, это предрассудок так думать... И мама хоть и надела навсегда маску брошенной-покинутой, а, клянусь тебе, почувствовала облегчение, когда ты ушел. А знаешь почему? Потому что не хотела рушиться вместе с тобой. Она очень здоровый психически человек, строгой психики, а ты (ей так казалось) заболевал... и ее тащил в болезнь. Кошмар паровозиков и вагончиков ее преследовал... Так что ты все сделал правильно. И надо было верить себе. А ты, мне кажется, не поверил. Ты побоялся жить по собственным критериям. Стал ты себя мерить общественными мерками. И как ни прикладывал ты к себе эти мерки, получался странный ответ: ты неудачливый порядочный человек. Или: ты порядочный неудачник. Интуиция должна была тебе подсказать обратное: порядочность совсем не главное твое достоинство... и порядочный ты очень в меру... Но дело-то не в этом. Ты озаренный человек. Озаренный. Способный к свободе, к постижениям, к индивидуальному проникновению в суть вещей. Тебе гордиться собой надо бы, а ты доверился пошлым оценкам своих коллег, которые (ты поверь мне — я хорошо помню их всех у нас дома, когда ты каждый день таскал их к себе), которые, говорю, лет семь назад исходили от зависти к тебе, к твоим перспективам, к тому, что ты сам мог определить свои перспективы, к твоей легкости. А потом они подсознательно (а может, и сознательно) устроили заговор против тебя. И победили. Упирали на твою «ангельскую порядочность», но мало-помалу искусственно сделали из тебя неудачника. А когда ты сам перестал верить, что ты любимец судьбы, когда ты смирился с тем, что ты порядочный неудачник, тебе (из мести за прошлое) и в порядочности отказали: семью-то ты бросил, жизнь ведешь странную. Ты и тут поверил... И вот ломаешься, ломаешься.

Александр Петрович с трудом разлепил губы:

— Это ты ломаешься, Петушок. Выламываешься передо мной. Тебе кто-нибудь внушил эти сверхпсихологические теории или ты сам выдумываешь? Вот и занимался бы подсознанием в своем медицинском! Почему ты институт бросил? Чем ты занимаешься?

— Я пока думаю, — сказал сын.

— Не говори так со мной, пожалуйста, — сказал отец. — Не будь странным. И не будь раньше времени старым... Поди сюда, Петя! Сядь рядом со мной.

Сын не пошевелился.

— Ты успокойся, — сказал он. — Дела у меня неплохие. Я инструктор-стажер лодочного туризма. Через две недели поведу группу по Печоре. Мне это нравится. Лето и осень мне ясны. Потом погляжу, что дальше... И еще одно... Только не подумай, что хвастаюсь... (Сын посмеялся тихонько.) Тем летом, во время обучения на Селигере, я спас одного мальчишку — тонул, с плота упал. Мальчик Котя, шести лет, сын очень, очень главного хирурга. Хирург поступил по-современному и в силу своих возможностей: пришел меня благодарить, поговорил со мной и ушел, оставив конверт. В конверте одна тысяча рублей, хочешь цифрами, хочешь прописью. Так что деньги у меня есть... А кстати... спасать Котю было совсем не трудно – ситуация была легкая.

– Фантастика, – тихо произнес Александр Петрович.

– Да, довольно фантастично, – ответил сын.

Он ссутулился, сложился пополам. Скрещенные руки спрятались во впадине, которая была у него вместо живота. Подбородок низко нависал над острыми коленями... Он снова начал говорить. Теноровые звуки медленно и неуклонно набирали скорость:

– Вот ты говоришь, не становись старым раньше времени. Это ты точно попал. Я как будто уже старый. И не хочу я молодым быть... Я тебе скажу одну важную вещь... Когда я в институт поступил, мы сразу, еще до занятий, поехали на картошку. Кроме всего прочего, были там еще соревнования на деревенском стадионе. Я, тощий, легкий, без особых усилий выиграл все средние и длинные дистанции по бегу. Антипов, наш преподаватель с физкафедры, прямо зашелся! Опекал меня, подкармливал, от тяжелых работ освобождал. Потом вернулись. Начали учиться. Меня сразу в секцию. И пошло: тренировки, забеги, грамоты. Я опять в каких-то там соревнованиях победил. Меня в сборную института, еще что-то там сулили – спартакиады, олимпиады. И разожгли во мне честолюбие донельзя. И вот весной опять бежали. Называется «Весенние старты» ДСО «Буревестник»... на приз газеты, и все как положено... Тренер вокруг меня пляшет. И сам я пляшу, ничего и никого вокруг не вижу. Избычились мы на старте... Хлоп – у меня фальстарт – раньше времени выпрыгнул. Второй раз. То же самое. Судья делает предупреждение. Ребята злятся. Опять: «На старт!» И вдруг так я стал себе противен с этой тряской внутри, с этим подлым желанием всех обойти... Нарочно помедлил после выстрела, рванул последним. И на первом же круге – шарах! – в пролом забора и к черту со стадиона, по парку... Слышу, Антипов кинулся... кричит... А я дальше – где ему меня догнать! И бегу парком. И темп держу приличный, только уже без всяких секундомеров. И чувствую – весь я красный! Так стыдно за мою старательность, за выскакивание вперед... Через два месяца я институт бросил...

– При чем же тут институт? – пробормотал отец.

– Да так сошлось... Я, знаешь, огляделся и увидел, что все похоже на этот старт. Расшибусь в лепешку, а всех забью. Но на стадионе хоть по-честному, а в институте... фьюфью-фью. (Он посвистал.) Я так ясненько-ясненько всю эту систему вдруг разглядел. Ведь если очень захотеть, то всего можно добиться, это правда. Простое дело! Надо только чуть раньше вставать, чуть пободрее улыбаться, чуть раньше с правильными людьми сойтись, чуть понастойчивее с женщинами быть, чуть раньше вступить везде, куда положено, и не возникать, где не положено, – и вся игра! Словом, везде чуть пораньше со старта выпрыгивать, и жарь по кругу... и все дела! Все мечты сбываются, и жизнь как песенка... Только мечты всё мизерные... На копейку пятаков... И совсем у меня не стало любопытства к жизни... к внешней жизни, я имею в виду... Я пробовал там... все положенные удовольствия... походы с ночевкой, рыбалка с ухой... вечериночки с девочками двое на двое или трое на трое... ну, что там еще... поп-музыка... смешно! Все время вопрос вертится: «И это все? И все блаженство?» Будто я уже раньше все это испытал... и обидно, как будто меня обманул кто...

Александр Петрович встал, медленно, осторожно приблизился к сыну, наклонился над ним. Руки положил на плечи, подбородок на мальчишескую макушку. Смотрел в стену, не видя ничего перед собой:

– Я немного растерялся, Петушок, от всего, что ты говоришь... Мне трудно ответить... Но ты не прав!.. Не прав. Это какие-то монашеские мысли.

– Ну конечно! – Сын высвободился из неудобных объятий. – Конечно, глупость, и все это позади. Тоскливое прыщавое одиночество – это уже было и кончилось.

– А теперь?

– Теперь мне страшно интересно жить. Я затормозил, не побежал со всеми, и начались чудеса. Ты поверь мне. Я смотрю на человека или на событие... драку там, скандал или праздник... или еще что... и мне все кажется прозрачным. Всё – миражи! Можно рукой проткнуть и не почувствовать... Но это не пустота... там внутри, в середине... есть что-то плотное, точно такое же по форме, только во много раз меньше. И вот это плотное страшно интересно разглядывать. ЭТО СУТЬ! А остальное – невесомая накипь. Человеческая суть может расти только в глубь себя, увеличивать свою плотность – это мое открытие о подлинном росте. А можно расти обманно – выращивать вокруг себя мираж, набивать... надувать пустоту тенями и тогда – терять плотность... Людям тесно на земле не потому, что их много, а потому, что они раздувают бесконечно миражи своих потребностей и желаний. Если бы каждый осознал это и начал расти вглубь, только вглубь, – стало бы просторно... Все дело в одном проклятом слове «победа». Победу желают, мечтают о победе, готовят себя, тренируют для победы, терпят для нее, жертвуют, а потом празднуют победу. А на самом деле только поражение дает истинный рост, уплотняет человеческую суть. Люди чувствуют это... Но, почувствовав уплотнение, ощутив прекрасное сжатие пружины своей личности, не хранят его. Они используют его для реванша и опять рвутся к победе... и раздувают... раздувают свой мираж. Ты видел побежденных? Видел разгромленных? Как они содержательны по сравнению с победителями... Ты видел умирающих? Они все мудры, хотя жизнь прожили как глупцы... Я на первом курсе насмотрелся по больницам этих странностей, Я не хочу сказать, что смерть лучше жизни... смерть отвратительна... я это видел... но... то, что лопается мыльный пузырь победительного самодовольства, украшает человека... человек становится маленьким и истинным.

Сын говорил все быстрее. Голос звенел на высоких нотах. После длинной фразы он жадно затягивался воздухом и говорил снова:

– Не надо завоевывать. Ни стран, ни женщин, ни пространства. Надо плыть на веслах по течению большой реки и трудиться ровно настолько, чтобы можно было плыть дальше. Есть только одна победа, к которой стоит стремиться, – победа над самим собой, над своим стремлением победить других. Народовластие – прекрасная идея. Это власть обездоленных, то есть проигравших, побежденных... Но беда в осуществлении... Побежденные, вырвав власть у баловней, у победителей, были бы правы, если бы сумели уничтожить власть. Но они не уничтожают; получение власти они считают началом побед, сигналом к реваншу, сами становятся победителями, и тут сразу все меняется. Смена ролей – чем больше побед над своими врагами одерживают новые властелины, тем больший это мираж, тем более мелкой, более чужой им самим становится их суть. А естественная правда опять переходит на сторону побежденных. И все путается, и начинает казаться, что правды вообще нет... Победители начинают сражаться между собой, потому что, начав побеждать, хочется победить всех... и вот уже бывшие обездоленные превратились в тиранов, большинство превратилось в меньшинство... и опять все сначала... вечные качели вражды...

Александр Петрович бесшумно метался по комнате и ломал себе руки.

– Откуда?.. Откуда это? – шептал он. – Зачем это, Петушок? Кто научил тебя? С кем ты связался? Откуда? Откуда?

– Само, само... само пришло, – звенел сын.

Он не шевелился и глядел в пол. Ни один жест, ни одно даже самое малое движение головы не помогало его речи. Только голос звучал. Лица не было видно. Не было видно говорящего рта. Александр Петрович видел только нежную лысеющую... а может, еще не обросшую, совсем младенческую макушку. Казалось, не Петруша говорит, кто-то другой, а он, Петруша, молчит, замер... спит, что ли? А голос продолжал:

– Папа! Ты уже проиграл. Ты давно проиграл, и я люблю тебя за это. Отстань, не беги! Не мучай, не раздувай себя, проткни мираж! Не копи больше свои паровозики. Все эти дурацкие хобби – это тоже реванш, попытка победить в утешительном забеге, когда безнадежно проигран основной. Не надо, не надо.

...Ты не смог с нами жить, потому что думал – нам нужен только победитель. Ты хотел быть наилучшим отцом, и мужчиной, и мужем, и архитектором. Тебе не дали. Победу отняли у тебя еще более надутые желаниями и призраками, чем ты. И ты бежал от стыда поражения... Я тебя понял... я не сержусь... Но ведь ты действительно самый лучший из всех, кого я знаю, я верю, что ты скоро проиграешь все... и вернешься... обездоленный и любящий... и спокойный... и будешь опять рисовать для меня красивые фантастические дома с изогнутыми стенами и раздвижными крышами...

Александр Петрович неожиданно ослеп от слез. Слезы заполнили сразу целиком обе глазные впадины.

– Кто научил тебя? С кем ты дружишь? – крикнул он.

– С кем угодно. Когда мы идем на лодках, в первый день болтаем, потом три дня почти совсем молчим. А потом начинаем говорить как люди и почти всегда понимаем друг друга. Тут не важно ни образование, ни направление мировоззрения... ни всякое там... ничего не важно... потому что общаются не миражи, а сути людей... а всякой сути место найдется.

Чернов взял сына за плечи, поднял на ноги и крепко прижал к себе.

– Ты ошибаешься, ошибаешься, мой маленький... Ты страшно умный, ты все хорошо говоришь, но жизнь жестче, чем ты думаешь. И нельзя ее разгадать. Сколько умов думало и не додумалось. Неужели ты надеешься, что ты умнее всех?.. Это ты самоуверен и живешь в мираже, мой маленький. Ничего нельзя избежать – ни заблуждений, ни жажды победы, ни любви, ни измены, ни поражения. И снова захочется подняться и попробовать победить... И ты не избежишь этого. Но ты умный... я, знаешь ли... я так изумлен... откуда, мальчик мой?.. Как ты вырос...

Они стояли обнявшись посреди комнаты и шептались, освещенные зеленым светом, бьющим сквозь листву.

– Я вырос, – шептал сын. – Это называют акселерацией. Я быстро вырос. Я много читал и много думал. Я встречал умных и очень глупых людей. Я учился у тех и у других. Я вырвал себе время, чтобы смотреть и думать, потому что не бежал вместе со всеми, потому что отстал, уступил место. Ты знаешь, почему сейчас время акселерации и дети удивляют своих родителей?

– Не знаю, мой маленький, не знаю...

– Я скажу тебе, – шептал сын. – Это потому, что у нас нет отцов. Наши отцы играют в игры – в службу, в награды, в успехи, в шахматы, в карьеру, во власть, в любовь, в паровозики, в важность, в скромность, в чины, в бильярд, в хитрость, в карты, в ученых, во врачей, в спортсменов, в болельщиков, в главных, в обиженных, в правых, в левых, в разгульных, в строгих, в учителей, в знатоков. Наши отцы играют и от нас хотят только одного – чтобы мы были в их команде... и рожают нас либо случайно, либо с целью — усилить команду в игре. И нет в отцах мудрости. Они чувствуют это... и играют в мудрость... А мы выросли, отыгрались. Мы ждем чего-то другого... а его нет! И единственно, чем взрослая жизнь отличается от детсадовской, — это работа! И вы гордитесь ею, превозносите, хвастаетесь, хотя чаще всего она вам мучительна. Вы нас готовите не к жизни, а к работе. Мы не бездельники, но мы не хотим вашей игры в работу. Работа еще не вся жизнь. Жизнь — не борьба, не достижение, а постижение... Пойми... пойми меня... И мы сопротивляемся... мы курим наркотики (не думай, не я, я не о себе), мы смеемся над вашей жизнью тем, что возводим ее миражи в куб... и в четвертую степень... Мы открыто делаем то, что вы делаете тайно, — прелюбодействуем, пьянствуем, отлыниваем от труда, когда устаем, мы думаем и пытаемся стать умными... И уже вы смотрите на нас как дети на отцов... и удивляетесь... и говорите: «Акселерация!» И злитесь, что мы не в вашей команде. А мы даже не в вашей игре. Мы другие.

Сын высвободился из объятий отца. Опустив голову, медленно ушел в другую комнату. Чернов в зеркало видел, как он подошел к окну и долго задышливо глотал воздух.

— Петушок! Как ты себя чувствуешь? — спросил Александр Петрович, не сходя с места. Он почему-то боялся пошевелиться.

— Мы одиноки, нам нет места, — сказал сын. — Нет места, потому что вы все раздуваетесь и раздуваетесь... Тогда мы будем сжиматься, нам ничего больше не остается... — Речь его опять начала убыстряться, голос стал набирать звучность и высоту. — Знаешь, какой я слышал разговор в больнице? Человек умер. И через минуту по телефону звонила из коридора женщина и говорила: «Скорее везите, место освободилось!» Она ждала и дождалась. Очередь! Очередь! Скорее везите, чтобы тот тоже скорее умер и освободил место. Вот почему я ушел из медицинского. Зачем лечить? Скоро мы будем праздновать смерть. Праздник – место освободилось!.. Потому что тесно... раздуваются все... нет места... нет места...

Голова сына закинулась, он начал оседать. Чернов не мог оторвать ног от пола. Чернов видел в зеркале, как Петя с закинутой назад головой отваливается от окна, приседает. Тонкие руки вцепились в подоконник, но голова закидывалась все дальше, дальше... рывками... и перетягивала. Крупные судороги начали сотрясать его тело. На губах появилась пена.

Щелкнул замок входной двери. Дверь открылась и закрылась. Приближались каблуки по коридору. Вошла Таня. Замерла. Подошла к Чернову. Посмотрела в направлении его взгляда... в зеркало. Упали из рук сумки. Грохнули об пол. Александр Петрович видел в зеркале: она со стоном оторвала руки сына от подоконника, распластала его по полу, сдерживая судороги... Навалилась, хватала за язык, выдергивая его изо рта... Кино в зеркале было немым. Александр Петрович ничего не слышал.

Потом сын лежал на кровати. Они сидели рядом и молчали. Где-то в самой глубине мозга проклюнулось мутное воспоминание... Давно-давно... худой бородатый дед страшно бьется головой об землю... в палисаднике... а бабка и отец прижимают его к земле и бьют по щекам... Какой-то пригород... рядом с дедом валяется разбитое пенсне. Очень тихо. Саша сидит на деревянном крыльце, обхватив фигурный столбик, и чувствует, как заноза глубже и глубже впивается в его руку. Саше Чернову четыре года... или три... или два... Почему он раньше никогда не вспоминал этого?..

«Неужели?» – мелькнуло в голове. Но это была запоздалая мысль. Его «Я» уже все знало, а мозг медленно подбирался к тому, что было уже определенно ясно.

«Вот что я сделал, – медленно думал Чернов. – Я передал болезнь деда Сергея Петьке... Вот что я сделал... Вот все, что я сделал...»

6

Господин Пьер Ч. прогуливался около вагона. Состав был чисто вымыт и сверкал в свете заходящего солнца. Перрон был чисто вымыт и зеркалил – господин Пьер Ч. видел всего себя под ногами. Стена вокзала была чисто вымыта и умиротворенно покоилась в матовой тени. Ни пылинки на стеклах. Ослепительно белые фигуры проводников у каждого вагона украшали темно-зеленую массу состава. Ровно и самоуверенно дышал паровоз. Господин Пьер Ч. прогуливался около вагона.

Он ходил медленным шагом от одной двери до другой. Когда он приближался к проводнику, Клод улыбался ему навстречу. Клод начинал улыбаться с того момента, как господин Пьер Ч. проходил половину пути и между ними оставалось десять шагов. Далее с каждым шагом пассажира улыбка проводника становилась все шире, шире, и, когда оставалось два шага, Клод прикладывал два пальца к козырьку белой фуражки, элегантно удерживая другими пальцами аккуратно зачехленные красный и зеленый флажки. Господин Пьер Ч. слегка раздвигал в улыбке губы и наклонял голову. Потом он поворачивался (ботинки, купленные в Вене, были очень удобными и, плотно обтягивая ногу, нигде не жали) и удалялся. Поворот у дальней двери. Ход назад. Улыбка. И два пальца у козырька.

Перрон был совершенно пуст. Его пустоту подчеркивал небольшой коричневый чемодан из крокодиловой кожи, одиноко стоявший посередине, прямо напротив главных дверей вокзала.

– Скоро едем? – произнес господин Пьер Ч., подходя к Клоду.

– О да, мсье! – сказал Клод, отдавая честь.

Главные двери вокзала раскрылись сами, управляемые фотоэлементом, и тишина взорвалась многоголосьем. Вышло очень много мужчин и немного женщин. У всех в руках были футляры с музыкальными инструментами. Бутылки скрипок, улитки валторн, гигантские сигары тромбонов и фаготов, сигаретные пачки флейт. Вдалеке на платформе показался электрокар. За спиной водителя в белом средневековыми башнями теснились футляры арф и контрабасов. За электрокаром трое служащих в белом катили к багажному вагону коричневый концертный рояль.

Мужчины и женщины, говоря на разных языках, рассаживались в вагоны номер 1, 2, 3... 5, 6, 7. К вагону номер 4, в котором ехал господин Пьер Ч., подошли только двое: низкорослый толстяк с копной седых волос, падающих на плечи, и молодая женщина с полными ногами, весьма странно одетая. Бесценные брюссельские кружева желтовато-белой пеной обтекали ее стан и руки. В дырочках кружев посверкивала оттенками зелено-коричневого шелковистая ткань. Из неглубокого выреза на груди жалил глаз небывалой чистоты и величины бриллиант, оправленный в кулон. Бедра ее были обтянуты совершенно не лепившейся к аристократическому верху очень короткой юбкой-мини. Высоко открытые ноги при каждом шаге отбрасывали от себя солнечные потоки, и они, отброшенные, тоже слепили глаза.

Клод отдал честь, с поклоном принял билеты, и странная пара поднялась в вагон, причем первым вошел мужчина. У них – у единственных из всех музыкантов – в руках не было ничего.

Господин Пьер Ч. шел вдоль вагона. Седовласый толстяк резко рванул дверцу первого купе и скрылся в нем. Женщина шла по коридору шаг в шаг с господином Пьером Ч., который шел по платформе. Они прошли весь вагон. Женщина вошла в последнее купе. Господин Пьер Ч. повернулся на каблуках (просто удивительно, до чего удобными были ботинки, купленные в Вене) и пошел назад. С середины его пути Клод начал улыбаться. Когда Клод приложил два пальца к козырьку, господин Пьер Ч. лукаво стрельнул глазами в сторону вагона.

– Без чемоданов, а? – спросил он.

– Чемоданы доставили заранее, – сказал Клод. – Это господин Арнольд, главный дирижер Шлиссельбургского оркестра.

Господин Пьер Ч. повернулся на каблуках и... снова повернулся.

– Какого? – спросил он.

Клод ответил, но слышно не было, потому что призывно заревел паровоз. Клод услужливо согнулся в полупоклоне, приглашая господина Пьера Ч. в вагон. Господин Пьер Ч. легко сосчитал удобными ботинками до четырех, взбегая по идеально чистой металлической лестнице.

– Пьер! – раздался голос.

У вагона стояла Айрин. На ней была жесткая шляпа с широкими полями, синяя блузка и длинная белая юбка. Она была очень хороша. Господин Пьер Ч. сбежал на перрон и поцеловал ее в щеку.

– Айрин! – сказал господин Пьер Ч.

– Милый! – сказала Айрин.

– Ты передумала? – сказал господин Пьер Ч. и вдруг почувствовал, что венский ботинок немного жмет. У большого пальца. Левый.

– Извини, нет, – сказала Айрин. – Не сердись!

Паровоз прогудел во второй раз. Клод вежливо приложил два пальца к козырьку. По перрону бесшумно ехал пустой электрокар.

– Милый! – сказала Айрин. – Одолжи мне, если не трудно, пятьдесят тысяч. Я хочу побыть здесь подольше. А может быть, слетаю в Анкару. Тебя это не затруднит?

– Мой Бог! – сказал господин Пьер Ч. Он достал бумажник и вынул оттуда плоскую тончайшей бумаги чековую книжку. – Я выпишу тебе семьдесят на предъявителя – вдруг у тебя будут побочные расходы. – Он протянул ей чек.

Паровоз свистнул в третий раз долгим прощальным гудком.

– Пиши мне на вокзальные почты, – сказал господин Пьер Ч. – Ты знаешь мой маршрут – я записал тебе. В левом нижнем ящике стола в спальной. Там все расписание.

– Спасибо, милый, – сказала Айрин.

(Нет, он ошибся – ботинок не жал. Это показалось.)

– Может быть, передумаешь? – сказал он.

– Пожалуй, нет, – сказала Айрин. – Прощай!

Поезд медленно тронул с места.

– Мсье! – сказал Клод.

Господин Пьер Ч. поцеловал Айрин в изумительно пахнущую нежную щеку и вскочил на нижнюю ступеньку. Айрин вскинула руку приветственно. Потом повернулась и пошла к выходу. Коричневый чемодан из крокодиловой кожи одиноко стоял на ее пути.

– Кто забыл чемодан? – крикнула Айрин.

Из главных дверей выбежал небритый человек в несвежем костюме и мятой шляпе. Это был южный человек со смуглой кожей, сицилиец или араб. Человек подхватил крокодиловый чемодан и, размахивая билетом, кинулся к поезду. Господин Пьер Ч. видел, как он вскочил в вагон номер 7.

Поезд набирал скорость. За окнами поплыл аккуратный сельский пейзаж. Господин Пьер Ч. стоял в коридоре посреди вагона и курил сигару. В правом конце вагона стоял господин Арнольд и сосал трубку. В левом конце вагона стояла молодая дама и курила сигарету.

– Мадам! – шлепая толстыми губами по трубке, крикнул господин Арнольд. – Сколько вам нужно будет репетиций?

Дама подняла в ответ два пальца. На каждом было по кольцу.

– Поезд приходит в 7.20 утра. В котором часу я могу назначить репетицию? – крикнул господин Арнольд.

Дама, не отрывая взгляда от окна, подняла вверх три пальца. На каждом было по кольцу.

Поезд промчался мимо маленькой станции, уснувшей в зелени. Станция называлась Тиздорф.

– Мадам! – крикнул господин Арнольд. – А может быть, все-таки сыграем Шумана?

Дама, не отрывая глаз от текущего за окном пейзажа, сложила изящные пальцы и показала ему фигу.

«Видимо, русская», – подумал господин Пьер Ч.

Господин Арнольд прошлепал губами что-то невнятное. Появился Клод... поклонился дирижеру... тот сказал ему что-то... Клод подошел к господину Пьеру Ч.

– Прошу извинить, невероятный случай, я без спичек... Нет ли у вас огня для мсье?

Господин Пьер Ч. направился к толстяку.

– Позвольте предложить вам... – Он протянул ему зажигалку.

– Благодарю.

– Пьер Ч., – сказал господин Пьер Ч.

– Арнольд Арнольд, – сказал господин Арнольд.

– Чрезвычайно рад. Позвольте спросить, где вы даете концерты?

– Мы играем на фестивале в Барселоне.

– Постараюсь попасть на ваш концерт.

– Вы знаток?

– О нет! Я путешествую.

– Мы даем несколько программ. Если... – тут господин Арнольд резко повысил голос, чтобы было слышно в дальнем конце вагона, – если мадам Туруханова не выкинет снова какой-нибудь трюк!

– Старый идиот! – низким хриплым голосом сказала молодая дама, не отрывая взгляда от окна.

Клод поперхнулся слюной и закашлял со свистом.

Господин Арнольд стал наливаться сизой краской.

– Я идиот! Я идиот, потому что связался с вами, – закричал он, стуча себя кулаком в лоб.

«Тра-та-та, тра-та-та», – явственно спели колеса поезда в наступившей тишине.

– Прошу извинить, – сказал господин Пьер Ч., – я давно путешествую в поездах и очень хорошо знаю расписание. Я невольно слышал, как вы сказали, что поезд прибывает в Барселону в 7.20 утра. И в 3 часа вы хотели назначить репетицию. Это ошибка, извините. Он прибывает в 19.20, то есть в 7.20 вечера.

Хрустнул мундштук, и обломок трубки выпал изо рта господина Арнольда.

– То есть как?! – вскричал он.

– Мсье прав, Барселона вечером, – пролепетал Клод.

Господин Арнольд развернулся и начал с силой биться головой об дверь купе.

– Проститутка! – ревел он. – Я всю жизнь избегал публичных домов. Зачем же я на старости лет связался с проституткой?! Все погибло! Самолетом мы бы давно были на месте. Мы бы давно были в Барселоне, если бы эта бандитка не таскала с собой свой идиотский рояль. Концерт в девять! Когда мы будем репетировать? Я выброшусь в окно! Я погиб!

Грохнула тамбурная дверь, и в коридор влетел человек с большой черной бородой, крючковатым носом и выпученными глазами.

– Свифт! – заорал господин Арнольд. – Вы болван! На какой поезд вы взяли билеты? Мы приезжаем за полтора часа до концерта! Провал! Я не выйду на сцену! Вы заплатите неустойку! Вам ничего другого не остается, как идти в сутенеры к мадам Турухановой! Шлиссельбургский симфонический не знал такого позора!

— Успокойтесь, мсье, умоляю вас! — завизжал Свифт. — Мы что-нибудь придумаем... и не надо меня оскорблять... старая калоша! — неожиданно добавил он.

Мадам Туруханова хрипло рассмеялась.

«Тра-та-та, тра-та-та!» — снова пропели колеса в тишине.

Господин Арнольд Арнольд, склонив голову, как бизон, пыхтя и топая, побежал по коридору. Добежал до мадам Турухановой, размахнулся и с силой ударил ее по плотному заду. Звук получился мощный. Мадам Туруханова отступила на шаг и влепила господину Арнольду пощечину такой силы, что его тяжелая голова мгновенно сделала то движение, которое военные делают при команде «равняйсь!».

— Господа, мы артисты, мы художники, остановитесь! — завизжал Свифт, устремляясь к главному дирижеру и солистке.

Господин Арнольд отодвинул его рукой и пошел обратно к господину Пьеру Ч. Лицо его было пожарно-красного цвета.

— Дорогой мсье, — сказал он сравнительно спокойно, — не будете ли вы возражать, если мы проведем репетицию здесь, в вагоне? Не помешаем ли мы вашим занятиям?

Господин Пьер Ч. развел руками:

— Я буду счастлив, но...

— Свифт! — рявкнул господин Арнольд. — Если вы позволили включить в контракт пункт о перевозке рояля, пункт, на который мог согласиться только сумасшедший, то напоминаю...

— Но ведь вы сами... — выдвинул Свифт вперед нижнюю челюсть.

— То напоминаю, — громовым голосом перекрыл его господин Арнольд, — что в контракте нет пункта, запрещающего мне назначить репетицию в поезде! Через десять минут начало! Всех в мой вагон! «Воровка»!

– Импотент! – крикнула мадам Туруханова.

– Я имею в виду увертюру к опере Россини «Сорока-воровка»! Мы с нее начнем. А что касается импотента, то еще посмотрим! – рявкнул господин Арнольд. – Потом концерт Рахманинова! Мадам будет играть, стуча пальцами по столу, сидя передо мной!

– О-ля-ля! – воскликнул Свифт. – Это превосходная идея!

Снова грохнула тамбурная дверь. Появился помятый итальянско-арабский человек с крокодиловым чемоданом.

– Место семь! – сказал он проводнику.

– Дорогой мсье, тут особые обстоятельства, – кинулся к нему Свифт, – не согласитесь ли вы занять место в другом вагоне?

– И не подумаю, – сказал с акцентом крокодиловый чемодан.

– Но в таком случае вам придется испытать некоторые неудобства – здесь будет немного шумно.

– Это ваше дело! В билете не сказано, что гарантируют тишину. – Крокодиловый чемодан исчез в купе.

Свифт рысью бросился к выходу.

– У нас были все шансы победить! Все шансы, – говорил господин Арнольд господину Пьеру Ч. – Среди всех прекрасных оркестров, приглашенных на фестиваль, наш, несомненно, лучший. Лучше Магдебургского, лучше Мерзебургского и лучше Вильегорского. И вот – пожалуйста!

Стали появляться музыканты с инструментами.

– Скрипки – купе 3, 4. Альты – купе 5. Духовая группа – 8, 9. Контрабасы – в коридоре! Тарелки – в тамбуре! – кричал Свифт.

Началась настройка.

– Маразм имеет пределы, – сказал молодой скрипач.

– Должен иметь! Но не имеет, – сказал виолончелист в черной ермолке.

– Эй, Свифт! Мы не помещаемся. Куда мы будем выдвигать кулису? – кричали тромбонисты из девятого купе.

– В коридор! Дуйте в сторону коридора! – отвечал Свифт.

– Уберите литавры, дайте пройти, уберите литавры.

– Что вы мне тычете в лицо смычком?

– Я не тычу, а канифолю.

– Так канифольте смычок, а не мое лицо.

Крокодиловый человек выглянул в коридор.

– Перевозка сумасшедших? – спросил он Клода.

– Мы художники, мы должны уважать друг друга! – кричал Свифт.

– Вы что, хотите один три места занять?

– Я сорок лет играю на виолончели раздвинув колени и иначе не умею!

– С вашим задом вам место на крыше!

– Что вы топчетесь? Вы раздавили мой мундштук!

– Все! Здесь полно! Вы что, обалдели? Идите со своей трубой в тамбур!

– А вы идите в задницу!

– Головы! Осторожно, головы! Заноси свой конец!

– Кто так носит арфы! Кто так заносит арфу в купе! Разве так заносят арфу в купе?! Эх!

– Дайте мне ЛЯ! Дайте ЛЯ!

– Нате, ничтожество!

Господин Пьер Ч. сидел на откидном стуле в коридоре. На шее у него лежала доска с партитурой. В его левое колено больно упирался острым ребром контрабас. В правое то и дело бились толстые ляжки вертящегося во все стороны господина Арнольда.

– Концертмейстеры групп, высуньтесь из купе! – Господин Арнольд постучал палочкой по оконному стеклу. – «Сорока-воровка» с первой цифры, мерзавцы!

– Старая сволочь! – закричали музыканты.

Поезд громыхал в тесном ущелье между скалами и вдруг выскочил на равнину. Стало тихо.

«Тра-та-та-та! Тра-та-та-та-та!» – нежно пропели колеса.

Господин Арнольд поднял палочку... И...

Взвился, вознесся, взлетел Россини!

«Как они играют! – подумал господин Пьер Ч. – Как они любят друг друга! Боже, как они играют!»

Все! Все, что было противоречиво, озлобленно, не понято, – исчезло. Немыслимое, блаженное единство! Господин Пьер Ч. слышал каждый инструмент в отдельности и все вместе. И каждый звук наполнял несравненной радостью его душу, его сердце, его голову, каждую частицу его тела. Контрабас всей тяжестью вдавливал свое ребро в ногу господина Пьера Ч., и господину Пьеру Ч. казалось, что прекрасные низкие звуки текут блаженной дрожью из его коленной чашечки. Музыканты страстно целовали медь. Мелко рукодельничали над стальными нитками, вправленными в благородное дерево. Заглатывали жадно костяные наконечники. Всяк свое! Всяк не как другой!.. И... одновременно с колесами поезда, со скоростью, с высокими облаками, с вечерней росой, с солнцем, которое уже коснулось нижним краем черной массы далекого леса... одновременно... с трясущимися толстыми губами седого Арнольда, с его волосатыми пальцами, которые легко и властно танцевали в воздухе... одновременно... со всей черной смутой души господина Пьера Ч. ... смутой, от которой он хотел убежать в своих необыкновенно удобных ботинках, уехать в бесконечно идущем поезде... одновременно... с ежемгновенно улетающими в прошедшее частичками нашей невеселой жизни, которые, отлетев, на расстоянии кажутся сверкающими осколками веселья... одновременно! Едино, вместе! Так вместе, так дружно, так любовно, как и быть-то не может.

«Та-ра-та-та́-рам! Та-ра-та-та́-рам! Та-ра-та-та́-рам, та-ра́-рам, та-ра́-та-там!»

«Бог мой! – думал господин Пьер Ч. – Мой Бог!»

7

Жаркий день выдохся, испарился, поднялся красноватыми отблесками к высоким облакам, а на его место откуда-то из щелей и выбоин асфальта, из ржавых мусорных баков, из дыр подвалов вместе с запахами отходов, с потрепанными жизнью кошками вылез промозглый бескислородный с колючей пылью вечер.

Александр Петрович перебежал улицу, как простреливаемое пространство. В затылке пузырился холодок детского страха – зацепят, достанут, не дадут уйти! Достали! Споткнулся о ступеньку тротуара. На правую ногу... Ушибся. Пошел медленно и снова споткнулся – о совершенно незаметный бугор асфальта. И опять на правую. Чертыхнулся. Остановился. Сказал вслух:

– Ведь сегодня не понедельник и не пятница, сегодня среда.

Поборов ветер, открыл тяжелую дверь парадной.

Когда лифт подъезжал к третьему этажу, он услышал голоса на площадке, и каждый голос был ему знаком. Александру Петровичу захотелось, не открывая дверей, нажать на кнопку первого и уехать... уйти из этого дома. Он стиснул зубы и клацнул дверной ручкой

Врачи давно запретили Всеволоду Матвеевичу курить, пить и есть острое. Ампутировали пальцы правой ноги и грозили отрезать всю ступню. Сева курил и пил. С демонстративной тоской отказывался от горчицы, но от огненных кавказских приправ отказаться не мог. Ткемали и аджику постоянно привозили бесчисленные южные друзья. Однако курение в квартире было табу! Новичкам об этом говорили прямо и грозно. Говорил сам Сева. Говорили постоянные визитеры, говорила бессловесная жена Севы Вера. Говорила мать Веры Софья Марковна, женщина не слишком старая, со странным выражением лица – постоянной смесью испуга и презрения.

Курить выходили на лестницу. Впрочем, курили и в квартире – в кухне и в передней. Сам Сева курил везде. Особенно в спальной. В гостиной курили только с особого позволения Веры особо уважаемые гости, а такие бывали чуть не каждый день. И тогда, за компанию, курила сама Вера. И все остальные тоже курили. Софья Марковна курила непрерывно. Сын Севы Максим курил тайком в уборной. Дочь Марианна запиралась в ванной, пускала душ и тоже курила. Курить начинали с утра, но особенно много курили по вечерам. Курили и ночью.

Александр Петрович присоединился к компании куривших на лестнице.

– Что так поздно? Покажись Ирине, она злится, – сказал Брося (Борис Ростиславович курил «Беломор»).

– У меня сын болен. – Александр Петрович тоже закурил. В квартиру идти не хотелось. – Ну что у вас тут? – Он заметил, что народ был на удивление не пьяный.

Помалкивали. Ходили неспокойно по площадке. Так большой группой курят на лестнице, когда в доме покойник.

– Как Севка?

– Нормально, – сказал Брося. – Принимает итальянца. Паркетти из Рима... который его книжку по-итальянски издавал.

– Паркетти-то Паркетти, а вот переводчица у него – потрясающая баба, – гудел Контрик Воровский (Воровский курил «Винстон»). Это баба! Сильная баба. Неслабая баба переводчица у Паркетти... Баба что надо...

– Глеб Витальевич здесь, – ровно сказал Брося.

– Иванов? – Александр Петрович насторожился.

Конечно, Сева – человек общительный и со связями, но зам. зав. отделом ЦК на гулянке сослуживцев – дело нечастое.

– Как нога-то у Севки?

– У Всеволода Матвеевича все нормально, а вот вам, Александр Петрович, я удивляюсь! – Из-за клетки лифта выдвинулся невидимый до сих пор Костя Шляпин (Костя курил «Новость»). – Вы-то как могли меня не поддержать утром у Блинова? До каких пор мы будем пропускать через себя поток серости и замалчивать то, что является действительным нашим достижением? Сегодняшнее обсуждение – это не мелочь. Такими «мелочами» уничтожают самую суть! Разработка Всеволода Матвеевича – это же комплексная идея, нельзя в ней что-то принять, а что-то не принять. Тут или все, или ничего. А когда я в открытую говорю об этом, вы молчите. А уж вас-то, как никого другого, это должно касаться. Это ведь и ваш труд.

– Да, и мой тоже, – глухо сказал Чернов, глядя в сторону. Он смотрел через окно на совершенно пустой колодезный двор, по которому ветер зло гонял газетный лист.

– Когда я пересказал Всеволоду Матвеевичу свое выступление, он сразу спросил: ну а что Чернов? И что я мог ответить? Что вас интересуют только подъездные пути?

– Да-а... сильно тебя Севка нес... – сказал Брося.

– Я б с такой переводчицей, как у этого Паркетти, тоже бы махнул куда-нибудь в Италию, – плел ерунду Воровский. – Такие бабы на дороге не валяются.

– Впустую вы себя накачиваете, Костя, – сказал Александр Петрович. – И Севу зря тревожите. Наши утренние разговоры – чистая формальность. Пустое дело. Не тут все это решается. И к тому же давно уже решилось... Ярмак сам это понимает... иначе взял бы машину и прикатил бы... Неужели вы сами не видите...

– Я вижу, Александр Петрович, я прекрасно вижу, что вы смирились с поражением. Вам все равно. А мы сдаваться не собираемся. Мне очень жаль, Александр Петрович... Я с первого дня в институте ориентировался на вас. Вы для меня после Всеволода Матвеевича были первым человеком. И ваша жадность к работе, и ваша бескомпромиссность... и вообще. (Шляпин поднял голос на тон вверх.) Тугодумы и невежды из Госстроя давно бы раскачались, если внутри нашей группы не появилось бы равнодушие! Вы извините, что я вам это говорю... но мне обидно... вы стали другим, Александр Петрович!

– Тебя давно ждут! Что ты здесь толчешься? – В дверях стояла Ирина Одинцова, если это была Ирина, а не ее писанный многими красками портрет.

Тонкая и многоцветная подкраска лица под пшеничной крышей стрижки с вызывающе смелыми крупными завитками. Голые плечи, сверкающий паучок, низко спустившийся по золотой цепочке в глубокую выемку между маленьких плотных грудей. Длинное черное платье, серебряные туфли... картина, портрет, мечта! Немецкий экспрессионизм двадцатых годов. Ретро! Глаза – белым и зеленым! Рот – красным с темно-коричневой обводкой. Ресницы – синим! И мушка! Мушка – черным! В двух пальцах правой руки – длинная черная, жутко заграничная сигарета. Ретро! Мечта! Какая гладкая кожа! Совершенно чужая изумительная женщина.

– Я не толкусь, я только пришел – у меня сын болен, – хмуро сказал Александр Петрович.

– Что с ним?

– Там серьезно.

– И здесь все очень серьезно. Именно сегодня тебе надо быть вовремя! Я ждала сорок минут на улице. Пьяные мужики глазеют, зазывают в машины. – Лицо Ирины было спокойно, но голос заметно окрашивался бешенством.

– А не надо в таком виде на улице стоять. В таком наряде надо выходить из длинного автомобиля и идти по ковру через вертящиеся стеклянные двери.

Ирина громко икнула. Это было очень неожиданно, но вовсе не смешно, а скорее страшновато и угрожающе. Сослуживцы стали всасываться в светлую воронку передней. Они остались на площадке вдвоем, и Ирина ногой лягнула дверь. Цокнул замок.

– Ты сходишь с ума! – сказала Ирина. – Я не хочу возиться с сумасшедшим. Опомнись, слышишь! – крикнула она и снова громко икнула. – Ты для всех становишься посмешищем. Нельзя же оригинальничать беспредельно. Тебя Сева ждет. Тебя ждет Иванов! О тебе Паркетти спрашивает, а ты стоишь на лестнице и выслушиваешь нотации этого мальчишки Шляпина. Что происходит? Почему ты просто не пошлешь его подальше? Или боишься? Только меня не боишься, а мучаешь меня. Мучаешь и мучаешь, кретин.

Александр Петрович никак не мог ничего сказать. Хотел и не мог. Только тяжело сопел. Ирина Одинцова подошла и обняла его за шею. Острая смесь косметических запахов и коньяка всколыхнула в Чернове что-то непережитое, но знакомое... может быть, прочитанное... или очень детское... досознательное... Объятие матери, вернувшейся из гостей. Тогда, перед войной, тоже сильно красились... Довольный басок отца. Глаза мамы блестят, малюсенькие комочки туши на ресницах, сверкает заколка в черных пышных вдлосах, зубы в улыбке белые, ровные: «Мой маленький еще не спит, а мы уже вернулись...» «Ничего, ничего, еще поглядим, кто кого!» – довольно басит отец, потирая руки. Да-да. Так было. Очень незадолго до того, как жизнь стала страшной...

Александр Петрович молчал и думал.

– Что с тобой, Сашенька? – говорила Ирина. – Возьми себя в руки. Если ты будешь такой, они тебя скатят под гору. И тогда я уйду от тебя. А я не хочу от тебя уходить. Сашенька, Сашура! Ну что там с Петькой? Вылечим мы его, я позвоню Льву Яковлевичу, он его посмотрит. У меня тоже Ленка больна. Отравилась чем-то. Ну, Сашок! Сегодня поедем к тебе, да? Ты меня послушай. Блинов кончился – это ясно. Сегодня я это поняла абсолютно. Севка его в покое не оставит, а у Иванова с ним какие-то старые счеты. Видимо, опять будет Кроманов, и тогда Севкин принцип пройдет как основной.

– И ты уже все забыла? – Александр Петрович взял Ирину за талию и отстранил от себя, но не выпускал, держал крепко. – Какой Севкин принцип? От Севки было только десяток банальностей на трех страницах... а потом болезнь... Какой Севкин принцип?

– Ну твой, твой, – сказала Ирина. – Я тебе тогда говорила – пиши сам, помоги Севке, но не отдавай идею. Так ты же уперся! «Неважно – кто, важно – что!» Говорил это? А теперь поздно. Теперь уж будь до конца великодушным. Деваться некуда. Выпустил джинна из бутылки, сделал его мировой величиной – всё! Теперь обратно не запихнешь. Теперь пусть он тебе поможет. Он, кстати, по-моему, готов. Да и потом, Саша, ты не прав, не совсем уж Севка пустое место.

– А разве я это сказал? Хоть раз? Ярмак – крупная фигура... но когда ты... которая все видела с самого начала... когда на твоих глазах...

– Ну хватит, хватит, пошли, будь умным.

Дверь открылась.

– Чернов! Ира! Ну что вы в самом деле! Там ждут! – сказал Брося.

Из-за его спины выскользнула большеглазая, тоненькая, как девочка, Вера Ярмак. Обняла, расцеловала Александра Петровича добро, искренне, любовно:

– Пошли, пошли, не грызи его, Ира. У меня все твое любимое – и паштет, и творог с чесноком. Пошли, пошли...

И пошли.

Застолье перешло в третью стадию.

Первая стадия – разрушительная, когда по ровненьким горкам салатов и паштетов, по сформованным эллипсам блюд, по зализанному заподлицо маслу в масленках наносят первые удары ножом. Первые грязноватые потеки от селедки на белоснежных тарелках. Первая дорожка красного вина на скатерти, посыпанная солью. Еще только пробуют – на тарелках все лежит отдельно и всего чуть.

Вторая стадия – упоительная. Еще манят сациви, и лобио, и фаршированные помидоры, а уже две горы горячего мяса на двух концах стола. И обносят картошкой. На тарелках – буйные смеси из хорошо приготовленных продуктов, которые нигде не достать. Просят передать хлеб, и кусок идет по рукам через весь стол. Все что-то просят передать. И передают. Мельканье рук. Икорочкой несет. Поджаристо хрустит сочная кура с корочкой. И передают, передают. Ничто не стоит на месте. Все блюда висят над столом. Поднялись. Только передают и накладывают. И первые пустые бутылки из-под водки унесли в кухню.

Третья стадия, когда все уже несколько раз переменили места и теперь каждый вяло ест из чужой тарелки остатки чужой еды, пьет водку из фужера и запивает боржоми из рюмки-наперстка. Первый окурок, запутавшийся в волокнах куриного мяса. Торт щетинится орехами – пухлый, огромный, вкусный, но – некуда! Некуда!

– Кто чай, кто кофе?

– Где ваша рюмка?

– Моя вот... правда, на ней помада, ну неважно.

– Он говорит, что нигде так не кормят, как в русских домах.

– Больше не могу.

– Еще по рюмке.

– И не по одной.

– И чтоб не в последний раз!

– Дай Бог!

Гавайцы поют бесконечное: «Дую-дую-дую-ду. Дую-дую-ду».

– Очень хорошая пластинка.

– А Абба, Абба, шведская, есть у вас?

Вспомнили про шампанское. Вскрыли, а оно согрелось и облило полстола.

– А что пиво – чешское?

– А ликер – «Куантро»?

– Откуда?

– Оттуда!

– Мне говорили, у вас в Союзе трудности с продуктами. Я этого нигде не вижу.

– А может, кто виски со льдом?

– Ой, ой, как вкусно!

– Где вы это покупаете?

– Этого купить нельзя нигде.

– Водки!

А на кухне двое едят ложками из железной банки зеленый горошек и закусывают эклерами, которые лежат горой и которые никому не нужны.

– Курить выходите только на лестницу, умоляю здесь не курить!

– Вы попробуйте эти черненькие, это голландские.

– «БТ» – теперь подделка, это не в Болгарии делают, а у нас.

– Так в Болгарии и стоит дороже.

– А табак – кубинский.

– Севочка, больше не надо тебе... не надо.

– Дую-дую-дую-ду! Дую-дую-ду!

– Он просит, чтобы вы звали его просто Гвидо.

– А вас как зовут?

– Лина.

– Вера! Это немыслимо – малина! Малина в мае!

– Это не малина. Это епанча, южноамериканские консервы.

– Что вы смеетесь?

– Я умру, я сейчас умру. Не епанча, а эпаргча! Блеск – на ужин съели епанчу! Умру!

– А вы, Лина, замужем? На вас столько колец, что я не разберу, есть ли обручальное.

Застолье перешло в третью стадию. Всеволод Ярмак встал навстречу Чернову. «Мы уже старые», – подумал Чернов. Перед ним стоял толстый, но могучий человек. Почти седой. Большое лицо с яростными, яркими, словно подведенными глазами. Кривоватый рот с большими безвольными губами и мощный волевой подбородок. Правой рукой опирается на тяжелую палку. Ноги в рваных тапочках. Распахнутая дорогая заграничная рубашка с небрежно закатанными рукавами, ширпотребовские синие спортивные штаны. Сиплое громкое дыхание, от которого высоко вздымается жирная грудь тяжелоатлета или тяжелобольного. Они не виделись с полгода. Так получилось. Что-то лопнуло, разъехалось в их отношениях. А было время, они просто не расставались. Долгое время так было.

– Иди сюда, Сашка! – Ярмак принял его в объятия богатырской левой.

– Ну, я тебя поздравляю. Ты вроде молодцом.

– Кончай прохиндеж! Знаю я, что тебе с высокого дерева плевать на мои дела. Я всем тут объяснил, какой ты равнодушный гад. Да ладно, не тушуйся. Я тебя все равно люблю. Давай поцелуемся. – Смачно и влажно впился губами. Угрожающе замотал толстым пальцем у самого носа Чернова. – Я соскучился по тебе, понял? А тебя и сегодня силком тащили. Ладно! Всё! Забыли! В последний раз прощаю.

Александр Петрович вспомнил, что именно таким хрипловатым уверенным голосом он сам разговаривал сегодня, когда пришел к сыну. Ему понравился тот его голос, но слишком легко давалась эта маска, еще тогда он почувствовал, что она чужая, слышанная, заимствованная в готовом виде. Теперь понял – он говорил Севкиным голосом и с Севкиными интонациями. И как это было легко, и как жаль, что это не его голос и не его интонации.

– Приветствую, Глеб Витальевич, – сказал Чернов своим собственным, нелюбимым голосом.

– Здорово, Саша. – Иванов сидя протянул руку.

Когда-то в аспирантуре они вроде были на «ты». Или казалось? А теперь черт его знает, как называть, – и годы прошли, и положение сильно переменилось. И лицо каменное – не поймешь, помнит или нет. Но вроде помнит.

– Здравствуйте, – сказал Чернов худому, носатому, элегантному.

– Бона сэра, – сказал итальянец и зачастил непонятное, пожимая Чернову руку.

Роскошная девица в золоте перевела:

– Синьор Гвидо Паркетти говорит, что много слышал о вас. Он просит вас называть его просто Гвидо.

– Нет, ты представляешь, Сашка, издатель серии «МОДЕРН АРКИТЕТА» – и фамилия Паркетти! Анекдот, – кричал Ярмак. – Слово «анекдот» понимаешь, Гвидон? – придвинулся Сева к иностранцу. – А-нек-дот! Гвидон! Понимаешь?

– По-ни-ма-ешь, – по слогам сказал итальянец. И все засмеялись.

Одинцова нежно хлопотала вокруг Александра Петровича. Положила на тарелку всего понемногу, налила водки.

– Мне налей, – властно сказал Сева.

– Не надо тебе, Сева, не надо, – прошептала Вера.

– Брось. Хочу с Сашкой выпить.

И чокнулись. И выпили. И Паркетти выпил. Все выпили. Кроме Иванова.

– Сашка, книжка-то наша с тобой пошла всерьез. Слыхал, Гвидон хочет второе издание давать.

– Здорово. Поздравляю.

– Тиражики у них, конечно, говенненькие, но так мало-помалу, глядишь, наберется.

– Вы, синьор Гвидо, давно у нас? – спросил Чернов.

Ярмак расхохотался.

– Да кончай ты, Сашка, дипломата из себя корчить. Какой синьор? Он свой парень, коммунист. Товарищ Гвидон. Понял, что я сказал? Понял? Гвидо!

– По-нял, – по слогам, но без всякого акцента сказал итальянец. Все засмеялись.

Сева перегнулся через стол и расцеловал иностранца. Потом одной рукой обнял позвякивающую золотом переводчицу и смело придвинул к себе вместе со стулом.

– А теперь, Линочка, переводите нашему другу выборочно. Вы уже не девочка, сами разберетесь.

Как ни странно, роскошной Лине, кажется, льстило такое вольное обращение с ней. Поразительно, как Севка действовал на женщин. И в молодости, и уже разжирев, и в самый разгар болезни, может быть, даже благодаря ей. Он умел страдать вслух, но как-то очень мужественно. Именно тогда разыгрался его роман с Одинцовой. И Чернов, перекипев, простил – все списала болезнь и странный Севкин магнетизм, который он распространял и на женщин, и на мужчин. Чернов расстался бы тогда с Ириной, но Ярмак с поразительным нахальством, которое выглядело мудростью, свел их снова. Пил с ними, заставлял давать клятвы, что будут любить друг друга. Смотрел на обоих нежными глазами, плакал и говорил, что он скоро умрет, а им жить... И помирал. И не умер. И остался другом обоих.

Тяжело навалившись правым боком на стол, не выпуская из левой руки золотую Лину, Сева говорил в глаза Чернову, хотя чувствовалось, что подлинное его внимание направлено налево, туда, где задумчиво тонул в кресле Иванов.

– Я не знаю, сколько мне годов осталось... а может, и не годов. Так надо успеть делать то, что мы с тобой затевали. Второе там или пятое издание «Эстетики строительства» – это их дело. – Он широко и небрежно махнул рукой в сторону Гвидо. Тот внимательно слушал перевод высовывающейся из Севиных объятий Лины. – Гвидо просит новую книжку. Он читал твою старую статью в «Прометее» и хочет, чтобы мы объединились. Ему нравится, что мы возрождаем исконно русское направление в архитектуре. Мне плевать, что им там нравится... аккуратнее переводи, рыбонька моя. – Он поцеловал неумолкающую Лину в висок. – Мне надо, чтобы в России люди жили в русских домах и смотрели в окна, которые вырублены по-русски. Чтобы русские бабы и мужики мылись в хороших русских банях, а в сауне пусть моются финки. Мне не писанина нужна, а дело. А пока институтом командует Блинов, кроме онанизма, там заниматься нечем... Извини, Линочка, за слово «Блинов» и аккуратнее переведи. Ира, налей всем.

– Я пас, мне чистого тоника, – Иванов накрыл рюмку пальцами.

– Я прошу... если вы друзья... если вы по-чистому сюда пришли... выпьем за здоровье Васьки Кроманова. Это был директор. Крутой мужик, да! Но мужик! Еще не раз его добрым словом помянем, и начальники наши, – Сева поклонился Глебу Витальевичу, – еще, надеюсь, опомнятся и сообразят, кого под гору пустили по пустому делу. Ну, выпили!

Выпили.

– Ты, Глеб, не обижайся, – Сева повернулся к Иванову, – но мне бояться нечего, я человек прямой – с Кромановым вы дров наломали. Зря на него навешали всех собак, зря. Зачем? Чтобы поставить этого слизняка Блинова? Василий Иванович, может быть, не отличал фриза от антифриза, но слушать, что ему говорят, умел и пробивать умел. И интуиция была чисто русская – настоящую вещь чуял. С масштабом человек. А этот что? Говорит, как ссыт. –

Сева заговорил гнусавым голосом, довольно похоже подражая Блинову: – «А Бы задуБывались, БсеБолод БатБеевич, Бо что обойдется строителяБ каждая Баша криБая? ЗадуБыБались?» ЗадуБыБался! – закричал Сева своим голосом. – ЗадуБыБался! Живя в спрямленном мондриановском пространстве, мы спрямляем людям мозги, люди тупеют. Это не наш путь.

– Правильно! – крикнул Костя Шляпин, резко взмахнул рукой, сбил со стола рюмку с водкой, покраснел кумачовым цветом под устремленными на него взглядами, поднял с пола обломок рюмки, не глядя швырнул на стол. Обломок вдребезги разбил чашку с чаем.

Вера кинулась вытирать, шепча:

– Ничего, ничего...

Костя повернулся на каблуках, пошатнулся, ударился лицом о книжный шкаф, две книги тяжело ляпнулись на пол, и он, зацепив плечом косяк, вышел из комнаты.

– Извините, – сказала Лина и высвободилась из объятий Севы. – Экскузатэ, синьор, – наклонилась она к Паркетти. Она была профессиональная переводчица и дело свое знала.

Итальянец заговорил, подчеркивая отдельные слова и отбивая ритм движениями длинных пальцев и всей кистью – красивой, ухоженной, волосатой. Лина переводила синхронно.

– Синьор Паркетти интересуется: каким временем вы определяете слом русской национальной традиции в архитектуре? Синьор Паркетти не уверен, что окультуренное пространство, создаваемое архитектурой, должно обязательно развиваться с учетом национальных традиций. Синьор Паркетти полагает, что только природные условия, новейшие технические возможности и индивидуальное воображение могут определять строительное творчество. Однако он весьма интересуется вашей точкой зрения, – она повернула свое немыслимо очаровательное личико к Ярмаку, – и точкой зрения товарища Чернова. (Иванов внимательно посмотрел на Чернова.) Издательство синьора Паркетти готово опубликовать статью и проекты в виде, скажем, архитектурных фантазий.

– Вся беда России пришла от западнических реформ Петра, – учительским тоном вразрядку сказал Сева. – Пьетро Примо, царство ему небесное, оторвал образованную часть общества от нации. Получился феномен раздвоенной культуры, возникли те противоречия, которые мы не можем расхлебать до сих пор.

– Ленин дает этому классовое обоснование очень прямо и определенно. Так что мучиться не стоит, стоит Ленина почитать, – сказал Иванов.

– Брось, Глеб! – Сева фамильярно, но и заискивающе одновременно схватил его за плечо. – Не будем грешить цитатами. Сейчас не о политике речь. Речь о психическом здоровье нации. Любой самый образованный финн или эстонец чувствует себя частью народа. Потому что его дед был крестьянином. Сидел на земле. И у чехов так, и у грузин. А у нас? Дворян повывели, купцов не стало, и вся образованная прослойка, все наши таланты – либо евреи, либо бюрократы в двадцать пятом поколении. Уж в чем, в чем, а в антисемитизме меня обвинить никак нельзя. Так, теща моя дорогая? – Он протянул губы трубочкой в сторону Софьи Марковны и громко чмокнул. Софья Марковна глянула испуганно и презрительно. Изо рта и из носа шел дым. Курила. – Бесполезная трата сил! Евреи кладут свои талантливые головушки на алтарь нашей культуры, а зря. Нам пользы нет, а они удивляются, что за все их усилия мы не носим их на руках. Нам надо самим свою культуру строить. А им свою. Есть у них там Шолом-Алейхем – браво! Давай дальше, уважаю! Этим и занимайтесь, а Пушкиным мы сами займемся.

– И Достоевским? – минуя переводчицу, спросил итальянец. Чернов быстро взглянул на него. Почему Достоевский?

Похоже, этот сторонний человек попал в самую точку. В ту самую точку, о которую споткнулся Чернов, от которой его дорога и дорога Ярмака пошли в разные стороны. Слушая весь предшествующий разговор, Чернов испытывал вялую тоску. Сева свободно и темпераментно излагал его, Чернова, мысли. Мысли давние, молодые, оставленные Черновым как остывший гарнир на тарелке, каменеющий изнутри, покрывающийся неприятными пятнами холодного жирка.

Тогда, давно, Чернов во что бы то ни стало жаждал найти свою собственную, неповторимую точку стояния в профессии. Казалось, нашел. Его перестали считать спорщиком-оригиналом. Сева и за ним вся группа перевели его рассуждения в план реального принципа. Завертелось. Появились перспективы. И именно тут пришло разочарование. Чернов искал подтверждение своим мыслям в живописи, в литературе... и споткнулся на Достоевском. Прежде всего на «Дневниках писателя». Чернов вдруг увидел, что корень его идеи уходит туда – в грубо религиозное и страшно реакционное прославление русской избранности. Будущее собственного принципа показалось ему отталкивающим. Тогда-то и бросил он словцо, которое окончательно сделало его вторым лицом в проекте, а Всеволода Матвеевича определило как лидера, хранителя чистоты замысла. Они разрабатывали проект (чисто утопический, как он теперь понимал) совершенно отличного от западных домостроительного комбината. Из «исконно русских» блоков, которые они проектировали, комбинат должен был возводить исконно русские дома. Они грозились опрокинуть все мировые достижения. «Домострой», – сказал тогда Чернов про этот комбинат. Все эти многоэтажные терема и кельи с ванными и ватерклозетами стали казаться ему пошлостью и дилетантством. Какой тогда стоял крик! Их разнимали. А потом... он легко уступил заболевшему Севке остатки своих мыслей, сам уговорил его издать книгу под собственным именем и остался пустым, без новых идей, привычно связанным с разработкой совершенно чужого ему теперь проекта. А дальше... случилась история с Гольдманом, руководителем другой группы института...

Чернов выплыл из задумчивости.

– ...Почти вертикально вверх! – кричал Сева. – Почти вертикально вверх шла русская культура – конец девятнадцатого – начало двадцатого. А дальше – Малевич, Родченко – в живописи. У нас – Татлин, Эль-Лисицкий, Яков Чернихов, конструктивисты – и всё! Разлом! То самое, что вы называете индивидуальным воображением, было просто-напросто проникновением чужой культуры. А что потом? Сталинские торты-небоскребы и хрущевские бараки-пятиэтажки?

Чернов скрипел зубами – скучно! Злобу вызывали эти собственные его старые, замусоленные слова, которые с такой свежестью, как новорожденных, выкладывал Всеволод Матвеевич.

– Мне казалось, что Россия двадцатых годов дала миру новые идеи, – переводила Лина. – А вот передвижники, к примеру, – это обработка и приспособление к местной психологии немецкого романтизма.

– Слушай, Гвидо... ты сам видел «Христа в пустыне» Крамского? Ты глаза его видел?..

Чернов снова стал глохнуть. Уходить от тягостных слов в тягостный туман воспоминаний.

Он видел лицо Евгения Михайловича Гольдмана, искаженное брезгливой улыбкой, его неухоженные, нездоровые волосы, перхоть на плечах. Стареющая рабочая лошадь. Смешно сказать, но всю ежедневную работу большого института делал он один. Да еще чертежник Бакулин и макетчик Коля. Группа Гольдмана состояла из молодых людей, взятых Кромановым по звонкам и записочкам. Никто бы их не взял – их валили Гольдману. Молодые люди более всего жаждали свободного времени. Презрительно улыбаясь, Гольдман подписывал их бесконечные просьбы об отпусках, отгулах, разрешил уходить раньше и приходить позже. Он оставался с чертежником Бакулиным и работал за всех. Никогда не жаловался. Единственная плата, которую он брал за этот каторжный труд, – право не скрывать своего презрения и к подчиненным, и к начальству.

За эту презрительную улыбку, за вызывающе неопрятный внешний вид, за странную картавую, с пришепетываниями и причмокиваниями речь его не любили в институте. Он был одинок и замкнут. Знали, что он отличный математик – расчеты его были непогрешимы. Знали, что он свободно говорит и пишет на трех языках – и к нему бегали переводить письма из-за границы, необходимые куски зарубежных статей. Все экспонаты для экспортных выставок обрабатывал надписями он лично. Но почему-то все это выглядело не талантами, а естественной принадлежностью механизма. На совещаниях и обговорах Гольдман отмалчивался, а если обращались прямо к нему, говорил фразу вроде: «Да нет, мне нечего добавить, все довольно полно изложено выступавшими ранее». Говорил с такой язвительной интонацией, что его оставляли в покое.

Впервые Гольдман вызвал интерес у Чернова, когда они однажды разговорились в такси по дороге на совещание в министерство. Проезжали мимо одного из шестиэтажных уродцев тридцатых годов.

– Пгрелесть! – прокартавил Гольдман и зачмокал губами.

Чернов хихикнул, думая, что тот шутит.

– Что вы смеетесь? – повернулся к нему Гольдман. – Это мудгро сделано – делал Павел Липковский. Этот человек очень талантливо чувствовал пгростгранство. Тут очень тонкая иггра пгропогрций.

За десять минут пути Чернов услышал удивительно глубокую лекцию о сути конструктивистского мышления. И впервые взглянул на проблему иначе.

Потом грянул гром. Некий американец, осматривая институт, более всего интересовался, где мистер Гольдман и как бы он мог с ним встретиться. С большим опозданием перевели из японского архитектурного ежегодника большую, почтительно поданную статью по сложнейшей проблеме новых принципов развязки дорог за подписью «ЕВГ. ГОЛЬДМАН». Приезжали из Польши. Пришло приглашение на конференцию в Канаду. Приехал в поисках товарища Гольдмана аспирант из Болгарии. Завертелось. Никуда Гольдман не поехал – ему просто не передали приглашений. Во-первых, не знали, можно ли, а во-вторых, ну просто, очевидно, нельзя было показывать иностранцам, даже дружественным, этого шепелявого гражданина в перхоти. В Канаду съездили Кроманов и Ярмак. Болгарина отвадили, свалив его на Чернова. Тот его пару раз сводил в ресторан, болгарин потом прислал Чернову пару хороших вагонов и тепловозов – тем дело и кончилось.

Но слухи о странной мировой популярности непопулярного Гольдмана плыли... плыли. Удивлялись сильно. Но еще сильнее раздражались. Начальство – за доставленные хлопоты. Коллеги – за укор, который содержался в этих обширных трудах, сделанных непонятно в какое время, – а мы-то, дескать, что же? И наконец все сконцентрировалось и сформулировалось в одном простом емком вопросе: «КТО РАЗРЕШИЛ?»

И тут гром грянул во второй раз. Чертежник Гольдмана Бакулин был арестован. Причины и подробности были покрыты густым мраком тайны. Что-то связанное с использованием копировальной машины в неслужебных целях. Для Гольдмана начались черные дни.

– ...Потому что не в Гольдмане дело. Гольдман уехал, и никто этого не заметил. А снимать за это Кроманова, который терпеть Гольдмана не мог, – элементарная глупость. Без Гольдмана жить можно, а вот без Кроманова институт разлагается... – говорил Сева.

Иванов встал:

– Ну ладно, не время и не место тут об этом болтать.

– Евгений Гольдман? – спросил без переводчицы итальянец.

Сева метнул испуганный взгляд на Иванова.

– Хочу еще раз за тебя, Гвидон, выпить!

– За встречу в Италии! – перевела Лина. Чернов залпом выпил полфужера водки и вонзил зубы в холодную куриную ногу. В голове начался неприятный тошнотворный кач. «Перебрал», – подумал Чернов. И опять потухли голоса и заволокло туманом стол.

Определенно ничего не говорилось, но у Гольдмана вдруг сразу по всем линиям обнаружились упущения и категорически неправильные поступки. Одновременно на роковой вопрос «Кто разрешил?» пришел столь же роковой ответ «Никто не разрешал!». Выяснилось, что группа Гольдмана работала безобразно. Дисциплина разболтана. Направление работы неопределенно и, главное, не утверждено. Ярмак ярко показал на расширенном совещании, что Гольдман рабски подбирает крохи со стола западной архитектурной мысли. А молчун Гольдман с презрительной своей улыбочкой неожиданно прошепелявил и прокартавил длинную речь, где камня на камне не оставил от самой идеи русофильства в строительстве. Что было! Какой стоял крик! Самое страшное, что для Чернова его речь была почти во всем убедительна, а он месяц еще слушал со всех сторон брызжущее слюной возмущение и, покорно поддакивая, кивал головой.

Однажды вечером к Чернову домой пришла большеглазая вежливая девочка лет двенадцати. Она передала записку от Гольдмана:

«Уважаемый Александр Петрович!

Извините за беспокойство, но мне очень нужно поговорить с Вами. На всякий случай я не хотел подходить к Вам в институте или звонить. Не сочтите за труд заехать на полчаса ко мне домой, в удобное для Вас время. Эльвира объяснит Вам, как проехать, а Вы скажите ей, когда бы Вы смогли.

Если почему-либо Вам это неудобно, тоже скажите ей. Обид никаких не будет, уверяю Вас.

Е. Гольдман».

Кровь прилила к голове от стыда и от страха... Почему же от страха? Ведь тогда еще ничего не было? Да было, было. Уже тогда было.

Александр Петрович вызвал такси, и они с Эльвирой поехали. Девочка была общительная и, что удивило Чернова, веселая. У Гольдмана оказалась еще старшая дочь – спортсменка-парашютистка, у дочери был муж Борис – инженер-химик. У Гольдмана оказалась еще годовалая внучка – дочь химика и парашютистки. Была у Гольдмана очень старая мать и была совершенно неожиданная жена – большая красивая, моложавая русская женщина Анна Васильевна. Все сидели за столом, и Чернов пил с ними чай. И еще сидел за столом совершенно незнакомый Чернову человек – доброжелательный, остроумный, очень веселый – сам Евгений Михайлович Гольдман. «Почему они такие веселые?» – подумал Чернов.

– Почему вы такие веселые? – спросил он Евгения Михайловича, когда они уединились в соседней комнате.

– Думаю, что мы не так уж веселы, мы возбуждены, – сказал тогда Гольдман. – А потом, вы знаете, у нас сейчас тревожное время, но не скучное. Интересное. Мы очень доверяем друг другу.

Эта последняя фраза долго мучила Чернова завистью и жалостью. Мучает и сейчас, когда он сидит, низко наклонив голову над столом, и выковыривает ложечкой орехи из торта...

Иванов говорил итальянцу что-то по-английски, и Чернов поразился, как уверенно, бегло он говорит. Гвидо отвечал тоже по-английски, но менее бойко, подыскивая слова. Потом Иванов повернулся к Лине.

– Завтра в одиннадцать я пришлю за вами машину, и до шести она в вашем распоряжении, – говорил итальянцу Иванов.

Все уже были на ногах.

– Синьор Паркетти благодарит вас. Он говорит, что ему было очень приятно провести вечер в этом доме. Он надеется, что с поездкой в Рим все будет хорошо. Он надеется, что сможет хоть в какой-то мере отблагодарить вас за гостеприимство.

Сева расцеловал итальянца на прощание.

– Надо проводить его до машины, – властно шепнул Чернову Глеб Витальевич.

Вся мелкота двинулась по лестнице вслед за Линой и Гвидо. На площадке второго этажа перегруппировались. Воровский тесно подхватил под локоток Лину и тронулся вперед. Сладострастно гудел красивым голосом прямо ей в озолоченное ухо что-то культурно-заманчивое с упоминанием гастролей Бежара, «Мастера и Маргариты» и Магдебургского симфонического. За ними двигался Костя Шляпин: на три четверти полная бутылка водки в левой руке, карман брюк оттопыривают шесть металлических стаканчиков, по три штуки вдетых друг в друга. Правой рукой Костя держится за стенку, ноги переставляются в сложном ритме: три ступеньки быстро и одна очень медленно и снова три почти дробью. Последним шел Паркетти, и с двух сторон – телохранителями Брося и Чернов.

– Ву парле франсэ? – спросил Паркетти Чернова.

– Нет! – затряс головой Чернов.

– Я немного. Муа! – сказал Брося.

– А! Бьен! – сказал итальянец Бросе и перевел: – Хорошо!.. Инглиш? – спросил он Чернова уже без надежды.

Чернов смущенно пожал плечами.

Лестница втекала в длинное ярко освещенное пространство – скамейка, тумбочка, покрытая газетой, стосвечовка, бесстыдно торчащая прямо из стены. Шляпин, непрерывно ударяясь со стуком коленями о тумбочку, расставлял стаканчики. Наполнял. Воровский, как на баяне, играл на обшитых материей мелких пуговках, составлявших заманчивую боковину дорогого Лининого платья. Брося говорил «дель посошок!» и интригующе подмигивал итальянцу. Гвидо по-иностранному удивлялся: широко открывал в удивлении рот, громко и раздельно смеялся «а-ха-ха!» – как в плохом театре. Чернов подумал, что, судя по всему, подобные каденции русских застолий были давно известны Паркетти и удивлялся он только из вежливости по отношению к организаторам «дель посошка».

Воровский взял, видимо, слишком сложный аккорд на Лининых пуговицах. Лина дернулась, звякнув золотом, и укоризненно сказала: «Ой, да что это вы, синьор?!» На что Воровский, глядя ей прямо в глаза, сказал: «Силы много, девать некуда». Шляпина снесло в угол и привалило к двери лифта. Никак ему было не отклеиться. Брося пошел прочь. А Паркетти в это время вежливым европейским прикосновением и пригласил и провел Чернова от света туда, где потемнее… к входной двери… и сквозь нее.

Моросил дождь. Поблескивала, урчала машина на противоположной стороне улицы. Увидев вышедших, шофер тронул и начал разворачиваться.

– Тшернов! Момент! Внимание! – с трудом сказал Гвидо по-русски. – Вам привет… от… Евгений Гольдман… он в Пари… он хорошо… он вас лУбит.

Подкатила машина. Двери распахнулись. Завертелся водоворот прощания. Чернов чувствовал, что у него горит лицо. От страха и неожиданности.

Все было, чему полагалось быть: русские кричали «аривидерчи!», итальянец махал рукой из окна и говорил: «Спа-зи-бо. До-зви-дань-я!»; пытались заставить выпить распоследний распосошок, пытались руками удержать машину. Все смеялись. Потом машина уехала. Говорили друг другу: «Хороший мужик!» – и соглашались. Все было.

И ничего не стало. Чернов стоял под моросящим дождем один. Остальные поднялись наверх. Александр Петрович остался. Закурил. Сигарета сразу намокла, и он бросил ее.

«Надо подумать, – подумал Чернов. – Надо подумать». Он никак не мог сосредоточиться, потому что думал сразу о нескольких вещах.

Он думал: «Надо позвонить из автомата домой... не домой!.. почему домой!.. надо позвонить Тане... как там Петька?!. Господи... Как же быть-то?»

Он думал: «Шляпин пьян. Воровский занимался бабой, а вот Брося и эта стукачка Лина, кажется, успели услышать, что говорил чертов Гвидо. Они из этого «привета» такое навертят в голове... Это плохо... это очень плохо. То-то Паркетти как дьявол все ко мне лез – и знает, и уважает, и статью читал. Это Гольдман ему рассказал... Главное, было бы что рассказывать... а ведь они все думают... Это плохо... это плохо».

Он думал: «Значит, они уже сколачивают делегацию в Италию. А мне ни слова! Эх, меня потеснили-то! Плохие дела... плохие дела... плохие дела...»

Он вспоминал.

Разговор с Гольдманом был короткий.

– Александр Петрович, у меня к вам просьба, – сказал тогда Гольдман. – Имеется кое-какой архив в моем столе в институте и в двух шкафах, которые стоят в простенке между окнами. Там все открыто и никаких тайн нет, но у меня сейчас довольно ограниченные возможности даже для входа в институт. Если вам это не сложно и не неприятно почему-либо, заберите как можно больше моих бумаг к себе. Я бы предпочел, чтобы они были у вас. Уверяю вас, это все абсолютно личное. Всякие наброски в свободное время... да вы сами увидите, вполне можете посмотреть, если интересно... Очень понимаю, что вам это может оказаться неловко. Если так, скажите – я пойму...

– Да нет, почему же, – сказал Чернов, отводя глаза. – Только, по-моему... преувеличиваете вы, Евгений Михайлович. Что значит – «вход закрыт»? Вы руководитель группы...

– Уже нет... со вчерашнего вечера... Думаю, что этим дело не ограничится. Думаю, что меня ждут довольно тяжелые последствия. Из-за Бакулина. Но вы поверьте... если сможете... я понятия не имел о его занятиях. Просто он мне был симпатичен... и работник прекрасный... При всем желании я не мог дать ему плохую характеристику. А именно этого от меня, видимо, ждали. Но, уверяю вас, других претензий ко мне никаких нет.

– Ну вот! Почему же вы говорите тогда о каких-то последствиях? Какие могут быть последствия! За что? – спросил Чернов с непонятным для самого себя раздражением.

– А вот увидите!

И вот тут-то Александр Петрович и сказал:

– Вы извините меня, но я слушаю вас и ушам не верю. Сидит за столом веселая, дружная семья, шутят. Вы довольно известный человек, уважаемый многими... и мною тоже уважаемый. А рассказываете всякие ужасы. Просто не хочется верить. Почему же вы тогда такие веселые?

А Гольдман ответил ТОЙ фразой:

– Думаю, что мы не так уж веселы. Мы возбуждены. – А потом: – Вы знаете, у нас сейчас тревожное время, но не скучное. Интересное. Мы очень доверяем друг другу.

...Через две недели Гольдмана вывели из ученого совета. Потом его лишили степени кандидата технических наук. Собрали аттестационную комиссию, которая четырнадцать лет назад утверждала его диссертацию. Приехал бывший оппонент – профессор Зельцман, теперь уже пенсионного возраста. Клял себя за прошлую свою близорукость. Говорил, что и тогда, четырнадцать лет назад, обратил внимание на поверхностность мышления Гольдмана. Гольдмана осудили как пролазу, себялюбца и эгоиста.

Наконец, было общее собрание. Выступали многие. Чернов отказался. Не резко, не прямо, а со множеством ссылок... на здоровье, на неумение говорить... короче, отказался, хотя на него очень давили и Ярмак, и сам Кроманов. Случилась на собрании и неожиданность. Молодые бездельники – подчиненные Гольдмана – выступили в его пользу. То ли на своих папочек надеялись и потому не боялись, то ли действительно Гольдман умудрился чему-то научить их в профессии, но они встали за него стеной. Защита эта ничего не дала – слишком они были уязвимы как работники. И все-таки момент был острый. Кроманов сидел как туча рядом с председательствовавшим Воровским. Воровский встал и совершенно справедливо и убедительно показал, что не им бы вякать...

Ощущение от собрания было ужасное. Архив Гольдмана Чернов забрать не успел – пропустил несколько дней, а потом было уже поздно – выглядело бы двусмысленно.

За бунт молодых бездельников на собрании и, как говорили, отчасти за молчание на собрании Чернова Кроманова сняли. Молодых людей уволили. Воровскому объявили выговор. Чернова оставили в покое, совсем в покое. Он ждал грома – его не последовало. Александр Петрович не сразу заметил, что его стала окружать подозрительная тишина, от которой звенело в ушах и сжималось сердце. Он жил как во сне и много занимался своей железной дорогой.

Однажды вечером опять явилась дочь Гольдмана Эльвира и принесла письмо — маленькую записочку. Гольдман прощался, благодарил и высказывал Чернову свое уважение. Александр Петрович напоил Эльвиру чаем, подарил ей дорогое издание «Двенадцати стульев» с иллюстрациями Кукрыниксов. Когда Эльвира ушла, он порвал записку и никому никогда не рассказал о ней. Даже Ирине.

Потом пошла какая-то пустая жизнь... вроде вообще ничего не было, пока... пока не заболел Петька... сегодня...

Чернов думал: «Надо позвонить домой... Тане... как там Петька?.. Господи... как же быть-то?»

Хмель выветрился. Только во рту очень сухо. У Ярмака он застал финальный разброд. Женщины, не выпуская из зубов сигарет, носили в кухню горы грязной посуды. В гостиной Воровский и Брося двигали мебель. В углу дивана, неудобно скорчившись, спал Шляпин. Через открытую дверь спальной был виден Иванов. Он сидел на корточках у телефона, стоящего на полу, и листал записную книжку. Воровский принес ему стул... Окна раскрыты настежь, в квартире холодно. Но дым почему-то не уходил, а метался плотными густыми мотками вместе с людьми по всем комнатам.

Ярмак затащил Чернова в ванную, закрыл дверь на задвижку и на полную мощность пустил душ.

— Что ж ты, собака, делаешь? — закричал он.

— Что я делаю? — вздрогнул Александр Петрович.

— Ты мне всю игру портишь! Ты знаешь, чего мне стоило свести вот так запросто этого итальянца с Глебом? Не знаешь? Так подумай, тряхни остатками мозжишек! — Он постучал квадратным пальцем Чернову по голове. — Я раз начинаю, два начинаю, а он молчит. Смотрит себе в тарелку и кривит свою рожу небритую. Сегодня был у тебя шанс, а ты его просрал!

Чернов почувствовал, как над глазом часто-часто забилась, задергалась жилка.

– Какой шанс? В какую игру ты играешь? – оскалился он. – Не знаю я твоих игр. Расскажи… Послушаю… В Италию вы собираетесь – это я понял из разговора. Вся группа в курсе, а я что-то не слыхал. Это тоже такая игра? Со мной играете в игру?

Ярмак сел на край ванны и тяжело провел рукой по лицу. Смотрел на Александра Петровича снизу вверх, исподлобья выпуклыми своими глазищами…

– Дурной ты, Сашка. Я тебя же берег, нервы твои берег. Тебя же так и так не пустят сейчас. Тебе надо тут сперва все уладить. А для этого не отмалчиваться с обиженной мордой, а говорить. Да, да! Языком поработать. Ты уже помолчал с Гольдманом. До сих пор не расхлебал. Думаешь, я по пьянке сегодня про него два раза затевал разговор, пока Глеб на меня как на мальчишку не цыкнул? Для тебя! Чтоб ты высказался. А ты молчишь. Не обойдешься ты без этого. Посыпят тебя под горку.

– Гольдмана уже год как нет здесь. При чем тут Гольдман? Почему я должен его ругать? За что? Я с ним еле-еле знаком был. В чем его обвиняют, так и не понял. Объясни мне, в чем конкретно его обвиняют.

Ярмак поднял кверху толстый палец и медленно погрозил им Чернову.

– Чистеньким хочешь остаться? А нас в грязненькие записать? Нехорошо, Саша. Не такой ты чистенький. Люди всё видят, скажи спасибо, что я тебя пока в обиду не даю. И помни – не отвертеться тебе! Ничем ты не лучше других. И если хочешь нормальной жизни, постарайся как можно скорее это понять.

– Мне, Севка, нечего тебе сказать. – Чернова трясло. – Нечего! Нечего сказать… потому что… мы не понимаем друг друга… Для меня вся русофильская архитектура, во имя которой якобы все... это дребедень и чушь. Это я придумал, лично я... а теперь говорю – дребедень и чушь.

– Ах вон оно что-о-о-о! – протянул Ярмак.

– То! То! И хватит... на сегодня. Не могу говорить с тобой... в другой раз.

Выскочил из ванной. Тревожным лошадиным глазом косила из кухни Ирина. Продолжая вытирать тарелку, корпусом подтолкнула Александра Петровича в переднюю, в темный закут. Зашептала:

– Поезжай с Ивановым, без меня. Он хочет поговорить с тобой. Придумай, что тебе куда-то надо, а я останусь – позже пойду. Дай ключ. Буду у тебя. Дождусь.

– Зачем? Что ты выдумала?

– Он мне сам сказал. Дай ключ. Я тебя жду. Но не спеши. Если надо будет поехать к нему, поезжай.

Ирина порхнула обратно в кухню.

В гостиной по новой накрыли кусок стола и пили посошок.

Иванов прощался. Пожимая руку Чернову, сказал:

– Я в центр. Не по дороге?

Чернов смешался:

– Вообще-то... надо бы заехать. Да, по дороге... только... через пару минут... я позвоню... у меня сын болен.

– Жду, – коротко сказал Иванов.

Александр Петрович присел на корточки над телефоном. В спальной опять не было ни одного стула. В полуоткрытую дверь он видел, как мельтешили вокруг Иванова почтительным хороводом. Накрутил номер.

– Таня, это я. Ну как у вас?

– Он проснулся, выпил чаю и опять уснул. Он до утра проспит.

– Я заеду сейчас... Может, что надо...

– Ничего не надо.

– Потом, я в суматохе забыл оставить... У меня тут деньги для Петьки... Пусть лежат... Я хотел подарок... Насчет врача ты тоже не беспокойся.

– Саша, я уже ложусь, приезжать не надо... И не надо суеты. Это для тебя новость, а я с этим живу уже много месяцев.

– Завтра я поеду насчет врача... – бормотал Чернов.

– Завтра праздник... А у тебя, кажется, уже сегодня. Не надо приезжать, Саша. Я сплю. – Она повесила трубку.

– Хорошо! Пока! Сейчас еду! Сию минуту! – сказал Чернов сквозь гудок отбоя.

Повесил трубку. Распрямился, хрустнув коленями. Вышел из спальной. Пряча глаза, сказал:

– Да... если можно, я с вами. Сын очень болен. Надо заехать.

– Конечно, поезжай, обо мне не беспокойся, – сказала Ирина очень искренне.

– Поехали. – Иванов двинулся к выходу.

Опять прощались. Ярмак удержал руку Александра Петровича, подышал, глядя с укоризной, хотел что-то сказать, но не сказал. За другую руку тронула Вера:

– Что с Петенькой, Сашенька?

Чернов наклонился и обнял ее. Прошептал:

– Эпилепсия, кажется.

Сдавило голову в висках.

У парадной стояла машина. Шофер вышел навстречу. Они с Ивановым что-то тихо сказали друг другу. Шофер передал Глебу Витальевичу ключи, сказал «спокойной ночи» и исчез в темноте.

– Садись, – сказал Иванов.

Когда тронулись, Иванов сразу спросил:

– Что у тебя происходит?

Чернов покряхтел и начал медленно:

– Да, собственно, ничего не происходит... Понимаешь...

– Что там за история у тебя с Гольдманом? – перебил его Иванов.

– Какая история, – вздохнул Александр Петрович. – Какая может быть история с человеком, которого еле-еле знал... И которого год как нет... Кто-то хочет меня...

– Я тебя хочу проинформировать, – снова перебил Иванов. – Наверху Ярмаком и всей его компанией недовольны. Так что ты вовремя от них откололся. Ты слушаешь меня?

– Слушаю.

– Блинову остались считанные дни. Он оказался человеком нетвердым... Кроманова не вернут, потому что он слишком уж спелся с Ярмаком. Пахнет группировщинкой. Кроманов, скорее всего, пойдет на пенсию. И секретаря вашего, это баритона Воровского, менять будут – непринципиально он себя вел. Так что в институте у вас положение мутное. Надо на кого-то опереться. Ты слушаешь?

– Слушаю.

– Директором, наверное, будет Крапивин. Алексей Иванович. Из Госстроя. Но ему тоже надо, чтоб ему и обстановку создали, и в курс ввели... Поддержать его надо. Есть мнение, что он мог бы опереться на тебя. Ярмака надо будет поставить на место. И лучше тебя никто этого сделать не сможет. Пока я говорю с тобой неофициально. Но на днях, сразу после праздников, я выйду на Морозова, и, если он даст добро, мы вместе с ним выйдем на Бобцова. Так что давай, Саша; ты слушаешь меня?

– Слушаю.

– Теперь вот еще что... Из этой поездки в Италию ничего не выйдет.

– Почему?

– Ты слушай меня. Мироненко не даст добро. Это я гарантирую. А я хочу тебя включить в поездку группы Госстроя на конференцию в Барселону. Это солидное дело на европейском уровне, и, если тебя утвердят, ты будешь в полном порядке. Ярмак и компания могут под тебя копать этой историей с Гольдманом, но мы застрахуемся... Еще раз поднимем это дело, и ты напишешь журнальную статейку и определенно выскажешься, что ты об этом думаешь...

– А что я могу думать... Я даже не знаю толком, в чем там дело было... в чем его обвиняли. Понятия не имею... И какой смысл его долбать, если он уже не здесь?

– Брось, Саша. Дело не в нем, дело в тебе. Ты должен сделать жест, и чтоб его правильно поняли. А что писать, тебе и Крапивин подскажет, он мужик толковый... и в курсе. Он сам на тебя выйдет... Ну ладно... Ты с Татьяной давно разошелся?

– Пять лет с лишним.

– Смотри ты... А что, ты сказал, с сыном-то?

– Да сам еще толком не знаю...

– Ты, если что, сразу ко мне – по медицине, по лекарствам у меня все нити в руках. Все будет сделано. Ты вообще не брезгуй... слышишь. Ты появляйся. Видишь, как вышло, что мне самому тебя искать пришлось. Ну ладно. Куда тебя?

– Спасибо, я вот здесь и выйду.

– Ладно. А то смотри, подвезу куда надо... Ну, бывай. Держись старых друзей... Подумай о статейке. Кстати, что бы ты ни написал, от этого Гольдмана не убудет. Мне сегодня Паркетти рассказал: он там вполне прилично устроился и всё у него в норме. А ты тут в благородство играешь и жизнь себе портишь. Ну, бывай.

Они пожали друг другу руки.

– Знаешь, Глеб... спасибо тебе, – сказал Александр Петрович.

– После Барселоны спасибо скажешь. Брось. Я от души.

– Подожди, Глеб. Глеб Витальевич, я тебе хочу сказать... независимо от того, как там все будет... это чудо, я очень тебе благодарен... очень...

– Ну ладно, – сказал Иванов. – Приступай к делу. Набросай статейку и звони. И вообще звони. Не пропадай.

Александр Петрович шел по лужам, как по облакам, – невесомо. Ему хотелось идти долго и никуда не приходить. «Так, – думал он. – Ну теперь... – Но мысль не продолжалась. – Ну теперь, – думал он, – теперь мы...»

Свет на лестнице не горел. В полной тьме Александр Петрович взлетел наверх. «Тамта-ри-ра-рам, ти-ри-ра-руйра!» – пел он вслух. Чернота окружала его. Александр Петрович безуспешно водил ключом по металлу замка и никак не мог нащупать скважину. Чиркнул спичкой.

Справа от себя, в оконной нише... не увидел... а почувствовал присутствие кого-то. Спичка погасла. Чернов стоял, ухватившись за ручку запертой двери. Мгновенно пересохло горло. Руки и ноги стали холодными и чужими.

– Александр Петрович, – сказал тихий голос.

Он сразу понял, кто это. И страх прошел. Но радость и легкость оборвались. Не возвращались. Не связывались нити, из которых было сплетено его состояние идущего по облакам.

– Ты что тут, Алла? – сказал он и зажег спичку.

Соседская дочка Алла сидела на подоконнике, обхватив руками колени, прижав их к подбородку. Полные сверкающие коленки.

– Ключ забыла?

– Нет, не забыла, – сказала Алла. – Просто сижу. Видеть не хочу своих. Александр Петрович, я сегодня счастливая. Совсем. Ох, какая я счастливая. Ну, идите, идите. Я еще посижу.

Чернов открыл дверь. Пошел, закрыв глаза, по сложной коленчатой трубе коридора. Он машинально касался рукой знакомых выпуклостей шкафов и впадин дверных проемов. Ему казалось, что он слышит, как храпят, покашливают, постанывают в неуютном сне за каждой дверью. Наверное, это казалось. Но все-таки он слышал.

Под его дверь подтекал слабый серовато-желтый свет. Дверь была незаперта. Среди неопрятных груд предметов, возле бесконечной возвышенности стола с железной дорогой, покрытой несвежими простынями, в глубоком старом кресле сидела Ирина. У ее ног на полу стояла настольная лампа, отвратительный толстый шнур которой змеился в темноту. Лампа освещала руки Ирины, лежащие на коленях. Руки с кроваво-красными длинными ногтями. В руках была книга. Над книгой помещалось лицо, накрашенное, чудовищно извращенное нижним светом.

Александр Петрович вздохнул и вместе с запахом духов и частицами пыли заглотил большую серую тоску.

Ирина подняла голову и исчезла. В круге света остались только ее руки с красными мазками ногтей, обхватившие книгу.

– Ну как? – спросила Ирина Одинцова.

8

Господин Пьер Ч. очнулся. Было по-прежнему темно. Никаких признаков рассвета. Он спал сидя, неудобно привалившись лицом к стене. Ломило шею. Господин Пьер Ч. протянул руку к столику и нащупал стакан. Поднес к губам. Но стакан был пуст. Две теплые сладкие капли только усилили жажду и сухость во рту.

– Мсье Арнольд, – тихо позвал господин Пьер Ч. – Вы спите, мсье Арнольд?

– Спит мадам, – тихо сказал господин Арнольд. – Я не сплю и не спал ни секунды. Я стараюсь заставить себя поверить, что то, что с нами происходит, – реальность. У меня не получается. Я построил такой силлогизм: если у человека отнимают жизнь, он должен бороться за нее, даже помимо своей воли. В нем должны пробудиться инстинк-

4-5868

ты хитрости, самозащиты, действия. Это аксиома. В нас не пробудились инстинкты, мы бездействуем. Следовательно, у нас не отнимают жизнь и все происходящее нереально. Так?

«Так. Так-так. Так-так», – простучали колеса в темноте.

– Который час? – спросил голос мадам Турухановой.

– Должно быть, около двух, дорогая, – ответил голос господина Арнольда. – Впрочем, мне уже давно кажется, что около двух, однако время не движется.

– Я хочу пить, – сказала мадам Елена.

– Хеллоу! Как вас там... мсье гангстер! Нам нужна вода! – сказал господин Арнольд.

В полной тьме со стороны открытой двери купе вспыхнул яркий луч фонарика. Он уперся в лицо господина Пьера Ч. Господин Пьер Ч. не удержался и сделал едва заметное движение головой, означавшее вежливое приветствие. Ему сразу стало стыдно за себя, но все-таки он сделал это движение. Луч переместился и осветил помятое, с черными потеками краски возле глаз лицо мадам Елены Туруxановой. Пианистка сморщилась, как от кислого, и отвернулась. Луч высветил крупным планом широкое раздутое губастое лицо господина Арнольда.

– Придется ожидать утра, – сказал голос на ломаном языке.

«Тра-та-та-та-та-та-та», – сказали колеса.

– Если вы собираетесь пытать нас жаждой, то я протестую, – сказал господин Арнольд.

Фонарик погас. Послышался звук закрываемой двери, и щелкнул замок.

Некоторое время сидели молча. За окном с бешеной скоростью проплясали несколько десятков огней. Поезд промчался мимо какой-то станции. Колеса засбоили, разбираясь в сложном плетении расходящихся и сходящихся путей. Снова стало темно. Колеса опять вскочили в свой ритм.

«Тра-та-та... Тра-та-та».

– Это станция Рио-Корда. Мы в Испании. Сейчас 2 часа 23 минуты, – сказал господин Пьер Ч. – Вокзал здесь совсем новенький – белое одноэтажное здание с башенкой, в которой сидит телеграфист. Справа, возле багажного сарая, шесть тополей, а слева общественная уборная, тоже белая. Платформа только одна, низкая. Часть платформы имеет тент, потому что днем здесь бывает очень жарко.

Щелкнул замок. Открылась дверь. Все помолчали в темноте. Луч фонарика пошарил на полу и замер у порога. Он осветил высокий узкий стакан, на три четверти наполненный водой, и рядом плоскую коньячную бутылку. Напитка в бутылке оставалось на три пальца.

– Пейте! – сказал голос. – Я вас не желаю пытать. Потом, если будете жить, скажите им, что я дал вам коньяк. У меня больше нет.

Господин Арнольд наклонился и взял стакан и бутылку. Фонарик погас.

Они нащупывали в темноте руки друг друга, передавали стакан и бутылку. Отхлебывали по глотку.

Мсье Арнольд говорил:

– Много лет тому назад я был помешан на Испании. Однажды целое лето колесил по всей стране. Денег у меня было немного. Я останавливался в деревенских гостиницах. Вечером я спускался в общую залу поужинать. И каждый раз кончалось одинаково: замечали, что я иностранец, узнавали, что я музыкант, и в результате мы обязательно пели вместе и пили из одной кружки, которая ходила по кругу... И вот теперь снова. Видно, Испания не меняется. Вам это не кажется забавным?

– Даже слишком, – хрипло сказала пианистка. – Странно, что, оказавшись заложником, вы вспоминаете эти умилительные пейзанские картинки. Почему бы вам не вспомнить о вашем пребывании в немецком концлагере?

– Об этом я не хочу вспоминать, – сказал господин Арнольд после молчания. – А вы дура. Вы грубая дура... Держите бутылку. Там остался еще глоток.

– Давайте, старичок.

Слышно было, как булькнула влага, и мадам чисто по-русски крякнула.

– Мсье!!! – громко сказал господин Пьер Ч. – Мсье! Вы здесь? Я еще раз предлагаю вам выкуп. Предлагаю вам большие деньги за нас троих.

– Нет!!! – ответил голос. – Нет!!! – почти выкрикнул невидимый человек. Но в этом вскрике не было силы и агрессивности. Скорее, отчаяние.

Вчера, в 20 часов 50 минут, когда это началось, все было иначе.

Вчера в девятом часу вечера поезд шел по пустынной местности, среди невысоких разрушенных гор Западной Франции. Оркестр играл Пятую Бетховена. Струнная группа была превосходна. Волосатые пальцы господина Арнольда источали силу и блаженство. Он стоял ногами на откидном стуле, почти упираясь головой в потолок. Глаза закрыты. Тяжелый нос дышит глубоко и сосредоточенно. При резких взмахах рук вздрагивает студенисто-жирный подбородок. А все вместе – великолепно! Более чем великолепно! Господин Пьер Ч. испытал радость и умиление, перехватив восторженный взгляд мадам Турухановой, который она бросила на маэстро, сидя у его ног.

Человек с крокодиловым чемоданом, прижимая к груди свое сокровище, пробрался сквозь сложное сплетение коленей, локтей и инструментов, сквозь бетховенскую тему рока и при грозных аккордах финала первой части, обвалом рушившихся на тесное помещение, скрылся среди ударной группы возле входной двери.

Беда началась в середине второй части. Литавристы не откликнулись на призывный жест маэстро. Маэстро дернулся, топнул ногой, открыл глаза и увидел, что ударники высоко подняли вверх свои тарелки, колотушки, палочки, но почему-то не опускают их, а застыли, как на моментальной фотографии. Звуки сломались, смолкли. Где-то в дальнем купе рявкнул еще тромбон с верхней полки, но уже впустую. Музыка кончилась. Началась тишина. И ужас.

Из-за спин оркестрантов, из тамбура на визгливой истерической ноте прозвучал приказ:

– Не шевелиться! Поднять руки! При первом движении открываю огонь! Входные двери заперты. Бегство невозможно!

Единственный, кому не пришлось поднимать рук, был господин Арнольд. Его прекрасные руки дирижера были подняты раньше. С иной целью. Так и остались, парящие над лесом других вздернутых рук, единогласно голосующих за насилие.

– Вы являетесь заложниками «Группы действия» ЛД САФ! – прокричал голос. – Всем войти в купе и закрыть за собой двери!

Господин Пьер Ч. успел заметить крокодилового человека с автоматом, зажатым под мышкой правой руки, и с круглым предметом, тяжело взвешенным на левой ладони.

Господин Пьер Ч. успел подумать, что подобное бывает только в самолетах и что в поезде это бессмысленно.

Господин Пьер Ч. успел даже возразить себе мысленно: а почему, собственно, бессмысленно? Не так уж и бессмысленно.

Больше господин Пьер Ч. не успел ничего.

Почти одновременно захлопнулись все двери. Шаги по коридору, и ключ резким движением защелкнул каждый замок.

На ближайшей станции из вагона был выпущен проводник Клод. Он передал властям по телефону, что террорист требует у испанского правительства освобождения четырех членов «Группы действия» ЛД САФ, содержащихся в тюрьме в Барселоне, и выплаты трехсот пятидесяти тысяч долларов. Он требует, чтобы условия были выполнены к моменту прибытия поезда в Барселону. Процедуру отъезда с освобожденными он передаст позднее. В случае невыполнения условий террорист взорвет вагон вместе с находящимися в нем заложниками; так же поступит он в случае попытки взять вагон штурмом или отцепить его от поезда.

В 23.10 на пограничной станции Монорт власти вступили в переговоры с преступником. На платформе, окруженной полицией, против вагона стояли два капитана: один французской, другой испанской армии. Перед каждым стоял микрофон. Громкоговорители вокзала передали предложение властей по-французски, потом по-испански. Предлагалось немедленно сдаться. Террорист показал в окно спального вагона сперва круглую бомбу, потом две проволочки, которые он выразительно сближал, оставляя между контактами не более трех миллиметров.

Капитаны совещались. По платформе строем прошли снайперы, которые было засели на крышах, но которым начальник станции объяснил, что это вагон новейшей конструкции, с полной герметикой и пуленепробиваемыми стеклами, производства АФ-ТО Ганс Лямпер констрюкт, Дюссельдорф.

Капитаны от имени правительства предложили удовлетворение всех условий, кроме освобождения из тюрьмы преступников, за соответствующее немедленное освобождение заложников. Террорист выставил в окно плакат, где с грубыми грамматическими ошибками было написано требование — выдать продукты для кормления оркестрантов.

Узники внутри всех купе приникли к герметическим, неоткрывающимся окнам и пытались по лицам стоящих вдали полицейских догадаться, что происходит с другой стороны, на платформе.

Переговоры длились пятьдесят минут. Французский капитан не принял предложение испанского капитана закидать вагон гранатами с воздуха – французский капитан любил симфоническую музыку. Испанский капитан принял предложение французского капитана о компромиссном решении.

В результате группами по четыре человека были выпущены все оркестранты. (Надо отдать им честь – каждая группа, выходя из вагона в момент, когда их фотографировала с магниевой вспышкой целая рота корреспондентов, кричала: «Свободу Арнольду!»)

Заложниками представителя «Группы действия» ЛД САФ остались: дирижер, пианистка и господин Пьер Ч.

Террорист обрезал провода электричества. В вагоне наступила тьма. Поезд тронулся. Впереди и сзади захваченного вагона шли теперь по три пустых товарных пульмана. Поезд проплыл мимо двух полицейских вертолетов, стоявших прямо на платформе, мимо толпы махавших руками и шляпами оркестрантов, мимо привокзальной площади, где в связи с железнодорожным инцидентом местная левохристианская организация проводила демонстрацию против апартеида в Южной Африке. Поезд набрал скорость и углубился в ночь и в Испанию.

Начался рассвет. Трое пассажиров могли уже смутно разглядеть друг друга. Когда еще немного рассвело, они увидели, что дверь купе открыта и их мучитель, еще более обросший, чем накануне, сидит на откидном стуле против купе. На коленях у него автомат, а у ног лежит коричневый крокодиловый чемодан, а в нем большой черный шар с отходящими от него проволочками.

Лица уточнялись, как в растворе проявителя. Четверо смотрели друг на друга.

– Почему вы не хотите взять деньги? – спросил господин Пьер Ч.

– Я работаю на организацию. Даже десять миллионов не могут меня застраховать от мести. У меня нет выбора.

– Как, вы сказали, называется ваша организация? – спросил господин Пьер Ч.

Террорист промолчал.

– Да какая разница! – раздраженно сказал господин Арнольд. – Как вас зовут?

– Халаф, – сказал террорист.

– Вы не итальянец? – спросил господин Арнольд. Террорист подумал и тихо сказал:

– Нет.

Молчали. Совсем рассвело.

– Как вы думаете, они согласятся на ваши требования? – спросил господин Пьер Ч.

– Не знаю, – уныло сказал Халаф.

– За что сидят люди, которых вы освобождаете?

– Они взорвали электростанцию в Найроби.

– Почему же они сидят в испанской тюрьме?

– До этого они взорвали что-то в Испании, и их выдали испанским властям.

– Слушайте, Халаф, – сказал господин Арнольд, – в моем купе в саквояже лежит бутылка виски. Достаньте ее, и мы выпьем, это же мука вот так сидеть и рыть друг другу могилу.

Халаф подумал.

– Подите возьмите сами, – сказал он.

Заложники переглянулись. Господин Арнольд встал и медленно, немного деревянно переставляя ноги, двинулся мимо террориста по коридору. Халаф уже поднялся на ноги. Господин Арнольд остановился и обернулся. Пианистка тоже вышла из купе.

– Иди. Я открыл в том конце, – Халаф показал дулом автомата в противоположную сторону. – Не коснись чемодана, эта штука настоящая, – добавил он и тронулся дальше по коридору.

Господин Пьер Ч. сидел в купе один и смотрел на бомбу. «Наверное, можно было бы что-то сделать, – подумал он. – Все-таки жаль, что Айрин не поехала со мной», – подумал он еще.

Солнце показалось над горами. Оно радостно просветило вагон насквозь. Разом блеснули десятки никелированных деталей, веселые теплые зайчики запрыгали по потолку. Колеса постукивали мягко и нежно. За окном, легко танцуя, пролетали ровные стриженые тополя полосы отчуждения. По крутому склону горы поднималось овечье стадо. Пастух и две большие собаки обернулись и смотрели на поезд. Пастух рукой прикрывал глаза от солнца. Левее, внизу, на ржаво-желтой скатерти равнины, роскошно обозначилась кружевная салфетка костела или католического монастыря.

Все четверо снова заняли свои позиции: господин Пьер Ч. – по ходу поезда, Арнольд и Елена – напротив, бандит с автоматом на коленях – в коридоре на откидном стуле. Бомба по-прежнему лежала на крокодиловом чемодане. Пять стаканов стояли на полу возле порога. В одном была вода до краев. В четыре других господин Арнольд налил понемногу виски. На каждом стакане спиралью шла надпись плотным приятным шрифтом: «ТРАНС-ЕУРОП-ЭКСПРЕСС». Мадам Туруханова взяла стакан с черной надписью. Господин Пьер Ч. – с зеленой. Господину Арнольду и Халафу достались стаканы с синей надписью.

– У меня есть тост, – сказал господин Арнольд, – но я его не скажу из суеверия.

Все отхлебнули из своих стаканов.

– Халаф! – сказала мадам Туруханова. – Вам уже случалось убивать людей из этого автомата?

— Из этого — нет, — сказал Халаф. — Он новый.

— Может быть, он не работает? — сказал господин Арнольд.

Халаф обнажил в улыбке плитку очень белых квадратных зубов и розовые десны.

Господин Арнольд допил свое виски и сразу налил снова.

— В сорок четвертом немцы нас приговорили к расстрелу, за побег из лагеря, — сказал он. — Нас было девять человек. Это было в Эльзасе, возле Шале-Вотрэ. Четыре дня мы ждали и испытали все виды страха. Было очень противно. А потом открылась дверь, вошла старая француженка в очках и сказала: «Они ушли». Мы еще посидели. К вечеру вышли и разошлись в разные стороны. Мы не могли больше видеть друг друга. А ведь при побеге мы все рисковали жизнью и каждый был готов умереть за другого. Люди трудно выносят долгое сидение в тесном помещении.

Мадам Туруханова двумя руками взяла руку Арнольда и поцеловала ее.

— Я тоже сидел в тюрьме, — сказал Халаф. — Меня все время били. — Он допил виски и добавил: — Все время.

— Как же выкрутились? — спросил Арнольд.

— Поступил к ним на службу.

— Это и была ваша «Группа действия»?

— Нет, — сказал Халаф, — в «Группу действия» я вошел, чтобы спрятаться от тех.

Господин Пьер Ч. встал и налил всем.

— А со мной в первый раз такое, — сказал он. — Неужели мы умрем?.. Я могу предложить вам триста пятьдесят тысяч долларов, которые вы требуете у испанцев. Хотите?

— Нет, не надо, — сказал Халаф, — нельзя... спасибо. — Он поднял руку и указал курносым коричневым пальцем с черным ногтем на господина Арнольда: — Вы важный человек?

– А?

– Знаменитый? Вы. Нужный? Согласятся – они? Вызовут коммандос?.. Если они вызовут коммандос, я убью вас первым. Напишите им письмо, что я вас убью первым.

– А если они согласятся, то как все это будет? – спросил господин Пьер Ч.

Террорист полез во внутренний карман своего потертого пиджака и достал сложенный вдвое лист дорогой плотной бумаги. Он протянул лист в пустоту перед собой. Некоторое время никто не брал бумагу, и властная коричневая рука с черными ногтями приобрела просительный вид. Потом лист взяла мадам Туруханова. Крупными печатными буквами на листе были выписаны десять пунктов.

Халаф говорил заученно, наизусть:

– Вы должны окружить меня очень тесно и идти вместе со мной. Касаясь меня. Должны все держаться друг за друга. Если кто нарушает, я соединяю контакт. Бомба у меня в руках. Бомба полностью поражает пространство в двадцать метров. Мы садимся в автобус. В автобусе, кроме нас и шофера, еще четверо из «Группы действия», которых выпустят из тюрьмы. Еще в автобусе чемодан с деньгами. Едем в аэропорт. Так же садимся в самолет. Летим.

«Тра-та-та-та-та-та-та...» – сказали колеса поезда.

– Куда? – спросил господин Арнольд.

– Северная Африка. Алжир. Или другая страна. Об этом позаботятся.

Глядя в листок, пианистка сказала:

– Все правильно.

– Эти заключенные – ваши друзья? – спросил господин Арнольд.

– Они друзья моих друзей. Я их узнаю по паролю, – сказал Халаф.

Господин Арнольд снова налил всем. Халаф взял свой стакан, но вдруг резко поставил его, схватился руками за голову. Оскалился.

– Что с вами, мсье Халаф? – спросил господин ПьерЧ.

– Голова! – сказал Халаф. – Всегда болит голова. Сейчас сильно.

– Елена, у вас, кажется, что-то было от головной боли, – сказал господин Арнольд.

Мадам достала из сумочки синюю капсулу и протянула ее террористу.

– Спасибо, – сказал Халаф, проглотил капсулу и запил глотком виски. – Елена! – повторил он. – Вы русская?

– Я француженка, – сказала она. – Отец русский… Из Киева. Предатель. Во время войны перебежал к немцам и ушел с ними.

– Вы коммунистка? – спросил Халаф.

– Нет. Но предатель всегда предатель.

Поезд шел по долине. Солнце стояло уже высоко. Становилось жарко. Мужчины сняли пиджаки. Мадам Елена смело скинула свои кружева и осталась в белом бюстгальтере. Она выглядела очень естественно и трогательно: тонкое смуглое тело, пышная грудь, чуть прикрытая кусочками белой материи, и бедра, обернутые простой замшевой мини-юбкой, из тех, что были модой для девочек-подростков лет десять назад.

– Знаете, мадам, – сказал господин Арнольд, – я был счастлив с вами. Я много прожил и никогда не был так счастлив. Более счастливым я быть уже не могу.

Он, кажется, был пьян.

Елена притянула его к себе и положила его большую голову себе на грудь.

– Ты великий старик, Арнольд, – сказала Елена.

«Как я одинок! – подумал господин Пьер Ч. – Это хорошо или плохо?»

Поезд влетел в туннель. Долгая тьма. Потом снова яркий-яркий, огромный, как в детстве, мир… день!

Арнольд и Елена, закрыв глаза и покачиваясь, запели. Визгливым мусульманским фальцетом подхватил Халаф.

И только господин Пьер Ч., который не умел петь, просто улыбался и утвердительно-ритмично качал головой.

«Ах!» – подумал господин Пьер Ч.

9

Александр Петрович впервые был за границей, если не считать трехнедельного отдыха в Варне. Но это было давно, еще с Таней.

Первые дни он был оглушен другой жизнью, комфортом, предупредительностью тех, кто их обслуживал. Барселона понравилась ему необыкновенно. В профессиональном смысле его больше поразили не новшества и даже не Гауди, как он ожидал, а старая архитектура, увиденная наяву. Удивительно сохраненная, а потому живая, дышащая покоем и подлинной любовью к человеку в каждой мелочи, эта старая архитектура переворачивала его душу. Ночные споры с Ярмаком, все их умопомрачительные проекты показались Чернову чем-то домашним, игрушечным.

Иванов перед отъездом советовал ему показать себя как можно лучше. И он старался. Очень старался. Вполне искренне. Он сидел на всех заседаниях, слушал все доклады и выходил из зала, только когда объявляли перерыв, чем немало удивлял коллег, и иностранных, и даже своих, советских. Он ездил на все экскурсии, ходил на все мероприятия, запланированные программой. А программа была плотная. Конференция протекала мирно. Никто ничего особенно интересного или спорного не высказывал. Это была чисто престижная затея международного класса. Большинство участников постоянно находились в благодушном настроении и были склонны более к вечерним развлечениям, чем к утренним заседаниям. Чернов по неопытности ждал чего-то иного и был излишне серьезен и напряжен. Сам он сделал в меру скучное, но вполне серьезное сообщение, текст которого ему вручили перед отъездом. Народу во время его выступления было в зале не много. Впрочем, приняли его весьма тепло. Руководство делегации поздравляло. Видимо, он слишком готовился к выступлению и слишком волновался – когда все кончилось, он ощутил разочарование и пустоту. Он стал нервничать.

На четвертый-пятый день им начала овладевать тоска. Он не разглядывал больше архитектуру, сидя в зале конференции или за банкетным столом, не слышал, что говорят. Он думал о другом и ничего не мог с собой поделать.

Он думал о Петьке, с которым все стало еще тревожнее. Во всяком случае, врачи особо не обнадеживали. А может, не стало, а было, просто он, Чернов, раньше ничего не знал.

Он никак не мог выбросить из головы последний телефонный разговор с Ярмаком. На отчетной конференции в Союзе архитекторов Александр Петрович публично заявил о своем выходе из группы Ярмака и под аплодисменты части зала вдребезги разнес принцип, когда-то им самим сочиненный. Он говорил примерно то, что когда-то говорил Гольдман, но этого никто не вспоминал – была уже другая ситуация. Поездка группы института в Италию отпала сама собой. Блинова сняли. Кроманов вышел на пенсию.

Ярмак позвонил Чернову.

– Это Сева, – сказал он.

– Здравствуй! – сказал Александр Петрович. – Левка, ты обижен на меня, я понимаю... но все серьезнее, чем ты думаешь... гораздо...

Ярмак молчал.

– Что ты молчишь? – спросил Чернов. – А? Что? – Ему показалось, что Сева что-то сказал.

– Ничего, – ответил Сева и повесил трубку.

Александр Петрович думал о том, что надо начинать возню с покупкой машины, – Деян уже передал ему половину денег. Грустил о своей игрушечной железной дороге, хотя пока она по-прежнему стояла у него в комнате, – Деян перевезет ее в конце месяца. Конечно, не надо быть дураком – машину покупать надо, раз появились деньги... хотя тысячу Ирина уже отложила: они решили съехаться и поменять две жилплощади на одну, но обязательно трехкомнатную. Деньги, конечно, нужны и на ремонт, и на доплату. Обо всем этом он почему-то думал грустно, как о докучной обязанности. Вообще непонятно много грустил... Крапивин действительно оказался крепким мужиком. Даже слишком крепким. Активно готовясь занять директорский пост, Крапивин часто встречался с Черновым. Входил в дело. Говорил и расспрашивал толково, но, говоря с ним, Чернов почему-то все время потел от страха. «Мы с вами составим крепкий тандем!» – сказал ему перед отъездом Крапивин, и Чернов весь покрылся потом. От этого тоже было грустно.

Чернов плохо спал в Барселоне. Каждый день он видел из окна своей гостиницы, как восходит солнце. Разглядывал вокзал, который был напротив. Смотрел на подходящие утренние поезда, на заспанных пассажиров, разбегавшихся по площади. С высоты десятого этажа люди казались маленькими и очень ловкими. Так ловко балансировали на двух палочках-ножках. Поезда сверху казались чистенькими, приятными, игрушечными...

...Он с удовольствием поставил бы этот вокзал со всем прилегающим куском города на свой стол и с удовольствием повозил бы эти паровозики...

В первый же день в Испании Чернов купил себе отличные ботинки. И сравнительно недорого. Вся делегация заходила к нему в номер поглядеть... Поздравляли. Даже немного завидовали... Но потом недорогая цена сказалась. Правый ботинок сильно натер ногу. Еще день Александр Петрович крепился... мучился, а потом нога распухла.

Он впервые не пошел со всеми. Остался в номере. Вечерело. Александр Петрович сидел у окна, смотрел на игрушечную площадь у игрушечного вокзала.

Он думал о своих делах и не сразу заметил, что площадь пуста и оцеплена полицией. А на вокзале ни души, кроме полицейских и военных.

Небольшой синий автобус в сопровождении четырех машин полиции со зловещими синими мигалками выехал на площадь. Автобус окружили автоматчики.

Громко и непонятно раздавались команды. Потом все замерло. Только военный мотоциклист в громадном шлеме носился, бешено тарахтя, между вокзалом и автобусом.

Чернов видел, как вдали, в контровом свете заходящего солнца, появился странный поезд. Один пассажирский вагон был вмонтирован в цепь товарных...

«Хорошие пульманы, – подумал Александр Петрович. – Надо купить таких здесь... ах да! Уже не надо...»

Чернов играл в прибытие этого поезда, как когда-то за своим столом. Он своей рукой перевел крошечную стрелочку, принял состав на первый путь и медленно подтащил его к платформе. Он фантазировал, что это совершенно особенный поезд – в нем везут заложников и захватившего их террориста. Среди заложников он сам... хотя немного другой, но все же он. Заложники смотрят в окно и видят Барселону, вокзал, этот отель... Александр Петрович играл в железную дорогу...

Здание вокзала перекрыло пассажирский вагон. Были видны только тепловоз и два последних товарных.

На площади все замерло.

Прошло несколько минут.

И раздался взрыв.

Над вокзалом взлетела туча огня, дыма и обломков. Завыли сирены. Все тронулось и завертелось на площади.

Александр Петрович смотрел на хорошенькую пожарную машину, на маленьких людей, бегущих во всех направлениях.

«Каким игрушечным кажется чужое горе», — подумал он и перегнулся через подоконник, чтобы видеть все.

10

Господин Пьер Ч. сидел за столиком на открытой террасе кафе отеля «Амбассадор». Море было совсем близко. Оно казалось нарисованным посредственным художником. Скорее, даже маляром. Ровный, без всяких оттенков синий колер и совершенно симметричные, одинаковой длины белые мазочки. Роскошная унылость. Господин Пьер Ч. жил здесь уже вторую неделю, но ни разу еще не спустился к морю. Море не привлекало его.

Пол террасы был выложен гладкими плитками прессованного мрамора. Столики маленькие, круглые, на трех кованых с завитушками ножках. Такие же завитушки повторяли металлические спинки стульев.

Господин Пьер Ч. сидел положив ногу на ногу и слегка покачивал носком правого ботинка, ритмично постукивал по кованой ножке стола. Господин Пьер Ч. смотрел в пол. Он видел великий караванный путь, который проложили муравьи по необозримой пустыне каменных плит террасы. Муравьи наладили непрерывное движение в обе стороны. Две живые нитки соединяли толстые лапы сосны, одиноко стоявшей возле террасы, с большой черной дырой в мраморной плите, ближе к правому краю кафе, возле двери в бильярдную. Там, в черной дыре, шло большое строительство. Бесконечно длинным путем туда доставляли сосновые иглы. Длинные, тяжелые.

На столе перед господином Пьером Ч. стояла почти полная бутылка виски, высокий стакан, медная миска со льдом и блюдце с соленым миндалем. Спиралью по стакану шла синяя надпись плотным приятным шрифтом: Отель «Амбассадор».

Раньше он пил крайне редко, и если заказывал двойную порцию, то считал, что он сильно разошелся. Пил обычно вермут. Теперь господин Пьер Ч. каждое утро покупал в баре бутылку виски и уже не расставался с ней до вечера. Часам к девяти бутылка бывала пуста, и тогда он шел в бар и еще несколько раз заказывал виски.

Он ни с кем не познакомился. За целый день он едва произносил несколько слов – приказы официантам или горничной. Но постепенно и эти слова стали не нужны. Он заказывал и просил всегда одно и то же, и весь персонал гостиницы уже знал его привычки.

Господин Пьер Ч. оторвал взгляд от великого муравьиного пути и налил немного виски в стакан. Бросил два куска льда и начал слегка покачивать стакан в пальцах. Лед бился о стекло, звенел.

Господин Пьер Ч. думал о том, что жизнь его необратимо переменилась – из нее ушли самые дорогие ему вещи... Да, конечно... ушли... и необратимо.

Никогда не будет больше стука колес и этого изумительного запаха идущего поезда, запаха, состоящего из смеси лесного кислорода, гари и теплого железа. Никогда он больше не сможет заставить себя сесть в поезд... Никогда больше не будет покоя... он так берег его... и не уберег... даже за деньги не купить покоя... какая банальность!.. а ведь не купишь... (Он начал пьянеть, мысли путались.) Не будет покоя, потому что... никогда не будет больше господина Арнольда...

...Сперва все шло по плану, написанному печатными буквами на листе плотной дорогой бумаги, вынутом из внутреннего кармана потертого пиджака.

Прижимаясь к Халафу, они шли по пустой платформе под взглядами десятков полицейских. Халаф нес бомбу. Они шли по пустому залу ожидания, мимо закрытых киосков, лавочек, окошек, в которых обычно продают сладости, жевательную резинку, всякую туристскую дребедень... мимо шкафов камеры хранения. Потом шли по пустой оцепленной площади... к синему автобусу. Шагах в двадцати возле полицейских машин стояли автоматчики. Идти было неудобно. Они держались друг за друга руками, они были слишком близко и потому беспрестанно наступали друг другу на ноги.

В автобусе сидели четверо из «Группы действия». На них были одинаковые коричневые костюмы и одинаковые серые шляпы, видимо выданные в тюрьме.

Один из них обменялся с Халафом паролем. Пароль был длинный и сложный – много фраз, вопросы и ответы с упоминанием Гибралтара, французских сигарет «Житан» и какого-то дяди Лодовико из Палермо.

Когда весь пароль был произнесен, Халаф положил бомбу на сиденье, и они с освобожденным обменялись рукопожатием.

Но дальше все шло не так, как должно было. Освобожденный в коричневом костюме и серой шляпе руки Халафа не хотел выпускать из своей. Мало того, второй рукой он схватил его за горло. Халаф выскользнул и сорвал с плеча автомат. Трое других в серых шляпах кинулись на него с боков.

Господин Пьер Ч. упал на пол и уже лежа услышал выстрелы. Выстрелов было три или четыре. Их вполне хватило, чтобы насовсем убить двоих человек: Халафа – по необходимости и господина Арнольда – совершенно случайно. Но тем не менее наповал.

Господин Пьер Ч. не мог забыть, каким лежал господин Арнольд в проходе автобуса. Спокойный и умиротворенный. Никакой гримасы боли. Может быть, ее и не было.

Его похоронили здесь же, в Барселоне. На панихиде изумительно играли два оркестра вместе – Шлиссельбургский и Вильегорский. Дирижировал Макс Горбах. Солировала Елена Туруханова. И он и она непрерывно плакали в течение всего концерта.

Господин Пьер Ч. встал из-за стола и прошел вдоль муравьиного пути к краю террасы. Открыл стеклянную дверь и вошел в бильярдную. Минут десять он смотрел, как двое людей с лицами наркоманов играли в карамболь. Потом он взял с широкого деревянного подоконника кипу газет и вернулся к своему столику на террасу.

Газеты оказались старыми, двухнедельной давности. Господин Пьер Ч. отхлебывал виски, кидал в рот соленые орешки и листал старые газеты.

Мелькали фотографии под крупными заголовками. Он снова видел господина Арнольда живого (за пультом во фраке), потом мертвого (в проходе автобуса)... видел Халафа, видел себя самого... их вагон... автобус со следами пуль.

Он перевернул еще несколько страниц. Сколько крови, сколько бед. Нет людям покоя... Вот еще... с десятого этажа гостиницы (там же, на вокзальной площади в Барселоне) выбросился из окна русский архитектор, приехавший на конференцию... Ужас, ужас... Советы заявляют, что это провокация американской секретной службы и что имело место не самоубийство, а убийство... Врач заявляет – несчастный случай... правая печать намекает на какую-то травлю... Ах, чепуха все это! Главное, что он погиб – вот фото: распластан на мостовой.

Господин Пьер Ч. отодвинул от себя газеты и снова налил виски. Слишком много ужаса в мире.

В конце концов, он так много пережил за последние дни, что мог себе позволить отвернуться от чужих несчастий и спокойно подумать о себе самом.

Ленинград,
1972–1978

На дачах

Разорванная повесть

Летом 74-го года мы с женой и дочкой жили на даче в Усть-Нарве, в Эстонии. Дочке еще год тогда не исполнился. Няни не было. И бабушек у нас нет. Жена круглые сутки занималась кухней и уборкой, а на мне лежала обязанность гулять – возить Дашу в коляске. Даша редко чему-нибудь сильно удивлялась. Она смотрела на мир серьезно, внимательно и понимающе. Но однажды она удивилась. Приподнялась в коляске, заволновалась, широко открыла глаза. Я повернулся. Метрах в двухстах от нас высился из-за кустов столб пламени. «Это огонь», – сказал я Даше. И мы поехали к огню. Жгли мусор. Несколько домов пошли на слом, и теперь расчищали место под новую стройку. Мы долго смотрели на близкое сильное пламя. Привезли большой бак с бумагами. Я еще удивился, что они жгут бумагу, а не сдают на макулатуру. Много бумаг разлетелось. Слипшиеся стопки, папки, тетрадки валялись. Я машинально поглядывал, полистывал. Забавно. Школьные уроки, любовные записки. Заявления. Отчеты. И вот наткнулся на обрывки дневников. В обрывках всегда все интересно. Стал искать начало и продолжение. Даша не плакала. Смотрела на огонь и на меня. Поощряла мое занятие. Я унес бумаги домой. Немного дописал, где дыры были. Но потом почти все дописанное выбросил. От моих логических связок получалась фальшь. Пусть лучше дыры. Ни имен, ни адресов там не было – только намеком – одной буквой, цифрой. Это как раз я вписал – просто выдумал. Я назвал эти записи «На дачах», потому что все это произошло где-то тут рядом, на дачах. Интересно, что дочка, теперь уже подросшая, помнит этот огонь и говорит, что мы мало взяли, там еще много сгорело. И правда, жаль, что не довелось покопаться еще в тех бумагах.

I. Ничего и не было...

Сейчас-то жарко, а вот прошлое лето здесь было холодное и ветреное. Ветер дул с моря и через устье выталкивал реку вспять, она переполнилась и затопила низкий берег, на котором стоит наша дача. Море штормило и мутным крупным прибоем намывало тяжелый песок. Пляжные скамейки по самые сиденья ушли в землю. Купались мало. Круглые сутки тревожно гудел штормовой бакен.

После пьяной ночи лучше встать рано. Уйти поскорее от храпа, от кислого запаха. Голова свежая, как будто и не было ничего, как будто снилось это, как будто убежал на цыпочках от самого себя. Потом, часа в два дня, все скажется, припомнится, но сейчас, утром, хорошо.

Я шел к морю. Моросил дождь. Я прошел через спящий поселок. У магазина разгружали машину с хлебом. Рабочие со смачным стуком задвигали пустые ящики. Море стало слышно только за сотню шагов, когда под ногами уже был песок. Еще маленькая полоска деревьев – и пляж. Очень широкий. Пустой. Было часов восемь.

Толстый ветер уперся в меня, обволокнул, отгородил от всего. Я стоял наклонившись вперед, засунув руки в карманы, а он поддерживал меня упругой подушкой. Я услышал смех. Издалека ко мне бежали по пляжу две девушки в ярких купальниках. Одна догоняла другую. Шагах в двадцати от меня передняя упала в изнеможении. Вторая кинулась на нее с криком, и они хохоча покатились к морю, к черте прибоя. Потом они прыгали на волнах и о чем-то громко говорили, но слышно не было — ветер сносил.

Теперь я видел, что это мать и дочь. Обе стройные, длинноногие. Дочь чуть полнее. Я разделся и вошел в воду. Мне хотелось побыть с ними в одном море. Я плыл, ныряя под волны, в шипучую глухоту. Потом волна откатывалась — шум ветра и смех. Глухота — смех. Глухота — смех... В детстве... в холодную зиму эвакуации мы отогревались с мамой в бане. Величайшее было наслаждение сидеть в мокром тепле, закрыв глаза, открывая и закрывая уши. Шум — глухота... шум — глухота... Тепло... Полет, невесомость... детство...

...Смех — глухота... Я плыл с закрытыми глазами. На звук. К ним. Вот близко. Голубая и красная шапочки. Что-то кричат. Прыгают на волнах. Мель. Я прошел мимо. Они не обратили на меня внимания. Я спросил: «Не замерзли?» Но как-то вяло спросил, без посыла. При ветре так нельзя. Они не расслышали.

Я поплыл назад. Оделся. Сел на скамейку и закурил. Ветер сломал сигарету. Сидел просто так. Смотрел на них. Дождь перестал. Проглянуло солнце. И появился мужчина — красиво седеющий гигант. Разделся, уверенно вошел в воду, поплыл к ним. Они хорошо монтировались. У него была желтая шапочка. Забытая молодая ревность щекочущими колючками прошла у меня по спине.

Мужчина проплыл мимо них. Они не обратили на него внимания. У меня отлегло от сердца.

Потом мать вышла на берег, принесла с дальней скамейки их одежду и полотенца. Мне все-таки удалось закурить. Вместе с дымом изо рта начал выходить вчерашний хмель. Голову сдавило.

Мать звала дочь на берег.

– Ирина! – донеслось до меня. – Ирина! – Она размахивала полотенцем. – Простудишься, Ирина!

Ветер переменился, и теперь мне было слышно хорошо, хотя они были далеко от меня.

– Мама! – закричала красная шапочка. – Не волнуйся, слышишь! Мне очень хорошо с тобой! И отец мне не нужен! Слышишь? Слышишь? Я тебя очень люблю и рада, что мы теперь вдвоем!

– Иди, иди сюда, Ирина! – крикнула мать.

Потом она заботливо обернула ее полотенцем, и они пошли наверх, к дюнам.

Вечером мы всей компанией затеяли шашлыки у Васильевых. Много выпили, но не хватило, да к тому же было холодно – на двух машинах поехали к доктору Волчеку одолжить две-три бутылки. Потом сидели у нас. Моя жена много пела на два голоса с Голынским и много пила. Я злился и от злости опять напился. Засыпая, я помнил о том, что завтра рано встану и пойду на море, но проспал, а когда проснулся, сразу же начался скандал с женой. Володька стал на сторону матери, и я, взбешенный, уехал на машине в город.

В конце августа наши отношения с женой дошли до серьезного разрыва. Я приехал на дачу один забрать коечто из вещей. Одиночество было так приятно, что я решил остаться переночевать. Я с наслаждением бродил под дождем по поселку. Часов в пять зашел в буфет. Мать и дочь сидели за столиком у самой двери. Сердце у меня застучало так, что я испугался и вышел на улицу. Через стекло я видел, как дочь налила матери и себе белого вина из большой бутылки. Перед ними были салатнички с огурцом в сметане, а посредине стояла тарелка с горкой корявых сосисок. Мать была в плаще. Воротник плаща поднят. Пальто Ирины висело на спинке стула. Говорила Ирина.

Мать, видимо, не слушала ее, она неподвижно смотрела в сторону. Теперь, когда я видел их крупным планом, они были еще прекраснее. И было... не знаю... благородство, что ли... а, черт, сентиментальное слово, но было... было в них что-то особенное. Независимость! Вот это, наверное.

Я снова вошел в буфет. Подсесть к ним я не решился, хотя в другом случае сделал бы это не задумываясь. Я купил у стойки сигарет, выпил пива и съел дрянной пирожок. Потом сел со второй кружкой за соседний с ними столик. Отвратительно взвизгнул подо мной стул железными ножками по бетонному полу. Мать обернулась. Я улыбнулся ей.

— А вы все еще не уехали? — спросил я.

— Не уехали. Простите, у меня плохая зрительная память. Мы знакомы?

— Мы вместе купались...

Лицо ее стало замкнутым. Я хотел еще что-нибудь сказать, но Ирина уже надевала пальто. Она ни разу не взглянула на меня. Теперь ее стул взвизгнул ножками о бетон. Мать поднялась:

— Всего хорошего.

Они вышли. Одиночество уже не доставляло мне удовольствия. Я вернулся к себе на дачу и лег в кровать, решив встать часа в четыре утра и на рассвете вернуться в город. Я взял старый журнал, валявшийся на кухонном столе. Открыл наугад и стал читать какую-то нудную повесть о целине. Я проснулся в темноте. Когда взглянул на часы, оказалось, что еще только половина десятого. Я выкурил три сигареты подряд. В комнате было неуютно — во всех углах остатки безалаберно прожитого лета. Я погасил свет.

В четверть одиннадцатого я не выдержал и пошел к Васильеву. Там сидели: круглый год живущий в поселке художник Осипов, старший сын Голынского Илья и сильно пьяный дядя Леша — печник, который все лето складывал у Васильева камин, да так и не кончил. Кроме того, там были две девушки-переводчицы. Они рассказывали, как они работали на Московском кинофестивале, кого там видели, какие плохие были фильмы и сколько получают западные артисты. Потом Васильев и худая девушка куда-то исчезли, а Осипов танцевал с полненькой. Я варил кофе. Потом шел дурацкий разговор о том, что девушкам надо остаться ночевать здесь, что уже поздно. А они говорили, что ни за что не останутся и уедут ночным поездом. Им объяснили, что никакого ночного поезда нет, а они говорили, что возьмут такси. Илья, подмигивая обоими глазами, нашептывал, что такси отсюда потянет тугриков двадцать, а девушки говорили: «Ну и пусть!» Мне все это надоело, и я, не прощаясь, вышел. Дождя не было.

На углу Морской и Комсомольской я застыл, услышав знакомый... и забытый... и незабываемый... и черт знает как назвать, в общем, тот самый смех, их смех. Они шли по двум сторонам узкой улицы, то исчезая в темноте, то возникая в неопрятном свете деревенских фонарей. Они толкали друг к другу старый, проколотый детский мяч. Иногда мяч залетал в кусты и его долго искали. Говорили что-то. Я не понимал что – я слушал голоса. Потом мяч находили и снова шли по улице и толкали мяч.

Я пошел сзади. На расстоянии. Ирина бегала с мячом вокруг матери, что-то рассказывала о женском футболе. Мать шла теперь посередине улицы. Она больше не играла. Потом скрипнула калитка, здесь было совсем темно. Я затаился. Голоса удалялись. В темном доме зажглось угловое окно. Я видел их тени на занавеске. Потом Ирина вышла.

– Барсик, Барсик, – звала она. – Мария Ивановна, вы нашего Барсика не видели?

Ответили что-то невнятное. Силуэт старшей женщины на занавеске был неподвижен. Она сидела в профиль к окну, и я не мог понять, что она делает – читает? пишет? спит?

— Барсинька! — радостно вскрикнула Ирина. — Иди сюда, маленький, иди ко мне, Барсинька!

Я стоял, держась руками за плохо оструганные колья заборчика.

«Ты дурак! — сказал я себе. — Ты сентиментальный старый дурак. Ты уже двадцать лет не стоял под чужими окнами, ну и не стой. Ничем ты никому не поможешь. И никого ты не согреешь. И никому ты не нужен. У тебя взрослый сын — пустой и чужой тебе человек, и у тебя жена, с которой придется разводиться, потому что жить так нельзя, нельзя, нельзя, нельзя... нельзя...»

Мне стало очень жаль себя, и глаза стали мокрыми. «Вот так номер! — подумал я, и тотчас мелькнула в мыслях привычная небогатая хохмочка в виде вопроса: — Возле какого же это номера со мной приключился этот номер?» Я посмотрел наверх. Это был дом 12 по Комсомольской улице, почти у самой почты. Я шел к себе и тихонько пел хриплым голосом на манер Высоцкого:

И нечего стоять,
И нечего стоять,
И нечего стоять
Па-а-ад чужими окнами!

А этот год у меня на удивление удачный. Работу нашей группы, которую всё оттесняли и оттесняли, вдруг приняли, да так приняли, что и ожидать было нельзя. Я был в двух длительных заграничных командировках. Работа была интересная и с результатами. На втором месяце разлуки я вдруг заметил, что вспоминаю о жене. Издалека стало казаться, что я сам во всем виноват. Когда я вернулся, сын был на очередных сборах со своей командой. У жены было спокойное виноватое лицо. Мне показалось, она была искренне рада мне. Мы не разошлись. Ходили вдвоем обедать в ресторан. Два раза были в театре. Я продал свой

«Москвич», потому что на работе распределяли «Жигули» и неожиданно освободилось место в списке. Теперь у нас современная машина.

На даче я за лето был всего раза два – работы по горло. Жена уехала в Цхалтубо, у сына соревнования. На прошлой неделе я приехал кое-что поделать на даче и в первый раз выбрался на пляж. Жара невероятная, и народу как на юге. Расписали пульку с Голынскими, в кустиках наверху. Обедать собрались к Осипову – он звал на грибы. Осипов жил на самом краю поселка – «на хуторе», как мы говорили. И я поехал на своем «жигуле». Почти подъехал к хутору, и вдруг точно бес в бок толкнул: развернул машину – и обратно, на Комсомольскую, 12.

Во дворе стояли две детские коляски. Висело белье. Много полуодетых людей бродило по двору, со вкусом делая-поделывая свои хозяйственные дела. На мою машину обернулись.

– А где хозяйка? – спросил я.

Вышла старая крепкая женщина со стеклянным взглядом.

– Мария Ивановна, кажется? – весело спросил я.

– Правильно, – сказала она.

– Жильцы-то, я смотрю, новые? Первый год снимают?

За период удач в моей жизни я обрел уверенность и с незнакомыми людьми заговаривал легко и с удовольствием.

– Кто первый, кто как, – ответила старуха, глядя на меня почтительно и неприветливо. – Если снять хотите, так поздно уже на этот год.

– Да нет, не снять... Мария Ивановна, тут у вас прошлым летом жили мать с дочерью... Ириной дочь зовут...

– Нету их.

Из сарайчика выскочила веснушчатая девушка, босая, в трусах и бюстгальтере.

– А вы им кто?

– Да никто... Просто узнать... Узнать кое-что надо... А где они? Не знаете?

– Оденься, Валька, – сказала старуха.

– Счас... Так вам Елену Сергеевну или Ирину?

– Да обеих, обеих мне... Как дела-то у них?

– Ой, хорошо! Они ведь обе сразу замуж вышли, бывает же.

– Как это? – спокойно-спокойно, на самых низких нотах моего голоса спросил я.

– Ира – за болгарина. Он в Москве учился, и теперь она то тут, то там, то тут, то там. А Елена Сергеевна в Новосибирске. Она за академика вышла... Еще не старый, толстый такой... Он здесь в прошлом году отдыхал, на Колхозной... член-корреспондент... Оденься, Валька, кому сказала, – строго прошептала старуха.

– Счас... Я их адреса знаю... Надо вам их адреса?

– Да, хорошо бы...

– Счас...

В глубине двора молодой отец, по пояс голый, качал на руках маленького ребеночка и раздраженно кричал:

– Га-а-аля! Слышь, да выйди же, успокой ребенка, Га-аля!

– У меня котлеты горят, – отвечала невидимая Галя.

– Да выйди же, к чертовой матери, он тут пуп надорвет оравши... Га-а-аля!

Девушка, уже одетая, вынесла затрепанную записную книжку. Залистала, слюнявя пальцы...

– Вы московский-то их адрес знаете?

– Московский знаю, – ответил я.

– Так, пишите... Значит, Ира, она по мужу Кытева. Пловдив – это Болгария, Бояджиева, 7 дробь 4. Вот... Теперь Елена Сергеевна... Она по мужу Шенглер: Новосибирск, Академгородок, 6. Шенглер, и все...

– Что ж ты, старая зараза, ждать себя заставляешь! – кричал Осипов, стоя в воротах своего хутора. – Грибы тоскуют, водка слезится, пулька расписана, солнце садится, а ты...

А я... а я... а я выглядывал из своих «Жигулей» с широкой улыбкой, указывая оттопыренным большим пальцем на заднее сиденье, где громоздились привезенные мной к обеду яства и напитки, и у меня было такое чувство, как будто только что... только что отняли у меня мою последнюю надежду.

II. Записки официантки

«...Стекляшка обычно открывается первого мая. В праздники тут полно народу. Завозят много пива, и продукты хорошие, свежие. А потом, числа с пятого, почти пусто до начала дачного сезона. Вот в это мертвое время он и появился. Лицо серое, усталое. Тяжелые мешки под глазами. Он пришел с приятелем – черным, носатым, с широченной грудью и сильными руками. Заказывал приятель.

– Лососина, говорите? – Он щурился, с шумом втягивал воздух волосатым носом. А лососина тогда еще была – осталась от праздников. – Лососина? Это отлично! Ты представляешь, Вава, куда мы попали! Здесь предлагают лососину!

Просидели они часа два. Ели много и подробно, пили умеренно, больше говорили о том, что хорошо бы напиться.

– А мы сейчас закажем шампанеи и попросим эту очаровательную девушку подсесть и выпить с нами, – басил приятель, – неужели она не примет во внимание, что мы единственные клиенты и потому должны быть обслужены на все 105,3 процента. А если она откажется, то мы закажем еще литр водки и напьемся до свинства. Не так ли, Вава?

Приятелю казалось, что он произвел на меня впечатление. Он был в ударе. Говорил он действительно остроумно. Я не подсела к ним, но остротам его смеялась. Особенно смешно он рассказал про то, с какой нерешительностью Вава снимал сегодня дачу, про его разговор с хозяйкой. Вава тоже смеялся, но как-то напряженно, не поднимая глаз от тарелки. Раза три-четыре всего он поднял голову и посмотрел на меня своими выпуклыми, подведенными болезненной синевой глазами. Мне этого хватило. Я знала, что он еще придет сюда и что я хочу этого.

Познакомились мы в июне, когда он переехал на дачу. Его звали Вадим Александрович Вангель. Вадим Вангель. Вава.

В первый раз он не решился слова со мной сказать, даже не поздоровался. Сел за Нелин столик. Я обиделась, и, когда он пришел во второй раз и сел ко мне за прежний их с приятелем столик, я попросила обслужить Нелю. Сама работала на ее столах. Ходила мимо него. Он расстроился и быстро ушел. В третий раз народу полно, мои столы все заняты. Он ходил по улице и через стекло следил – выжидал, когда освободится. Он мне сам потом это рассказал. Наконец перед самым перерывом втиснулся с семейством автотуристов – отец, мать, взрослая дочь и совсем маленький на коленях у матери. И Вава четвертым за столом. Он поздоровался со мной и все говорил «спасибо». Много раз. Прибор поставила – «спасибо», хлеб принесла – «спасибо», все – спасибо. Без четверти два Валя начала всех выгонять – обед. Он послушно расплатился за то, что успел взять, и успел-то одно холодное, – и пошел. Сказал только:

– Я смотрю, вы каждый день работаете... Когда же отдыхать?

Фраза заезженная, мне ее часто говорят. Для завязки разговора, а заодно когда, мол, я свободна и вообще... то-се... Я ему и ответила, как всем:

– А вы, я смотрю, каждый день отдыхаете. Пошли бы поработали – нам бы полегче...

А он ответ не как брехню принял, а всерьез.

– Да нет, – говорит, – я тоже работаю, но как вы выдерживаете, честное слово, не понимаю.

Я говорю:

– Зимой отдохнем!

Он ушел. В обед я вышла покурить возле кухонной двери. Смотрю – он стоит. Я подошла. Он говорит:

– Дойдемте до моря.

И пошли прогулялись.

Он очень боялся – соседей боялся, хозяев боялся. Что жена вдруг нагрянет или приятели, и еще чего-то боялся. Потом-то я узнала – чего. Глаза у него были тревожные и удивленные.

Как в сказке, ей-богу! Первые два раза я была у него днем. Осмелился – пригласил... кофе выпить в перерыв.

– Теперь, – говорит, – я хочу вас обслужить. Можно? Приходите, сварю кофе. Буду бегать за официанта...

Дал адрес. А обедать в этот день нарочно пораньше пришел. Еще до двенадцати. Это чтобы народу мало было – не встретить кого. И еще – чтобы до перерыва не досидеть, чтоб не вместе нам домой идти, – боялся.

Я пришла. Попили кофе. От коньяку я отказалась. Полрюмочки только выпила. И он не стал. Все говорил, как я, наверно, устаю.

Он говорил:

– А поесть не хотите? Я яичницу могу сделать с колбасой. Сайру? Вы же голодная, наверное? Других кормите, а сами голодная. Да? Признавайтесь. Хотя, может быть, вам, как той буфетчице у О. Генри, отвратителен сам вид жующего человека. Осточертели мы вам? Признавайтесь! Хочется мне вас развлечь, да не знаю чем. Вот завтра должен приехать мой приятель Сквирский на своей «Волге», и попробуем мы с ним вместе вас уговорить. И поедем мы с вами шикарно ужинать в какой-нибудь дальний ресторан с музыкой. Вы ведь в девять закрываетесь? Ну, минут тридцать на дорогу...

Я сказала:

– Это тот Сквирский, с которым вы в первый раз в стекляшку заходили? Нет, не поеду я с вами...

– Почему?

– Я завтра занята... И потом... не в восторге я от вашего приятеля. Девочки говорили, он в кино работает? Режиссер?

– Режиссер. И хороший режиссер. А что это вы так к нему строги?

– Я? Да что вы! Просто не в восторге. Вы сейчас вот говорили, как он, я и вспомнила. А он у вас жить будет?

– Дня два, может быть... А что?

– Да ничего. Смешной у нас разговор. При чем тут ваш Сквирский? Пусть живет. А когда уедет, вы пригласите меня еще раз на кофе.

Тревога у него из глаз ушла, перестали они бегать туда-сюда, и осталось одно большое-большое удивление. И стали они совсем светлые. И грустные. А потом он боялся меня проводить и стеснялся этого. Да еще хозяйка стучала, вызывала его в коридор. Но все обошлось. Он снимал полдома, и выход был отдельный. Да и листва уже большая на деревьях – насквозь не видать: июнь. Я вышла, и никто меня не заметил.

Через два дня он пришел и сказал, что Сквирский уехал. И опять мы пили у него кофе в обеденный перерыв. Много курили и молчали. А на третий раз (ей-богу, ну совершенно как в сказочке), на третий раз все и случилось.

Сидели у него. Без четверти три он стал говорить, что, дескать, как жаль, что мне уже пора идти, и как я устаю, и все такое... А я говорю:

– Я сегодня в вечер, освободилась, и никуда я не спешу.

Тут он всерьез испугался. Но потом отошел и прямо сказал:

– Огорошили вы меня. Я растерян и не знаю, что делать. Пойдемте купаться.

Купались. Везло ему – никого знакомых он не встретил. Правда, и купались на отшибе – в камнях. Вернулись около шести. Подходили к дому, и опять повезло – у ворот стоит машина, такси, возле такси люди топчутся. Я отстала песок из туфель выбить, а он пошел вперед. Поговорил там, и все на машине уехали, остался он один. Вошли в дом. Закурили. Он говорит:

– Ну вот мы и одни... Хозяйка с семьей в город уехала... – и смеется.

Потом опять стал тревожный. Говорит:

– Хотите, пойдем куда-нибудь?

Я говорю:

– Как вы хотите...

Он сказал:

– Тогда так: я схожу в магазин, принесу всякой еды и буду вас кормить. Ладно?

Я сказала:

– Давайте я схожу.

Он сказал:

– Нет, схожу я. А вы сидите... вот, глядите журналы, картинки... и, извините меня, я вас запру. Не обидитесь?

Я говорю:

– Не обижусь. А что, должен прийти кто-то?

А он говорит:

– Нет. Просто я боюсь, что вернусь, а вас нет.

И глаза у него при этом были совсем спокойные, такие, какие больше всего я любила.

Он пришел не скоро. Пришел взмыленный, волосы торчком, с двумя тяжелыми портфелями. Настоялся в очередях. В это время везде очереди. Запер дверь.

Сказал:

– Никого больше не пущу. Устали ждать?

Я сказала:

– Не устала. И не говорите больше про мою усталость. Я никогда не устаю. Это вы устали. Вон как вспотели. Отдохните. Я все приготовлю... А я читала вашу книгу. Мне понравилось. Две главы прочла. Дадите почитать?

Удивился и покраснел:

– Да ведь это литературоведение. Скука. Неужели не скучно было?

– Нет.

– Вот вы какая...

– Когда же ее напечатали? Недавно. А вы много книг написали?

Он сказал:

– Три. А издали ее только что. Мне Сквирский привез экземпляр.

– Что же вы мне не сказали, – сказала я и открыла портфели. Там было очень много всего, и сверху в обоих лежали смятые гвоздики.

Потом долго ужинали, и пили, и курили много, и медленно, медленно темнело. Света мы так и не зажгли. В соседнем доме за деревьями включили на полную телевизор, и все время раздавались выстрелы и злые голоса – показывали какой-то детектив, и он говорил, что ему кажется, что это по нам стреляют. Потом телевизор выключили, и он опять занервничал. Стоял у окна. Я подошла, и мы оба смотрели на деревья.

Я давно знала, что скажу это, и сказала:

– Какое это дерево? Вяз?

Он тихонько засмеялся:

– Вы и Чехова наизусть знаете? Господи, да что же это такое!

Я сказала:

– Я и не только Чехова наизусть знаю.

Он спросил:

– А что вы еще наизусть знаете?

– Я вас наизусть знаю, Вавочка.

Тогда он меня обнял. Я не пошевелилась. Он провел рукой от подбородка до ног. Рука у него была ласковая, не жадная.

– О Господи, – сказал он тихонько, и глаза у него были удивленные. Даже в темноте. Даже совсем близко».

Вот что записал Вадим Александрович Вангель на листках в клеточку, вложенных в папку с надписью «Тема войны в романе 50–60-х годов»:

«Если бы я не чувствовал, не знал, что недолго уже этому быть, длиться, я был бы счастлив. Но я знаю, и счастья нет. Есть нежность и благодарность. И тревога за... Не судьбу благодарю, не верю я в нее, благодарю человека, женщину за то, что себя сохранила и мне дала надежду. Люблю? Да, конечно, люблю. Но больше, чем люблю, – могу любить, но устаю любить, берегу... впервые в жизни не хочу бежать от нее обратно в себя. Теряю себя, и нахожу себя нового, и узнаю. Но недолго уже этому быть... Вот ее жизнь, которую она мне рассказала и которая мне дорога со всеми ее грехами.

Росла с матерью. Отец давно их оставил. Отец – человек яркий и увлекающийся. Всегда был большим начальником. Сейчас директор завода на Урале. Деньги им присылал изредка, но крупными суммами. Не навещал никогда. Мать продолжала его любить до самой смерти.

Она приехала в наш город поступать в институт. Подготовлена была средне, но не хуже других. Ее не приняли. Помешала ее красота. Мужчины всегда стремились ей помочь, а чтобы помощь была заметнее, сами создавали ей трудности, ставили условия. Предлагали принять, если... Короче, не приняли. В родной город она не вернулась. Устроили лаборанткой в том же институте. Мыла химическую посуду. В нее влюбился заведующий кафедрой, сорокалетний доцент, делавший большую карьеру. Сделал ее своей любовницей, потом оставил семью и женился на ней. Устроил учиться в другой институт. Из-за всего этого карьера доцента дала трещину и характер сильно испортился.

В институте она полюбила студента старшего курса. Карен был родом из Еревана, был красавцем и сыном богатых и влиятельных родителей. Ухаживал он за ней страстно и красиво. Свадьба была в Ереване. Было двести гостей, и свадебное путешествие длилось три месяца – все каникулы и еще кусок сентября. Уже на свадьбе Карен начал ее ревновать. Поводов тогда не было. Во время свадебного путешествия было несколько безобразных сцен по этому поводу. Карен всячески приучал ее к спиртному, спаивал. Обожал, когда она плохо чувствовала себя по утрам после попойки, и тогда нежно ухаживал за ней, исполнял любые капризные желания. Вечером опять вел ее в компанию, и опять ревновал, и опять спаивал. Она оказалась крепче его – он стал пьяницей и не смог уже остановиться. Были угрозы, и побои, и инсценировки самоубийства. Бегства, погони, истерики. Была широкая, угарная ресторанная жизнь среди ловкачей и паразитов. И никакого труда. Совсем никакого.

Потом он лечился в санатории. Она снимала квартиру около. Была тихая зима на Черном море. Два раза в день они гуляли с Кареном. Остальное время она лежала у себя у комнате и читала – прочла всего Достоевского и всего Чехова, том за томом.

Карен начал работать. Жизнь стала размеренной. От скуки она захотела окончить институт. Ее устроили. И снова Карен стал ревновать. Потребовал, чтобы она ушла из института. Она отказалась. Чтобы отомстить ей, он стал заводить романы на стороне и рассказывал ей об этом. Снова стал пить. Она ушла от него. Вернулась к матери в родной город. Мать была уже очень больна и вскоре умерла.

Однажды к ней явился отец Карена (специально прилетел на самолете) и умолял спасти сына – вернуться к нему. Уговорил: она была совсем одна и на распутье. И опять был период тихой жизни, и опять он кончился. Случилось, что они приехали сюда, в этот поселок, на день рождения к известному артисту. Артист вел себя грубо, и Карен устроил страшный скандал, а потом сам повел себя еще более омерзительно. Она сказала, что уходит от него. Тогда он попытался ее изнасиловать. Она убежала из дома, ночь ходила по поселку, а утром зашла в стекляшку. Нанялась на работу – люди были нужны.

Ее искали. Она видела, как Карен и артист колесили по поселку на машине, расспрашивали. В стекляшку зайти не догадались. Карен кинулся в город.

Она осталась. Сперва из упрямства, а потом... просто все стало устраиваться... и жилье нашлось... Все разъезжались – кончился сезон. Осенью она написала Карену. Он примчался, были слезы, были мольбы, клятвы, но уже зря. Зимой их развели. Заочно – отец Карена устроил.

Это было четыре года назад... Ее существование здесь странно...»

Дальше зачеркнуто примерно с полстраницы. Только отдельные слова понятны, но смысла в них никакого нет. В последней зачеркнутой строчке можно разобрать фамилию Карасев (не было такого человека, или он перепутал – может быть, Тареев, или это касалось его личной жизни) и начало слова «предуп...» – видимо, «предупредил». Самый низ листа оборван. На следующей странице дата – 12 июля.

«Десятого июля было очень жарко. Я здорово набегалась за утро и в перерыве просто сидела в тени возле кухни. Курила. Но когда перерыв уже кончился, вдруг сорвалась и побежала к нему. У дома стояла «скорая помощь». Шофер, откинувшись на спинку сиденья, спал с широко открытым ртом. Значит, приехали уже давно. Врачей в комнате было трое. Они сгрудились у кровати, и его не было видно. Меня долго не замечали. Потом хозяйка вошла – принесла грелку со льдом. Посмотрела на меня неодобрительно, но ничего не сказала, прошла к нему. Врачи расступились, и он меня увидел. Стал садиться, но его опять положили, и все тогда обернулись и стали смотреть на меня.

Я не подошла, а издалека спросила:

– Что случилось?

Он хотел ответить, но один врач сказал:

– Вам нельзя говорить.

Он сказал:

– Да подождите...

Тогда врач мне сказал:

– Ему нельзя говорить. Выйдите.

А он опять:

– Да подождите же. Подойдите, пожалуйста. – Вид у него был плохой. Он говорил: – Это у меня бывает. Обойдется. Вы не волнуйтесь... Жара невозможная... Уже отпускает. Это уж не в первый раз у меня... Все в порядке. Жене уже позвонили, она сейчас приедет... И врача привезет... уход тут организован. И вот Нина Степановна...

Хозяйка взяла таз, в котором валялись куски ваты и битые ампулы, и вышла.

Врач сказал:

– Ему нельзя говорить.

Мы все молчали.

Он сказал:

– Вы не волнуйтесь... Это бывает у меня. Спасибо. Вы идите. Сейчас приедут, все будет нормально.

Я сказала:

– Поправляйтесь, – и вышла.

К вечеру ему, видимо, стало лучше, потому что перед самым закрытием пришла ужинать его жена и еще одна женщина. Их привез Сквирский на машине, но я бы и без этого догадалась, что это его жена. Интересная, нервная, очень хорошо одета, а волосы в беспорядке, и постарше его, сильно постарше, лет, может, на семь-восемь постарше. В больших темных очках. Глаз не видно. Сквирский сразу уехал, а они с докторшей сели за Нелин стол. Докторша ей тихонько говорила что-то, а она молчала.

На следующий день они не пришли. Работать я не могла. Подменили. Сидела и ждала, когда они придут. Две пачки выкурила. Не выдержала, прошла мимо его дома — «скорой помощи» нет, все тихо. Вернулась. Опять ждала. Они так и не пришли.

А 12 июля пришли. Обедали. Я обслуживала. Говорили весело, спокойно. Я подавала и слушала обрывки разговоров. Докторша, видимо, собиралась уезжать. Давала наставления. А жена все отвечала: «Да сколько раз я ему говорила, но он же ни черта не хочет слушать», — и все в этом роде.

Вечером я пошла купаться. И сидела до ночи у моря. Какая-то компания жарила шашлыки на берегу. Позвали меня к себе. Я пошла. Пели песни под две гитары».

«12 июля.

Ну вот все и кончается. И болезнь моя кончается, и все остальное тоже. Может, оно и к лучшему. Так-то оно реальнее, поближе к земле. Но в том-то и штука, что поближе к земле не хочется — во всех смыслах. Ладно, подождем. Жизнь подскажет. Лариса ушла с Верой Петровной обедать в стекляшку... Похоже на водевиль».

Две строчки зачеркнуты.

«Мне казалось, что я могу последовательно и подробно рассказать ее жизнь. Но за последнюю неделю все так далеко отодвинулось, что вещи, которые были совсем ясными, теперь требуют объяснений и доказательств. А их недостает. И я уже не совсем понимаю и не совсем верю. Мой единственный источник информации казался мне всеобъемлющим, а теперь вроде требуется «выслушать и другую сторону». Но ведь другая сторона – это весь мир, и против него она одна. Кому верить?

По ее словам, она сразу стала своей в разношерстной компании, обслуживавшей эту жалкую стекляшку. Работали там одни бабы. Однажды появился директор ресторана «Взморье», филиалом которого была стекляшка. Познакомился с ней и сразу же предложил перевести работать в банкетный зал ресторана – с повышением. Она отказалась. Тогда к ней стали придираться. Старшая стекляшки следила за каждым шагом. Посыпались выговоры. Встал вопрос об увольнении. Но тут вдруг все официантки и повар, все эти равнодушные, грубоватые бабы, сплотились и отстояли ее. Директору пришлось отступить. Он затаился. Но тут случилось одно событие, которое все перевернуло и заставило директора сменить гнев на безбрежную милость. Об этом после.

Ей нравилась тяжелая однообразная жизнь. Она испытала свои силы, и их оказалось много. Она с удовольствием носила подносы, с удовольствием сидела на тоскливых бабьих вечеринках, с удовольствием отпугивала прытких посетителей своей образованностью. В конце октября стекляшка закрылась. Разбрелись – местные во «Взморье», кто как устроился, Неля уехала в райцентр буфетчицей на вокзал. Она устроилась в магазин, в бакалею, здесь же, в поселке, – постоянная продавщица ушла в декрет.

По ее словам, в ту зиму началась и кончилась ее молодость. Из-за сложных отношений, которые всегда ее окружали, из-за постоянного пребывания в сфере запретной, невозможной для других, обычных людей, она никогда не чувствовала себя молодой. А эта зима была беззаботная и веселая. Образовалась лыжная компания – три студента-физика, которые вместе сняли дачу на зиму и умудрялись бывать в поселке по два, а то и по три раза в неделю, и она. Иногда к ним присоединялись местные – Римма, кассирша из их магазина, Ася, библиотекарша из Дома культуры, и еще Васёк, только что окончивший институт, преподаватель химии в поселковой школе.

Сперва ее смущала их молодость и детская наивность в отношении ко многим вещам, их резкие переходы от озорства и дурачества к обсуждению мировых проблем. Смущала их непоказная деликатность, неназойливая широкая образованность – короче, смущала их интеллигентность. Потом она втянулась. По ее словам, в душе ее ослабла какая-то вечно натянутая нить. Ей стало просто и интересно. Они научили ее профессионально ходить на лыжах, занимались с ней английским, начинили ее стихами поэтов, имен которых она никогда раньше не слыхала. И самое главное, они научили ее смеяться. Раньше она только улыбалась. Теперь умела хохотать над остротами, намеками, розыгрышами. И участвовала в них.

Все трое были в нее немного влюблены. Наверное, даже не немного, но делали вид, что немного, видимо, почувствовав, что так будет лучше для нее и для их дружбы, которой они еще дорожили. Кульминацией этой жизни была новогодняя ночь. И дивный стол, и умная веселая трепотня, и хмель, и мороз, и бег на лыжах по замерзшему морю. Она убежала далеко от берега. Ее окликали. Она не отвечала. Стояла закинув голову, широко раскинутыми руками опираясь на палки, и выдыхала в черноту белый пар. Вздрогнула, почувствовав рядом чье-то присутствие. Перед ней стоял младший из троих – Виктор. Молчал. Смотрел на нее. И увидела она в его взгляде, что сказочка кончается. Что скоро в их компании все усложнится и разрушится. Она обняла его, поцеловала в губы, за всех, за все, в благодарность за свою короткую молодость, и побежала от черноты к берегу.

В начале января в магазине появился мужчина в дорогой заграничной, похожей на женскую шубе и громадной меховой шапке, закрывавшей пол-лица. Покупал сигареты, кажется, и вдруг назвал ее по имени. Это был тот самый известный актер, на даче которого произошел разрыв с Кареном, – Михаил Р. Он простоял с ней час, выспрашивая, выпытывая ее историю, и, когда узнал все про побег, хохотал так, что выскочили все девчонки со склада и даже замдиректорша. Артист тут же накупил шампанского и угощал всех в замдиректоршином кабинете. Только что в поселке прошел новый фильм с его участием, и девчонки закатывали глаза от счастья, когда он к ним обращался. Он был в ударе.

Вечером она встречалась с физиками, и он увязался за ней. Снова накупили коньяку и шампанского. Физики в его присутствии померкли. Он рассказывал о ночной жизни Стокгольма, где снимался в фильме и где купил свою шубу. Говорил о своем знакомстве с Софи Лорен. Пересказывал последние шоковые фильмы Запада. Потом вежливо простился, звал всех заходить, сказал, что проживет на даче неделю, и ей предложил проводить ее до дому. Она сказала, что еще посидит. Он не настаивал. На прощание прочел стихотворение «Быть знаменитым некрасиво...», но сбился на третьей строчке и ушел, утонув в шубе. Физики едко острили и по поводу его рассказа, и по поводу игры его в фильме, но как-то запоздало. Смахивало на щенячье тявканье (это ее слова). Она не смеялась. Возникло напряжение и...»

Дальше листы разорваны в клочья. Мною. Прочесть нельзя.

«Я знала от Нели, знала, что он поправился. Вчера вечером они гуляли у моря. Он не дал о себе знать. Наверное... наверное, у него не было возможности, я понимаю и тогда понимала. Но мне все равно – не дал он о себе знать. Ничем. А вчера вечером они гуляли у моря. А перед этим, днем, около четырех, его жена обедала у нас в стекляшке. Соседка ей сказала про меня или она сама почуяла, а может быть, он покаялся, а может, ничего этого не было и все это казалось мне, – не знаю, но только невыносимо все это было. Вошла, встала в дверях – смотрит на меня. А у меня рыбацкая компания, три стола сдвинули, орут, стакан в руку суют, гоняют туда-обратно, за юбку хватают. Она смотрит. Потом села. Я минут пятнадцать к ней не подходила. Молчит. Смотрит. А может, не смотрит – под очками не видно, но нацелены окуляры вроде на меня. Потом я подошла.

– Слушаю вас...

Она смотрит, молчит. И вдруг сняла свои темные очки. В первый раз я ее глаза увидела – большие, плоские, в морщинках, и на правом весь белок в кровяных прожилочках. У меня сердце захолодело – показалось, что она мне сейчас что-то страшное скажет. А она заказала обед с пивом и снова очки надела. И как подойду, она все смотрит на меня, вот-вот что-то скажет. Так ничего и не сказала. А вечером они гуляли у моря.

Стекляшка стоит на маленькой горке, лысой, без деревьев. Если выйти из двери кухни и идти прямо, не сворачивая, через кустарник, то потом перейдешь дорогу, там тропа через рощицу, подъем небольшой и вниз – море. Семь минут ходу, если медленно. А из главных дверей если выйти, то вниз через двести шагов остановка дальних автобусов. В город ходят пять штук в день. В пятницу, в воскресенье вечером и в понедельник утром всегда битком. Поэтому записываются заранее. Прямо к столбу прикноплен листок – и пишут. Я иду мимо, всегда читаю – почерки такие разные и фамилии смешные попадаются. В понедельник шла к девяти и прочла:

«1. Ротова – 3 чел.

2. Поповцев

3. Розеноэр

4. Иванов – один

5. Бахрамов – 5 билет.

6. Вангель – 2 чел...»

Дальше и не читала. Список списком, а приходить все равно заранее надо. Они пришли минут за сорок и сели на скамеечку. Без вещей. Только портфель и сумочка – и то и другое она принесла. Сидят рядом и молчат. Он подпер подбородок кулаками, локти на коленях, а она, наоборот, откинулась, вроде загорает. Потом народу вокруг стало много – их не видать. Я спустилась от стекляшки, подошла поближе – сидят. И не говорят и не шевелятся. Я еще подумала: почувствует он, что я на него смотрю, или нет? Обернется или нет? Не обернулся. Потом что-то сказал ей, встал и пошел в другую сторону. Я кинулась к стекляшке. Жду. Минут пять ждала. Нет. Потом смотрю – возвращается. Снова сел и кулаки в подбородок. И вдруг почувствовала, что перегорел во мне интерес, что сидят на скамейке двое чужих, непонятных пожилых людей. И пусть сидят. Ладно, черт с вами, живите. Я даже не поглядела, как они уехали. Услышала по звуку, что автобус тронулся, глянула в окно – он уж на Морскую заворачивает.

В первую субботу августа в общежитии рыбсовхоза случилась драка. Стекла били, орали, комендант свистел. Я вышла поглядеть – это рядом совсем. Наш дом 3, общежитие – 3-б, а 3-а так и не построили – фундамент и какие-то обломки железные, так что видно насквозь. Дома однотипные, трехэтажные, из белого кирпича. Подошла. Там уже потише. Милиция разбирается. Говорят, троих забрали, увезли, а теперь еще виноватых ищут. Стекла на первом этаже в трех окнах выбиты, и под одним окном много крови. И рама запачкана. Комендант стоит на табуретке, остатки стекла выдергивает и бросает на землю, прямо в кровавую лужу, даже брызги летят. А в другом разбитом окне, смотрю, – трое незнакомых, пьяных, двое знакомых, тоже выпивши, и милиционер Володя Гущин в книжечку подробности пишет. Двое знакомых – культорг общежития, Эльмар Симман, возмущается чем-то, и Валька, подружка моя из бакалеи, накрашенная, у платья правый бок выдран, и плачет. Сходила в-гости, дура. Я зашла, перекинулась с Гущиным парой шуточек и увела Вальку к себе. Подходим к нашему дому. У парадной на скамейке баба Надя сидит курит.

– Тебя, – говорит, – спрашивают.

– Кто?

– Незнакомый, – говорит, – с портфелями.

У меня сердце екнуло.

– Где он?

– Вон пошел, – и в темноту показывает.

Я дала Вальке ключ и побежала. На даче в его половине темно, заперто. До стекляшки дошла – никого, кошка на ступеньке лежит. К морю сходила, к нашему месту, – ни души. И дождь заморосил. Пошла домой. Прохожу мимо общежития, а там опять шумят. Права качают. Карелин вернулся, один из трех забранных, отпустили его. Зря. Бандит из бандитов. Наверняка он все и начал. В моем окне свет, а идти неохота – копаться в дурацких Валькиных делах, утешать, советовать... Покурила... Да и тут стоять противно – больно уж матюгаются, и кажется, опять драка будет. Потопала домой. Звоню. Валька в моем халате, умылась уже, губы еще сильнее накрасила и улыбается... Дура... Вошла в комнату – сидит на диване Вадим Александрович, а на столе бутылка, сверточки и гвоздики в пол-литровой банке. Ваза прямо перед носом на серванте стоит, Валька, идиотка, не догадалась.

Он сидит, ссутулился...

– Здравствуйте! – говорит.

Я тоже говорю:

– Здравствуйте! – и понесла свертки и гвоздики на кухню. Выкладываю на тарелки сыр, колбасу и спрашиваю себя: где же моя обида? А нету ее. Открываю банку скумбрии и смотрю в окно на общежитие – там под желтой лампочкой опять друг друга за грудки хватают. Слышу, Валька в кухню вошла. Смеется и шепчет в затылок:

– Мне уйти? А мне ж домой не попасть. Поздно… Они ж на крюк заперли…

– Так чего спрашиваешь? Оставайся.

– Ой, как я коньячку хочу… Он две бутылки «Юбилейного» привез… Вам все равно вдвоем не выпить…

Я не обернулась, режу колбасу.

– Посмотри, – говорю, – это не твоего там опять мутузят?

Валька говорит:

– А ну их к черту. Слушай, а это кто?

– Серое пальто, – говорю.

Она заржала в голос и вышла. Потом он вошел. Я не обернулась, а в темном стекле увидела его отражение – стоит в дверях.

Он говорит:

– Вы не сердитесь?

Я взяла четыре тарелки, по две в каждую руку, и пошла к дверям. Подошла близко и поцеловала его, в губы. Он не ответил. Стоит растерянный… смотрит. Красные жилочки в глазах. Давление, наверное, высокое. Дверь узкая. Я протиснулась, грудью его коснулась и пошла в комнату. А он в кухне остался.

Я поставила пластинку «Падает снег» Адамо. Вава прямо зашелся. Говорил, что в первый раз слышит, и опять ее поставил. На третий раз он разобрал кое-какие французские слова и перевел нам. Валька, пьяная дура, стала приставать, чтобы он все дословно перевел, и мы крутили «Снег» без конца. Черт меня дернул к общежитию выйти и завести к себе Вальку. Но, с другой стороны, повезло, что соседей дома нет – уехали на неделю в Таллинн. Так что ночка была полосатая – что-то хорошо, а что-то плохо.

Вава разошелся и много говорил, но все с Валькой. На меня только поглядывал удивленными своими глазами. Валька, дура, кокетничала, хохотала, закидывая голову, и с жутким, ни на что не похожим акцентом рассказывала анекдоты про армянское радио:

– Может ли «Запорожец» развит скоруст сто киламетрув в час? Атвичаим: может, если спустыт его с гары Арарат.

Вава от этих старых анекдотов смущался и только говорил:

– Сила... сила...

Я сказала:

– Валя у нас вообще сила – из-за нее сегодня двоих в тюрьму посадили.

Валька закричала:

– Брось! Я тут при чем? – К Ваве повернулась: – Понимаете...

И начала длинную историю, как пригласил ее Симман потанцевать в общежитие, потом зашли к его дружку Таамму в комнату выпить «сухого вина», а там сидели Зальц и Рубцов и играли в шахматы, а потом ввалился Карелин, а она с Карелиным прошлую субботу танцевала... Я так и знала, что все из-за Карелина, бандит, сволочь, зачем они его выпустили...

Вава стал подремывать, и уже светлело за окном. Я подняла рюмку и сказала ему:

– За ваше здоровье!

Чокнулись.

Я спросила:

– Как здоровье-то?

Он сделал гримасу, что, мол, так себе, но сказал:

– Ничего.

Я говорю:

– Вам пить-то не надо, наверное...

Он говорит:

– Мало ли что... Мне и приезжать сюда не надо было, наверное.

Я говорю:

– Вот как?

И он:

– Вот как!

Я спрашиваю:

– У вас от дачи ключа, что ли, не было?

Он:

– Да не в этом дело. Видеть я никого не хочу. И меня чтоб никто не видел.

Я спросила... Я чувствовала, что не надо это спрашивать, и все-таки спросила:

– А в городе знают, что вы сюда уехали?

Он говорит:

– Поставь про снег еще раз.

Вдруг ни с того ни с сего в первый раз на «ты» меня назвал. И кажется, в последний.

А Валька в это время свое бормочет. Про то, что эстонцы, даже пьяные, – вежливые, но скучные, а Карелин – хам и похабник. Потом вспомнила про платье, достала его и стала рыдать над дыркой.

Я начала посуду убирать. Они мне не помогали. Несу тарелки по коридору мимо запертых соседских дверей – у них две комнаты, у меня одна, – и какие-то обидные мысли в голове: почему у меня своей квартиры нет? почему детей нет? зачем я Вальку притащила... и Вава... Столько вечеров я одна просидела дома... Может, и ждала его... хотя не думала, что ждала... Именно сегодня приехал... А у меня больные дни начались... Четыре рейса в кухню сделала. Каждый раз возвращаюсь – та же картина: Вава сидит, поджав губы, глаза выпучив, Валька бормочет, а Адамо крутится... Достала раскладушку соседскую с антресолей, постелила в кухне. Вхожу в комнату – Вава дремлет. Я ему по голове рукой провела. Открыл глаза.

– Выгоняете? – спрашивает.

Я говорю:

– Идите в кухне ложитесь, а мы с Валькой на диване.

Встал. Я вперед пошла по коридору, а он сзади. Обнял со спины. Полтора раза всю меня обхватил ручищами своими длинными. Голову мне на плечо положил. Постояли так. Я открыла дверь в кухню.

– Спите, – говорю. Он еще ждал... моргал нерешительно. А я опять: – Спите!

В комнате Валька коньяк допивает и слезы утирает.

Я вдруг завелась, крикнула:

– Кончай ныть, растяпа, кровать постелить не можешь! Вон белье! Присосалась к коньяку. Куда в тебя лезет?

Валька губы облизнула. Молчит. А глаза моргают, закрываются. И вдруг язык мне показала. Ну до того по-идиотски, что я засмеялась.

– Иди ты в жопу, – говорю, – ложись, я скоро.

Вышла на улицу покурить. Моросит. Дошла до общежития. Лампочка еще горит, противная такая при дневном свете. Из разбитого окна храп, и лужа под окном стала серая. А в ней стекла.

О радостях не напишешь. Радость всю сама сжираешь. Ничего не остается. А дни у нас были хорошие. Даже не дни, почти целая неделя. Он был такой умный, такой сильный все эти дни и ночи, что мне удивительно было, как это я угадала – я не надеялась на такое. Он так все сказать и сделать умел, что мне стало казаться: поняла я жизнь и мир, и смерти нету».

Вот что написал Вадим Александрович Вангель на двух листках почтовой бумаги 13 августа:

«Во-первых, не пугайся, я не исчез. Я уехал и вернусь вечером. Если придешь раньше, чем я вернусь, прочтешь эту записку. Если позже – я порву ее и скажу тебе все сам. Скажу все, о чем ты так и не спросила.

Говорят, что любовь требовательна. Теперь я знаю – врут. Любовь – не взрыв, а смирение. Любовь – это поступиться своей свободой ради свободы того, кого любишь. Любовь – это не научить, а пойти в ученики. Восхититься и поверить. И воздастся тебе. И мне воздалось.

Ни одно твое слово, ни одно твое движение не показалось мне чужим. Я будто знал их заранее и ждал их. Дождался. И снова было чего ждать и чему удивляться – удивляться, что так хорошо знаю незнакомое.

Ты ни о чем не спросила. Ты терпела. А я молчал, потому что все, что я должен тебе сказать... про себя, про свою жизнь, про жену, про будущее, про решения, – все это совсем другая жизнь, нам с тобой далекая, и я ничего не знаю про нее. Обязан знать. И не знаю. Я не обманываю тебя. Я учился у тебя всему заново – засыпать, просыпаться, думать, любить, быть. Прежнюю науку я забыл. Это слабость. Нельзя забывать прошлое. Я ведь старый, у меня длинное прошлое. В прошлом я умел мыслить, читать, писать, бороться, добиваться... «изучать»... Разучился. Это слабость. И может быть, слабость смертельная.

Я не раздваиваюсь. Больше не раздваиваюсь. Я не навестил тебя перед отъездом. Не попрощался. Ничего не сказал жене. Тогда я раздваивался. Уравновешивал моральный ущерб. Я знал, что люблю тебя, и считал (именно «считал», как на счетах), что мыслями о тебе оплатил твои тревоги. Жену не любил. Мучился. Но мне было стыдно, что я мучаюсь с женщиной, так долго бывшей рядом. Свою нелюбовь я оплачивал вниманием и послушанием. Я хотел отыскать прежнее русло жизни и жить в нем, тайно присвоив твою любовь и спрятав ее там, в привычном, чтобы веселее жилось.

Потом я решил заехать к тебе и украсть еще чуть, чтобы еще веселее потом жилось там, в моей прежней жизни. Но здесь, в твоем обшарпанном доме, я пошел к тебе в ученики. Я остаюсь. Только старый я – вот что скверно. И недолго мне учиться осталось. А ты-то как же тогда? (Это зачеркнуто.)

Милая, я у тебя узнал все, чего не знал, – любовь, тюрьму и суму. Кому рассказать, как ты меня прячешь неделю, – смешно. Мне рассказывали об одном писателе, который узнал в тридцать пятом, что его собираются арестовать за бывшую причастность к меньшевизму. Он пришел к своей любовнице и прожил, не выходя из ее квартиры, двадцать лет. Я думал – врут. Теперь верю – можно.

Но узнал я и суму. Деньги кончились. Я поехал в город за деньгами. На ужин все куплю. Ты только возьми масла и яиц, а то трудно это из города тащить: масло растает, яйца побьются.

Кланяюсь вам.

Целую тебя. Жди меня. Не встречай. Приеду на 7.10 или, в крайнем случае, на 7.46.

P.S. Я тебя заставляю это читать в наказание за то, что ты порвала мой дневник.

В.»

Запись, сделанная Вадимом Александровичем Вангелем в больнице имени Ленина и переданная 22 августа медсестре первой хирургии Люде Спивак:

«То, что было, счастьем не назовешь. Наверное, счастье – это в конечном счете то, чего хотелось. А здесь все было заново. Неожиданно все было каждую минуту. И фон слишком уж убогий, шалашный. Мне не по возрасту и не по характеру назвать эту неделю счастьем только потому, что дело было в шалаше. Не рай, не рай это был. Сильно опоздала моя первая любовь.

Я должен досказать все, что узнал об этой женщине.

...Ее послали обслуживать большой официальный банкет на уровне областного начальства. В ресторане «Взморье» два банкетных зала – большой, человек на шестьдесят, и малый – для послеобеденного отдыха. Там чай, сладкое, напитки... Ее поставили на малый зал. Женщин на банкете было мало, а в малом зале вообще сидели одни мужчины. На нее обратили внимание. Подшучивали, говорили грубоватые комплименты. Она не стеснялась – отвечала. Это нравилось и раззадоривало. Сыпались вежливые приказания – то одно, то другое. Она все исполняла. Улыбалась, бегала взад-вперед, сверкая своими красивыми, всегда высоко открытыми ногами, слепящей улыбкой и этой копной волос на голове, душистой, переливающейся, от которой действительно с ума сойдешь.

Один молодой спортивного вида блондин вышел за ней в буфет. Приблизился к лицу маслеными глазами, пригласил пойти потанцевать в общий зал, где простой народ. Она сказала, что она на работе – нельзя.

Он улыбнулся: «А если через нельзя?»

Она сказала: «Запрещено!»

И пошла. Он ей вслед бросил: «Это мы устроим». И вроде отстал, ушел обратно. Через минуту она снова влетела в буфет (за спичками послали) – ее директор ресторана ждет. «Можно, – говорит, – потанцуй с Валерием Ивановичем». Она: «А обслуживать кто будет?» Директор говорит: «Да не бойтесь, я все устрою, подменим. Надо уважить» Валерия Ивановича». Она сказала: «Знаете что, вот вы подите и станцуйте с Валерием Ивановичем, так мы его еще больше уважим, на уровне дирекции, а я буду своим делом заниматься».

Директор зашипел, как масло на сковороде. А дальше – хуже. Входит в зал – Валерий Иванович шепотком, но все настойчивее: «Не надо со мной шутить, на моей службе шуток не любят». Идет в буфетную – директор: «Я вас от работы отстраняю...» В зал – Валерий Иванович: «Здесь не хотите – поедем в другое место потанцуем, я тебя в машине жду...» Она осмотрелась и подошла к самому лысому и на вид одному из главных. Говорит: «Извините, тут ваши подчиненные мне проходу не дают. Ничего страшного – чуть подвыпили. Вы не могли бы меня до дому подкинуть, когда уезжать будете? Мне страшновато одной». Тот улыбнулся... по-доброму... вроде даже польщен был. «Это кто, – говорит, – себе позволяет?» – «Да неважно, просто боюсь одна...»

Краем глаза увидела – оскалился и потух в углу Валерий Иванович. Главный руку с часами к глазам вскинул: «В 22.00 отъезд. Жду».

Директор растерялся. В десять часов она, не спросясь, ушла, и большой начальник доставил ее на черной «Волге» домой. На прощание крепко пожал руку: «Спасибо за угощенье».

То ли начальник сказал кому надо пару слов, то ли самого его поступка было достаточно, но отношение к ней переменилось. Ее оставили в покое. Тогда же она, минуя все очереди, получила комнату... в которой я жил еще неделю назад...

Господи, неужели прошла только неделя? Восемь дней назад я лежал в этой комнате утром... один. От воды в вазе, стоявшей на серванте, метались солнечные зайчики по потолку и по стене. Стол был покрыт толстой зеленой клеенкой. На ней чередовались квадратики трех оттенков зеленого: темный, густой еловый цвет, потом пожиже – болотный, потом светлый капустный и опять густой. Клеенка была потная – неестественно крупные капли лежали и подрагивали на ней. На дальнем от меня углу стола стояла запечатанная бутылка кефира и рядом с ней – толстостенная чашка светло-кофейного цвета. Бутылка тоже была в каплях. Я смотрел на эти предметы и думал о том, что их касалась моя любимая. Только что. Она вытирала клеенку жирноватой мокрой тряпкой, она только что достала кефир из холодильника и поставила на стол. Она достала чашку из серванта, и, когда задвинула резко стекло, шаткий сервант мелко затрясся. И вот до сих пор не успокоились зайчики на стене. Я спал. А она только что была здесь. Сейчас тихо в квартире. Я дождусь ее. Я не пошевелюсь, пока она не вернется... моя любимая. Мне приятно писать это слово. Любимая... Любимая... Любимая... Любимая... Лю-би-ма-я. Очень далеко жужжит, а потом взвизгивает электрическая пила.

Вот что она рассказала мне, когда я лежал скорчившись и росла моя боль, а она сидела рядом и гладила меня по голове.

«Хотите, скажу, – говорила она, – как я вас узнала? Сперва вам будет немножко неприятно, зато потом, ну вы сами увидите (она все время называла меня на «вы». Я не возражал, зачем играть в молодость?). Того лысого начальника звали Егор Константинович. В начале июня в прошлом году остановилась возле стекляшки черная «Волга». Егор Константинович зашел взять сигарет и боржоми. Шофер с авоськой стоял сзади. Мне кажется, он не притворялся и действительно просто зашел за сигаретами. Люба – буфетчица – отлучилась, и я их обслужила. Он узнал меня, поздоровался, пошутил насчет того приключения. А потом говорит: «А теперь можно я к вам с просьбой обращусь? Выполните?» Я говорю: «С удовольствием». Егор Константинович говорит: «Просьба странная, не удивляйтесь. Мне вас сам Бог послал. Мы сегодня большого писателя принимаем. Будут люди искусства. Нам хозяйка нужна, что постороннего человека звать? Поедете?» Я говорю: «Я на работе». А он как в тот раз: «В 22.00 за вами будет машина. Сюда. Продукты все на месте. И официант будет, но лучше, если женщина накроет и поставит. Поедете?» Я говорю: «Поеду».

Опять, как в тот раз, крепко руку потряс. «Спасибо, – говорит, – это по-нашему».

В десять часов стою у стекляшки. Оделась, накрасилась. Подъезжает «жигуленок», и вылезает из него... Валерий Иванович. Я похолодела. Но Валерий Иванович вежлив, корректен: «Добрый вечер! Не сердитесь на меня за тот случай. Перебрал я. Я от Егора Константиновича».

Я спрашиваю: «Мы куда едем?» – «Да тут рядом. Тридцать километров, пятнадцать минут. Вы купальник взяли?» – «Зачем?» – «Да на всякий случай... Давайте садитесь, быстренько к вам, захватим купальник».

Едем ко мне. Я не знаю, ну секунд тридцать ехали. Машина у него прямо летит. Взяла купальник. Едем.

Я говорю: «Объясните все-таки, куда едем? Егор Константинович сказал, писатель какой-то приехал». Он говорит: «Ну да...» – и назвал фамилию. Фамилия известная – С. (не знаю, к кому попадут мои записки, и потому не пишу фамилию полностью). «А купальник зачем?» – «Так мы ж в баню едем». – «Как в баню?» Он: «В сауну, в сауну... – смеется. – Но там все как надо. Это только говорится – баня, а там комплекс целый. Это база олимпийская».

А машина летит. Даже на крутых поворотах Валера скорости не снижает. Занесет машину с визгом – и точнехонько на свою колею. Я вздрагиваю. Он говорит: «Не бойтесь, я профессионал, мастер спорта, не ушибу. Спешить надо, опаздываем. Машину соберетесь покупать – обратитесь, научу. Надо сразу с заносов начинать. Без заносов – это не езда...» А на спидометре – сто двадцать. Сперва я понимала направление, а потом сбилась – по каким-то проселкам поехали.

И вот три одноэтажных домика в лесу. В одном, самом большом, окна светятся, дым из трубы идет. Входим. Стены из хорошо отесанных бревен. Длинный стол, широкие тяжелые лавки, дверь, тоже тяжелая, добротная, в следующую комнату, на крючках много одежды висит. Под одеждой на лавке гитара в чехле. За пустым столом странная компания. Молодой бородатый в тертом джинсовом костюме, с безумными глазами, и две девицы – одетая, в очках, другая практически голая – бикини и лифчик типа «намек», с длинной сигаретой в руке. Обе – как картинки.

Валерий Иванович бегло назвал наши имена, открыл дверь в предбанник. Оттуда пар и невнятные голоса. Он крикнул: «Боря, где продукты?»

Из пара выскочил парень в плавках и, не взглянув ни на кого, целеустремленно пробежал на улицу. Вернулся с двумя большими мешками с надписью «САБЕНА». Поставил на стол. Начал распаковывать. Валерий Иванович говорит: «Ты печкой займись, а тут хозяйка разберется» – и на меня кивает. А в это время сам уже расшнуровывает мешки и пошел тягать водку, бутылок десять. Я помогаю. А помогать-то нечего – все готово. Мясо жареное в целлофане, капуста в кастрюльке, ну и всякое там – хлеб, уже нарезанный, свежий, огурчики, помидорчики – в мешочках... Резиночками все мешочки прихвачены, и, как корона, литровая банка маринованных грибков, мелких. И крышка на банке притертая. На полке нашлись тарелочки, вилки, стаканчики граненые. Все впятером работаем, и слюнки текут. Ставим, готовим. Валерий Иванович покрякивает. «Надо бы раздеться, ребятки, – говорит, – для глубокого переодевания кабина налево».

Когда я вышла в купальнике из душевой, Валерий Иванович схватил меня за руку и потащил по коридорчику мимо печки, около которой колдовал на корточках Боря, мимо белой горячей двери в саму сауну – на другой конец домика. Мы вошли в сырой холодный тамбур – дверь на улицу распахнута. Маленькая лампочка над дверью скудно освещала троих полуголых мужчин, стоявших возле газовой плиты. На плите, во весь ее размер, бак, и в нем кипело – все четыре конфорки горели. Приторно пахло ухой и газом. Три голые спины – немолодые, крепкие, жирноватые, и каждая по-особенному искалечена – страшные, хоть и давние, кривые глубокие шрамы, вмятины, рубцы. Прямо история Великой Отечественной. Я сразу почему-то о войне подумала. Это, наверное, потому еще, что двое были в длинных черных трусах до колен. Мне казалось, такие давно не носят. В войну носили, и в футбол в них играли. Один из «футболистов» повернулся и оказался Егором Константиновичем. Сказал невнятно: «Опоздали! Мы уже сами тут... Ничего... сейчас уже всё...»

Второй был сильно волосатый, в плавках. Повернулся, у него и грудь вся исполосована. Сказал: «Будем знакомы! Это хозяйка, да, Егор? Я Аркадий Львович, но зовите меня Аркаша, мне так приятно. Пусть лучше я буду негордый, чем я буду немолодой! А?»

Третий, тоже в футбольных трусах, не замечал меня, смотрел в свою кастрюлю и помешивал деревянной ложкой. Он и был писателем, как я поняла.

«Д-давай! – сказал писатель неожиданно высоким голосом и с легким заиканием. – Д-давай лук и специи!»

Аркадий кинулся в угол и притащил таз с нарезанным луком и какие-то маленькие пакетики.

«Специи-шмеции, безумное дело», – выкрикнул он.

«С-сыпь!» – крикнул писатель.

«Это Сергей Васильевич», – шепнул мне на ухо Валерий. Он был не очень похож на себя, каким я его по телевизору не раз видела и на портретах.

Потом ели уху, и уха была вкусная. Очень много выпили. Аркадий сыпал анекдоты как из мешка. Хохотали. Парились, ныряли в пруд, в черную ледяную воду, в которой барахтались, касаясь наших тел, ондатры. Снова парились, включили транзистор, и Аркадий до колик смешно танцевал. Потом крикнул: «Ша! Тихо! Юра, для души!»

Бородатый Юра, который единственный из всех так и не разделся и безучастно сидел в углу, взял гитару и запел слабым голосом. Пел свои песни. Грустные и злые. Помню, были слова:

В темноту превращается свет,
В тишину превращается грохот,
Ничего, ничего, ничего, ничего уже нет,
С нами кончено! Все! Наступает другая эпоха.

И про черного человека. И про жлобов, которые командуют. При этом Юра ненавистно поглядывал на писателя.

Не вымораживают зимы,
Как вымораживает ложь...
По черной лестнице добрался
Ко мне мой чертов человек... – и т. д.

Егор Константинович кричал, что это упадничество, Аркадий восхищался. Писатель слушал внимательно и ругань Егора Константиновича останавливал. Говорил: «Постой, постой, это надо знать, все надо знать...»

Потом сам писатель пел казацкие песни, и одна из девиц, Вера, кажется, обнимала его за шею и целовала в щеку. Аркадий рванул очень смешные похабные частушки, а потом – «Сегодня праздник в доме дяди Зуя», и плясал фрейлехс, оттягивая кожу на груди как лацкан пиджака. Валерий Иванович всем подпевал. Он на удивление знал все песни – и казацкие, и частушки, и даже Юрины, собственного сочинения. Егор Константинович запьянел и уснул на лавке. Аркадий рассказывал, как Сергей Васильевич ловил сегодня эту рыбу для ухи – никто в речке давно ничего поймать не мог, а он вот двадцать крупных. Сергей Васильевич сказал странный, но сильный тост: «За породу!» Говорил, что любит людей, но что люди должны быть породистые и мы все породистые. Аркашка еврей, но все равно он нашей породы, и так далее. Отдельно и как-то очень возбуждающе сказал о женской породе... и все такое.

Я глядела на всех нас, голых, – на пышущих девиц со все понимающими глазами, на Валерия Ивановича, знающего слова во всех песнях, на искореженную спину спящего Егора Константиновича, на хохочущего Аркадия, – и думала: правда, есть в нас порода. Только Юра был без породы. Он сидел, бледный от выпитой водки, и бескровными губами мелко отхлебывал лимонад.

Ко мне писатель за все время ни разу не обратился. Но я чувствовала, что это маневр, что он видит меня, все время видит. Честно скажу, он мне понравился. В нем была сила и определенность.

...Потом туман. Кажется, бегали по холодной траве босиком друг за другом. В прятки играли. Потом опять сауна. Сто тридцать градусов. И мы, обливаясь потом на верхней полке. С Сергеем Васильевичем. Он вдруг взял за руку крепко: «Поедем со мной завтра в Москву, девочка!» Я ахнуть не успела, а он зашептал жалобно и заикаясь: «Надо, надо мне это... надо, пойми меня, м-милая... Н-н-не откажи... Надо мне тебя», – и бормочет, бормочет с закрытыми глазами. У меня голова кругом пошла. Охмурил. Влюбилась, кажется. И пошла карусель.

Я вам все рассказываю, не обижайтесь. Этот угар прошел навсегда, и, если бы его не было, я бы вас никогда не узнала. Слушайте дальше.

Ехали мы с ним в международном вагоне, в отдельном купе. В Москве поселил меня в гостинице. Приезжал каждый день. Ездили в загородные рестораны и к разным людям. Везде ждали, везде были рады, что мы приехали. Почти всегда третьим – Аркадий. Он и за рулем, он и достать, он и организовать. Потом опять поезд, опять отдельное купе – командировка в Ленинград. Гостиница «Астория», и номера рядом. И снова Москва. Говорил, что поедем вместе в Болгарию. Он нравился мне. Кроме одного – в компании, а иногда и наедине он все чаще читал мне свои стихи. Про разные страны, где бывал, про родную деревню, которую не забыть никогда, про то, что к пятидесяти начинаешь понимать истинную цену вещам и людям, и про породу. Про рабочую породу, про крестьянскую породу, про шахтерскую породу, про всякую породу. Стихи были не то что плохие, средние, но чем-то до того похожие одно на другое (может, просто в размере дело – он всегда одним размером писал), что через некоторое время, как он только первую строчку начнет, – на меня зевота нападает. Ну ничего не могу с собой поделать. Он не злится, а страдает. И еще читает, и в глаза смотрит жалобно, как собака. Я и книги его почитала – военные дневники, путевые заметки, пьесу – это совсем скучно. А ведь он знаменитый. И в компаниях другие писатели хвалят, находят, что образно, сильно и точно. Похвал у него по горло, а он все на меня жалобно смотрит. Патология какая-то! Постепенно вся моя влюбленность в жалость превратилась. Жалость к здоровому, богатому, знаменитому, чуть ли не самому главному мужику. Ну просто патология!

Раз он прочел стихи. Я молчу. Он сам стал их ругать, но, чувствую, ждет, чтобы я возразила. А я говорю: «Бедный мой!» – и обняла его. Он оттолкнул и так рассвирепел, что я испугалась. А вообще он щедрый. Ко многим щедрый. Помогал. Хлопотал по чужим делам. Связи у него мощные – почти всегда добивался. Аркадий мне рассказал: в сорок девятом его, Аркадия, арестовали (ни за что, разумеется, ошибочно). А Сергей Васильевич его вырвал, спас. «С тех пор я его раб на всю жизнь» – это Аркадий так говорит. И правда, раб. Иногда жутковато становилось от его любви и преданности. Казалось, он за Сергея и убить и предать может.

И все, с кем он меня знакомил, были его друзья, и такие друзья – в огонь и в воду! Все были ему чем-то обязаны, серьезным, жизненно важным. Может, не как Аркадий, но вроде. И он в них нуждался – все связи использовал, чтобы помочь человеку, и любил, когда благодарили. И эти спасенные становились его новыми друзьями и новыми связями. Он очень умел любить тех, кто его любил.

Врагов я не видела. Но были и враги. О них говорили. Зло и неистово, в один голос. И часто говорили о каком-то критике, которого особенно ненавидели. Называли его Рильке. Я думала, фамилия такая. И вот однажды сидели большой компанией на даче. По телевизору что-то объявили, и вдруг все всполошились: «Ну-ка, ну-ка, послушаем Рильке!» Появляется на экране усталое лицо, умные глаза, удивленные, открытые. Говорит человек хорошо, интересно говорит. А они от каждой фразы прямо вскрикивают и обзывают его, и даже матом. А он говорит, прямо им – он-то не слышит этого. Кошмар какой-то! Потом внизу титр – «Литературовед В.А. Вангель». Я спрашиваю: «Почему же он Рильке?» Загоготали! Оказывается, этот Вангель написал когда-то статью о Рильке, а им почему-то сама фамилия «Рильке» звучанием ненавистна. Вот и прозвали. Человек на экране говорит им, а они клокочут. И тогда поняла я простую вещь. Он говорит о хороших поэтах – это и по цитатам понятно, – а мой Сережа – не хороший поэт. И простая тут зависть, а никакая не порода. Но ведь одно дело в душе завидовать, а другое – вслух и целой компанией. Да еще власть иметь и тут же решать, как ему глотку заткнуть, книжку закрыть, жизнь испортить. (И все вслух, без обиняков – они прямо этими словами говорили...) А на столе икра, и машины с шоферами ждут каждого. И любовницы, наверное, у каждого шикарные, вроде меня... Ладно, подробности той ночи вспоминать не хочется. Но дошло у нас и до пощечин в гостинице «Украина». Он просил, умолял, плакал... бить пытался. А у меня рвота началась. От отвращения. Рвало меня всей этой икрой, ухой, запахами двухместных купе. Уехала. Затаилась. И вдруг вы в стекляшку являетесь...»

Вот что она мне рассказала. Вот откуда все странности нашего знакомства. И смутно у меня на душе. Всю неделю нашей любви и совместной жизни я чувствовал ее отношение как дар Божий. Я черпал силу в беспричинности ее любви – просто полюбила меня молодая женщина, потому что я вот такой. Ни малейшей корысти нет в этой любви и никакого рассудочного оправдания. И вот нашлись причины, истоки...

Нет-нет, я не сомневаюсь. Теперь уж никогда не буду в ней сомневаться... Но... все-таки... «Она, видно, меня за муки полюбила». Это хорошо, это прекрасно, благородно... А так бы хотелось, чтоб совсем ни за что. Не зная раньше... как Маргарита Мастера. Она ведь потом узнала, что он Мастер, а полюбила так, вдруг и целиком. Одной догадкой.

Теперь я рассказал все. А все-таки лучшая минута в моей жизни – когда я утром ждал ее. Зеленая клеенка, белая бутылка, зайчики на стене. И за окном слышен звук пилы. И целый день впереди до того момента, как она досказала мне свою историю».

«Мне ни разу, ни секунды не было скучно с ним. А в тот день мы вообще просмеялись с утра до вечера. Он фантазировал, как наша история выглядит со стороны – с точки зрения Сквирского, с точки зрения Вальки, с точки зрения моего начальства. И до того это было смешно и точно. Хохочем оба, не остановиться. Он говорит: «Много смеемся, много смеемся! Не к добру!» – и мы стучали под низ стола, чтобы напасть отогнать, чтобы не зачлось нам наше счастье.

Часов в десять вечера звонок. Открываю – Карелин, бандюга, в дверях. Глазки узкие. Перегаром несет. Мерзкая рожа. А волосы прилизаны, галстук хорошо завязан, часы дорогие на руке. И от всего этого рожа еще более мерзкая.

– Ты что про меня, паскуда, Вальке наплела? Чего она от меня морду воротит? Она у тебя тогда ночевала?

Я говорю:

– Иди проспись.

А Карелин ровным голосом:

– Ты, блядища, меня не трожь! Чего Вальке наболтала? – и трехэтажным.

Выскочил из комнаты Вадим Александрович:

– Что тут происходит?

Карелин ровно говорит:

– Ах, вот кто у нас баб баламутит! Ясно-ясненько! – И ржет.

Вадим Александрович говорит:

– В чем дело? Кто вы такой?

А Карелин смеется:

– Ясненько! Вон откуда все! Знакомая харя. Я вашу породу знаю!

Вадим Александрович:

– Уйдите!

А Карелин:

– Заткни хавальник!

Тогда Вадим Александрович рванулся:

– Вон отсюда! – и толкнул его рукой в грудь.

А Карелин боксерским ударом, снизу – крюк он, что ли, называется, – в солнечное сплетение. Вадим отлетел к стене и сполз по ней. И сип какой-то страшный. Не из горла, а прямо из легких. Я к нему кинулась, а Карелин медленно подходит – я еще запомнила: сверкают ботинки – красное с зеленым на толстой подошве. Вскочила – и на него с кулаками. Бью. А он не защищается. Смеется:

– Счас я кончу твоего старика...

Я говорю:

– Уйди! Уйди, умоляю! Уйди, гад! Что хочешь отдам, только уйди, умоляю, гад!

Он смеется и ровно говорит:

– Дай десятку.

Я кинулась к пальто – оно тут же на вешалке висело. Шарю по карманам – и нашла. Держу десятку в руке, смотрю в эти узкие глазки – и со всей силы открытой ладонью с этой десяткой ему в рожу. Только руку ушибла – как о бревно ударилась. А он зубами десятку ухватил, оскалился, носом пошмыгал и, не выпуская десятки, «пока!» – говорит. И ушел.

Перетащила я Вадима в комнату. Немного пришел в себя. Хотела «скорую» вызвать – он ни в какую:

– Мне лучше, мне лучше.

Вроде и вправду лучше стало – дыхание нормальное, двигается. Но лицо серое-серое.

Потом даже совсем ничего. Даже ужинали за столом. Он опять шутить пытался, но уже не смешно было. Легли. Обнял он меня, налег, а я чувствую – его озноб колотит. Выскользнула.

Говорю:

– Врача надо, – и одеваюсь.

А он:

– Утром, утром! Иди сюда. Дай же мне с тобой последнюю ночь побыть.

Я заплакала. Села рядом.

– Больно? – спрашиваю.

Он говорит:

– Иди ко мне.

А я:

– Лежи, лежи, я тут, я с тобой... (Или я его на «вы» называла? Нет, тогда на «ты».) – И глажу по голове и целую. Он сдался. Утих.

Потом говорит:

– Я тебе целый день рассказывал, веселил тебя, а у тебя вон, оказывается, какие знакомые. За это ты мне теперь рассказывай. (Господи, что ж я, уже забываю, что ли? Значит, и он меня на «ты» звал? или нет?)

Я говорю:

– Лежи, лежи.

И стала рассказывать, как впервые узнала про него. Он молчал. Говорила я долго. Он так ни слова и не сказал. Я и не знала тогда, дослушал он до конца или нет. Убаюкала.

Утром лучше не стало. Он дал мне телефон, и я позвонила с почты в больницу Ленина доктору Раскину. Раскин сказал: «Привозите». Ехали на такси – Володя Гущин через милицию вызвал. Про Карелина я Гущину не сказала. В такси мы сидели обнявшись. Он шутил, пел, как акын, – что вижу, про то пою: «Вот ма-а-аши-на быстро едет, вот тридцатый ки-и-лометр, ой, везет ма-а-ашина пылкого любовника, ой-ой-ой, да в бе-е-лую больницу».

Мы простились в приемном покое. Чувствовал он себя прилично. Обнял меня и говорит:

– Иди, иди.

Я говорю:

– Я буду ждать.

А он говорит:

– Чего ждать-то? – Потом Раскину: – Вот, Максим Семенович, это моя любимая женщина.

Я заплакала и убежала.

К нему меня не пускали. Я познакомилась с медсестрой Людой, Раскину звонила, записки ему писала – все равно не пускали. А жена ходила – два раза я ее видела. Не знаю, заметила меня или нет, – смотрела она прямо перед собой и вниз, и темные очки на глазах.

Один раз Люда передала мне от него записку:

«Не надо тебе сейчас меня видеть. Не надо. Я все помню. Твой В.»

Я добилась приема у Раскина. Мне показалось, что он смотрит на меня с любопытством и осуждением. И тоже сказал мягко:

– Не надо вам сейчас его видеть. Он нервничает.

Я спросила, рассказал ли ему Вадим Александрович про удар, про Карелина.

Он сказал:

– Да.

Я спросила:

– Это из-за этого все?

Он отвел глаза:

– Видите ли, организм вообще расшатан... нарушено равновесие... И потом... мы будем оперировать. После операции я пущу вас. А сейчас не надо. Поверьте! Извините, меня ждут.

Я решила убить Карелина. Всерьез. Я не знала, как я это сделаю, но уверена была, что придумаю. Пошла на базу тралового флота, чтобы сказать ему, что я его убью. Зашла к диспетчеру. Спросила. Он странно посмотрел на меня:

– Зачем вам Карелин?

Я говорю:

– По делу.

Диспетчер сказал, что Карелина забрали в милицию, и назвал тот самый день, когда он к нам приходил. Сказал, что на этот раз сядет крепко – натворил что-то серьезное. Мне стало обидно, и почувствовала я себя совсем ненужной.

Двадцать второго была операция. Я работала. Звоню в больницу, а там все занято и занято. Как назло. Дозвонилась только около часу, а операция в десять началась.

Спрашиваю:

– Как состояние Вангеля?

Отвечают:

– У нас такого нет.

Я кричу:

– Как нет! Вы посмотрите, он на операции.

Говорят:

– Нет такого, звоните в справочное.

Оказалось, телефонистка на коммутаторе соединила со второй хирургией, а он-то лежит в первой. Дозвонилась в первую. Прошу Люду.

Она говорит:

– Кто это?

Я говорю.

– Я.

А она плачет в трубку.

Примчалась в больницу, к Раскину.

Он говорит:

– Нельзя было ничего сделать. Оперировала Холодова. Я присутствовал. Ничего нельзя было. – Курит, и рука сильно дрожит.

Я говорю:

– Где он? Скажите мне, где он? Покажите мне его, я не уйду без этого.

Он говорит:

– Пойдемте.

Пришли в морг. Стоим смотрим. Курим.

Раскин говорит:

– Я очень любил его.

Я спрашиваю:

– Да? – А потом закричала: – Не надо было мне его видеть? Не надо было? А это мне надо видеть? Надо мне видеть это? Надо? – И остановиться не могу.

Раскин увел меня к себе в кабинет. Отпоил. Я полежала и пошла. Зашла в кино. Отсидела какой-то фильм. Ничего не помню – ни что показывали, ни в каком кинотеатре была. Потом иду по улице и вспомнила: Люда Спивак что-то сунула мне в сумку, когда я из больницы уходила. Достала и прочла его листки. Сидела, помню, около Пушкина и читала раз десять подряд. Ничего не понимала.

Панихида была в Доме писателей. Народу пришло очень много. Были и знакомые лица, знакомые по прошлой моей жизни. Здоровались. Наверное, считали меня своей, особо не задумываясь, мол, я здесь с кем-нибудь. К гробу я не подошла. Там неподвижно сидела жена, зажав руки между колен. Около нее – седой человек с большим добрым лицом. Все время наклонялся к ней, что-то говорил и обнимал за плечи. Кто-то играл на рояле. Очень хорошо. Речи говорили. Потом вдруг седой оказался около меня и заботливо спросил:

– Как вы себя чувствуете?

Я говорю:

– Нормально.

Он мягко взял меня за руку и вывел на мраморную лестницу:

– Могу я вам чем-нибудь помочь?

Я удивилась:

– Нет, – говорю, – все нормально.

Он говорит:

– Вам лучше уйти сейчас. Вы извините, но не надо вам сейчас здесь быть... Понимаете... его жена...

Я говорю:

– Понимаю.

Вдруг выходит на лестницу молодой, в очках, с большими залысинами. Он тоже близко к гробу стоял. Говорит:

– Не надо, дядя Коля, не надо. – Потом мне: – Если хотите, вы можете поехать на кладбище. Во втором автобусе. Там будут места, – и ушел.

Седой сказал:

– Извините меня. Если хотите, поезжайте.

Я сказала:

– Да что уж теперь... А этот, в очках, кто был?

Седой помолчал, уставившись на меня. Потом сказал:

– Андрей Вадимович.

Все. Все я рассказала. Говорят, у писателей ценят каждую строчку архива. Вот у меня много его строчек. Жалко, я дневник порвала. Я сразу пожалела и потом разглаживала страницы. Но несколько последних – совсем в клочки. Это я на него единственный раз тогда сердилась за то, что он обо мне в третьем лице и так наблюдательно-холодно пишет.

А последняя его запись – неверная. Не понял он. Я его так и полюбила, как он хотел. Как Маргарита Мастера. Точь-в-точь. А он не поверил.

Что же делать с этими страницами его? Куда их деть? И куда мне от них деться? Господи, не у кого спросить. Только он мог мне ответить. А теперь уж никто никогда ничего не скажет.

Сегодня 4 февраля. С утра идет снег. Все засыпано, фундамент дома 3-а со всеми железками и начатыми да брошенными стенками исчез под снегом. Ровное высокое место. Сейчас половина двенадцатого. Ладно, подождем до весны.

Лена».

III. В безвременье

1

По пятницам на даче у Лисянских обычно собирались очень интеллигентные люди. Много говорили о беге. Сам Николай Владимирович три года назад буквально убежал от инфаркта. Врачи говорили «ПОКОЙ», а он бегал, врачи говорили «НА ГРАНИ», а он трусцой до соседнего поселка и обратно. И выиграл. Убежал. Правда, через полгода, уже зимой, когда не бегал, а плавал в бассейне, трахнул такой инфаркт, какого врачи даже и не ожидали. Теперь Николай Владимирович сам не бегал, но другим советовал и поговорить о беге любил.

Бегали – зять Николая Владимировича (тоже Николай Владимирович), его (зятя) мать Марина Иосифовна, сводный брат Артем. Все еще бегала сестра старшего Николая Владимировича Вера Владимировна, но меньше, чем прежде. Бегали многие соседи и сослуживцы. Худо-бедно, но бегали почти все из сегодняшних гостей, в том числе я.

– Не знаю, – сказал доктор Клейман, лечивший Николая Владимировича от того самого инфаркта, – не знаю почему, но бегущая женщина вызывает у меня жалость и насмешку. Я могу понять мужчину. Тут самоутверждение, укрепление мышц, надежда на усиление потенции – короче, дань древнему культу силы. Но женщина! Не понимаю. Если бы мне нравилась женщина и вдруг однажды я увидел бы, как она на рассвете в этом неэстетичном трикотаже, в тапочках или этих кроссовках трясет своими формами, думаю, все было бы кончено. У женщины от природы укороченные ноги. И то, что женщины ходят на каблуках, – величайшее достижение цивилизации. Надо ценить это. Женщина не должна опускаться на землю...

– Бывают женщины с длинными ногами, – проговорил физик Шальнов, наливая себе в рюмку коньяк.

– Относительно длинными! – воскликнул Клейман. – И все равно – каблук украшает любую женщину. Не серьги, не кольца, которые вообще, по-моему, мерзость, а каблук.

– На пляже вам, значит, женщины тоже не нравятся? – пронзительно спросила Нина Шальнова, глядя на Клеймана сквозь сильные очки и густой дым от дурно горевшей сигареты.

– Терпеть не могу. – Толстые губы Клеймана сложились в презрительную улыбку.

– Ну а вообще раздетая женщина? – Нина загасила сигарету и сильно дунула в воздух, разгоняя дым. – Или для вас все надо снимать, а каблук оставлять?

– Ну-ка, налейте там Драгомиру и Риммочке. – Николай Владимирович встал и протянул бутылку через стол, разделяя спорящих.

Но Нина продолжала пронзительно скрипеть:

– Не слишком ли много условий, чтобы вам понравиться? Что-то тут не в порядке.

– Ну хватит, тут дети, – сказал Николай Владимирович.

– Ничего, ничего, нам интересно, – прозвучал грудной голос семнадцатилетней Вики, дочери полковника инженерной службы Андрея Андреевича Спелова, минут десять назад побежавшего на станцию встречать жену. – Правда, нам интересно, Вадик?

Вадик Шальнов снял очки, стиснул зубы и побледнел. Нина Владимировна внесла кастрюлю с вареной картошкой. У Лисянских кормили просто и добротно.

– Человек должен бегать. Бег запрограммирован в нем, как во всяком живом существе. Это одно из естественных состояний, – говорила она, шмякая на тарелки желтые дымящиеся бомбочки. – Тот, кто только лежит, сидит и ходит, перестает быть природным существом. Отсюда и болезни, и хандра, и все прочее. И это, Марк Семенович, одинаково относится и к самцам, и к самкам.

– Да надо просто форму держать, – мелодично пропела красавица Римма и подвела раскрытые ладони под собственный бюст, показывая, как надо держать форму. – Чтобы живот не висел, чтобы жиры не тряслись как студень.

– Как врач и как мужчина, я тебе скажу, Риммочка, с полной ответственностью: всякий орган от упражнения растет, а не уменьшается. Никто еще не худел от бега. От бега только потели. А чтобы похудеть, надо, миленькая, хлебца не есть, от этой картошечки, которую ты пожираешь, отказаться.

– За всеобщее похудение! – поднялся с рюмкой в руке коротенький стокилограммовый Драгомир Пенальтич, поэт сербского происхождения.

Все засмеялись и выпили.

Под картошку со шпротами хорошо пошел разговор о голодании. Одни отстаивали полуторасуточное голодание еженедельно. Другие держались недельного голодания раз в три месяца. Коля (Николай Владимирович младший) в принципе не возражал против длительного голодания, но при соблюдении твердых правил.

– Клизма! – кричал он. – Ежедневно двухразовая клизма. А иначе это все самодеятельность.

– Это правильно! – низким басом пророкотал Пенальтич. – Голодающий без клизмы – какая-то насмешка над голодом. Голодающий с клизмой – уже профессионал. А с двумя клизмами – мастер!

Все снова засмеялись и выпили.

Жена Шальнова зачитала какую-то сложную американскую диету для кинозвезд. Но сбилась, потому что диета была записана в ресторане на бумажкой салфетке. Салфетка еще долго належалась в сумочке, натерлась среди дамского хлама, и буквы стали разрушаться.

— В девять утра — пол-апельсина, — с трудом читала она, — в одиннадцать сорок пять — стакан молока... без масла и... шесть слив...

(Шальнов резко наклонился над столом и затрясся от злого хохота.)

— ...До пяти вечера — ничего, даже воды... А в пять — стакан гранатового сока с медом и лимонной кислотой...

Потом пошла совсем ерунда, и, когда Нина Шальнова, вплотную прижав салфетку с бледным текстом к толстым стеклам очков, произнесла «на третий день... ночью — два стакана бульона...», стали смеяться все, а Николай Владимирович утирал пухлыми кулаками слезы и кричал сквозь смех:

— Хватит, Нина! Второй инфаркт сейчас будет. Хватит!

— Надо о беге думать! — говорил Шальнов за чаем с тортом. — Нельзя бежать и одновременно думать: достать новую резину — металлокорд или ехать наваривать на Сиреневый бульвар? Бежать и думать о беге! Не о том, что еще пять — десять минут, и бег кончится и можно будет блаженно ступить на полную ступню. Нет! Само мучение бега должно превратиться в удовольствие. Бегу и еще хочу. Уже не могу, но хочу. Хочу и начинаю мочь. И тогда уже трудно остановиться.

Чай отхлебывали. Коньяк пили. Заплетались разговоры. Озарялись мысли и перемешивались языком в невнятицу. Ползли обиды изнутри. Но давили их — зачем? кому нужно?

— Нет, про это не надо... я про то, что вам всем интересно... Понимаешь? Понимаешь, что я хочу сказать?

– Понимаю. Я-то понимаю.

– Врешь ты. Как ты можешь понять, если я сам не понимаю, к чему я клоню. Молча все вижу. Объемно и ярко. А попробуй выговорить – мутнеет. И тогда начинаешь к чему-то клонить. И клонишь, и клонишь... до того, что самому скучно продолжать. И к чему клонил – забывается. Всё в тупик... О чем мы? А, да! Мы о беге... едином и вездесущем...

– ...

Коля говорил:

– Мой шеф бегает утром пять километров и на ночь два! И теннис в обеденный перерыв. Жена молодая. Книжки пишет. На концерты ходит, по-немецки разговаривает. Шестьдесят четыре года. Седина красивая, лысины нет! Любовница есть, и не одна... Ну где мне взять силы, чтобы его догнать? Нет у меня сил! Денег не хватает. Я же много зарабатываю – тут, там, то-се... а все равно не догнать!

– Да уж, убегать и догонять хуже нет. У кого заварено, у того заварено!

– Вот это верно! Из яблока ананас не сделаешь! Никому не нравится быть толстым. И так и сяк, и до пота, и до кондрашки... Но не могут же все стать худыми...

– Почему не могут, собственно?

– А вот не получается же! Сам видишь.

– Да не вижу... Вроде как раз получается.

– Да пошло оно все к такой-то матери! И бег, и карате это подлое, извини, Вадик, это не про тебя... и вся наша ежеминутная забота о здоровье, об удобствах. – Это говорил я. Звали меня Борисом Бобровым, и я тоже сидел за этим столом. Зло вдруг взяло на себя и на всю нашу пожилую компанию.

– Нет, дядя Боря, это вы н-н-н-не то, н-н-н-не так. – Вадик Шальнов был бледен, даже бел... как мороженое, которое он в это время поедал. – Ка-ка-карате – это н-н-н-не только мышечная тренировка и даже н-н-н-не только п-п-психологическая. Эт-э-то способ жизни!

– Выживания! Способ выживания! – закричал я и со злости налил себе еще коньяку. – Чертовщина. Чертовщина! Это же все со страху. «Голая рука»! «Синяя нога»! «Самозащита без оружия»! Боимся друг друга, вот и тренируемся... до инфаркта... Ты прости, Николай Владимирович, это не про тебя... – Я налил коньяк, хотел заесть ореховой верхушкой торта, но вместо этого, уже держа корку торта в ложке наизготове, опять заговорил в повышенном тоне: – Все тренируем – руки, ноги, шеи, кишки. Все, кроме мозгов. Кроме собственного дела, профессии. Строитель должен в строительстве тренироваться. И только. Аптекарь – в лекарствах. Инженер – в инженерном деле. Вот как музыканты. Или как халтурщики, которые двери обивают. Потому у них и качество... (Я уже чувствовал, что тупик близко, и у самого возникали возражения всем моим выкрикам, но остановиться не мог.) А вот нет! Все бегают. Все курить бросают. Спичку на улице не допросишься. «Я бросил!», «Я бросил и вам советую»! Жуть! Всеобщее соревнование, кто дольше проживет. Зачем? Можете себе представить Чехова, каждый день играющего в теннис? В пенсне, с бородой. А он же молодой был. Мы-то постарше. А уж Колин шеф ему в отцы годится. Или Гоголь три раза в неделю в бассейн ходит. И брассом, брассом! В шапочке резиновой! Или Крылов бегает возле решетки Летнего сада, чтобы похудеть...

Уже смеялись, а я все еще злился.

– Так они, дядя Боря, верхом ездили, фехтовали, гири поднимали...

– Кто, Гоголь фехтовал? С кем? Чехов, что ли, верхом ездил? Он писал и лечил людей. И все.

– И что? – крикнул Коля. – И умер. В сорок лет. И нет Чехова.

– А твой шеф еще шестьдесят проживет, еще трех жен сменит. Зубы новые из фарфора вставит – и пошел целоваться по новой! И еще пара сотен таких, как ты, будут за ним гнаться и завидовать. Вот я тебя тоже спрошу – и что?

– А Пушкин? – спросил Николай Владимирович. Он снова плакал от смеха и тер глаза кулаками.

– О-о! Пушкин, да! Тот и верхом, и бегом, и вплавь. И в пинг-понг, и в бадминтон. (Я вдруг действительно очень ясно представил Пушкина с легкой бадминтоновой ракеткой в руке. И это было убедительно и опровергало все предыдущее.)

– Так что отсюда следует? – спросил Шальнов.

– Отсюда следует, что Россия – родина проблем. Это я давно понял. – Пенальтич стал неуклюже выбираться из-за стола. – Симпатичные вы люди, но тяжелые. Не для меня. Мне-то вы как раз нравитесь. Для самих себя тяжелые. Тридцать лет тут живу, а вот никак не привыкну. Иногда думаю, как все у нас, в Европе, о вас думают, – вы особо глубокие, вы страдаете, вы открытые, а иногда вдруг кажется – нет в вас простоты. Другим не доверяете и себе не доверяете. Не живете, а обсуждаете жизнь. И критикуете, потому что у вас это признак ума. Ругаю – значит, умный. Соглашаться совсем не умеете. Японцы соглашаются по традиции, из почтения. Немцы подчиняются. Англичане не соглашаются, но помалкивают. Французы возражают. А вы вроде и не возражаете, а втихаря ругаетесь. Э! Я сейчас подумал: может, у вас потому так много матерятся, чтобы умным выглядеть? – Серб засмеялся.

Но мы не поддержали его. Как-то обидно он сказал: «У нас, в Европе»! А у нас где?

– Ты что это тут? – раздался голос Пенальтича из кухни. – Дай сюда.

Через раскрытую дверь я видел Вику Спелову, забившуюся в угол драного, сосланного на дачную кухню диванчика. Драгомир вырвал у нее изо рта сигарету и брезгливо разглядывал, слегка покачиваясь на слоновых своих ногах.

— Не подражай, глупая! Не смотри на них. Я тебе покажу — курить! Вон какая у тебя грудь. Большая и красивая. Как у матери. Тебе скоро рожать. Не кури. А где отец? Где Андрей? Ушел? Когда?

— Маму побежал встречать.

2

Полковник Спелов бежал лесом. Особенно тяжело дался кусок от последнего дома поселка до трансформаторной будки. Скучный кусок. Улица здесь сжимается в тропу, и по обеим сторонам припахивающее болотце. От будки он круто взял влево. Здесь узкая тропа, вымощенная хорошо пригнанными друг к другу сухими выступами корней, легким уклоном катилась извивами к просеке электроопор. Эти четыреста — пятьсот метров всегда были самыми приятными. И сегодня — тоже. Но тоскливые восемьсот шагов (двойных) до трансформатора что-то слишком измочалили. Вспотел и даже на тропе не отрегулировал дыхание. Ни рюмки нельзя. И накурено у них. Как будто сам полпачки высадил. От просеки опять пошло вверх. Но тут круто, да коротко, а от школы уже видны два ряда огней на платформе. Андрей Андреевич сосредоточился и попробовал мысленно «вынуть пробки». Открылась широкая круглая дыра в диафрагме. Почему-то она всегда представлялась с сеткой-фильтром. Взял вдох вечернего пахучего июньского настоя. На сетке осели соринки и мелкие крошечки гари. Воздух омыл сердце, поднялся вверх и, слегка испачканный желтой внутренней копотью, вылетел через узкую воображаемую дыру правого глаза. Полковник слегка припадал на левую ногу. В подушечке правой уже два месяца как поселилось какое-то неудобство. Какое-то неудобство от присутствия Риммы у Лисянских. Галя опять будет смотреть мимо, демонстративно курить и по праву старой дружбы сидеть в обнимку то с Борей, то с Клейманом. А у него будет ныть висок, будет жутко хотеться курить. Вике надо купить горные лыжи. Сейчас. Зимой опять будет поздно. Неужели отпущу ее одну в зимние каникулы? В ноябре восемнадцать. Вадик Шальнов славный, но он ее не интересует. Она дразнит его. Резко выбросить желто-черную струю из дыры правого глаза! Думать о выдохе. Выбросить... Выбросить весь прошлый год из жизни. Ненужный откровенный разговор с Риммой. Летнее холостяцкое житье. Галя с Викой уехали в Феодосию. Галя снималась в этом сопливом фильме по Грину. Римма позвонила прямо при нем. И явилась Алла. Зачем я был ей нужен? Ведь она роскошь... действительно роскошь. Не моя, не для меня. Но ведь говорила же, что... да и не только говорила. Это же нельзя сыграть. Это физиология... Или можно? Но зачем? Смешно, что я полковник. У полковника должен быть полк. А у меня отдел и двадцать конструкторов-интеллигентов. И жир нарастает. Сколько ни бегай. И бег тогда же начался. И бег и Алла – как упражнение. Сперва было так приятно. И легко. Так поверилось этому шепелявому еврею-доктору. Вы увядаете. Не пугайтесь слова, но климакс приходит к каждому. К вам еще не пришел, но... Вам надо жить более мужской жизнью. Побольше нагрузок и посмелее. Вы ржавеете от отсутствия новизны. Я люблю Галю, я для нее хотел остаться мужчиной. Алла не моя роскошь, с самого начала это знал... Она всегда... Но почему она так плакала, когда... Ее день рождения восьмого августа. Стареть стыдно. Сам виноват, испортил жизнь. Выдох через сердце. Как раз к поезду.

Но поезда не было.

Подкатил встречный из Кирилловской. Остановился на секунду, мяукнул и тронулся, заныл, застучал, оставив на платформе девицу с чемоданом, который она тащила обеими руками. Андрей Андреевич шагал по своей платформе и все утирал пот – и рукой, и платком, и рукавом тренировочной куртки.

Двое сидели на платформе под фонарем, под столбом света и мошкары. Играли в шахматы. Не играли, а смотрели на доску. Фигуры стояли неподвижно, и игроки сидели неподвижно. На той платформе за двумя путями пьяноватый парень с велосипедом перегородил дорогу девице и что-то бормотал, пытался взять ее чемодан. Подвезти, что ли, хотел? Девица отталкивала его руку.

– Уже на десять минут опаздывает, – вслух раздраженно сказал полковник.

Один из шахматистов поднял припухшее лицо с узкими припухшими глазами:

– Если вы двадцать три семнадцать ждете, то его отменили.

– Когда?

– Вчера еще. Теперь двадцать три сорок одна.

Глаза шахматиста смотрели с любопытством. Цепко. А белые подушечки под глазами еще подчеркивали это особое внимание. Второй, толсторукий в бобочке, с металлическими зубами и в металлических очках, не поднимал головы и не шевелился.

– Задачку хотите решить? – сказали подушечки. – По пять рубликов, а? За белых выигрываю, за черных делаю ничью. Вот позиция стоит. Любыми, а? Думать сколько хочешь.

– Нет, я в этом не понимаю.

Андрей Андреевич прошагал к расписанию. Лампочка внутри павильона не горела. Он зажег спичку и поводил огоньком в низу длинной доски. Против «23.17» была наклеена белая бумажка, и жирными буквами – «ОТМЕНЕН». Спичка погасла.

На противоположной платформе опять показалась девица с чемоданом. И велосипедист. Видимо, она вернулась под свет вокзальных фонарей из боязни остаться с ним наедине. Они опять ругались. Девица стала кричать шахматистам через рельсы:

– Мужчины, ну скажите, чтобы он отстал!

Полковника в тренировочном костюме она не видела. Он сидел в темноте павильончика и, невидимый, смотрел на них.

Девица оказалась прижатой к ограде платформы. Парень одной рукой все еще держал велосипед, а другой, правой, слепо водил по ее телу и бормотал неразборчивое.

– Подонок прыщавый! – крикнула девица и толкнула его.

Тогда он ударил ее по лицу. Раз и другой.

Андрей Андреевич соскочил с платформы, перебежал рельсы и легко влез на противоположную. Поступки рождались сами. Без предварительного замысла. Он схватил парня за шиворот тонкой фирмовой куртки и рванул... От неожиданности парень повалился на него вместе с велосипедом. Полковник устоял. На вытянутой руке провел прыщавого по кругу, с удовольствием ощущая физическое превосходство, оттолкнул. Схватил велосипед, поднял и перебросил через ограду в кусты. Парень пошел на него, пытаясь расстегнуть ремень с тяжелой фирменной пряжкой. И опять как-то удачно полковник ухватил его за куртку, развернул, побежал по платформе, толкая его впереди себя, и наконец спустил с невысокой лестницы. Уже в свете приближающегося поезда. Вывалилась большая компания, и девица с чемоданом растворилась в ней.

Сейчас и Галин поезд должен подойти. По лестнице поднялся на свою платформу. Возбужденный и чуть встревоженный.

Когда стихли шумы электрички, стало слышно, как парень, матерясь, выдирает из кустов свой велосипед.

– Не. Не знаю, – сказал шахматист в очках.

– Ладно, Вова! Гони рублики – покажу. Из пешечки не ферзя, а коня надо делать. Так?! Теперь так – шах! Ты –

сюда. И конь встал на место. А теперь пешка вперед. И неизбежно. Так?!

– Ну? Как же неизбежно? А если за черных? Как же ничья?

– Налей. (Звякнул стакан.) За черных! По троячку?!

Андрей Андреевич прошел мимо. А разговор продолжился.

– Может, наказать? – спросил очкастый.

– За черных я играю на а-4, – говорил припухший, – и потом...

– Может, наказать? – снова спросил очкастый, скрестив огромные руки на коленях

– Кого? – рассеянно проговорил узкоглазый.

– Да этого, который Алешу обидел. Слава, ты спроси Алешу, захочет он?

– Можно... – процедил узкоглазый.

– Червончик, и при нем все сделаем. Ты спроси Алешу, может, захочет?

– Теперь играю h-8 и все. Ничья.

– Пойдем сходим... Спроси его...

Безмолвно показался дальний сноп света. Шла электричка. Полковник стоял на ближнем к поезду конце платформы.

Белые подушечки поднялись, подошли к краю и негромко крикнули в матерящиеся кусты:

– Алеша!

3

Я думал о том, что исчезли странные люди. Раньше на пляже обязательно было хоть одно сверхпузо. Оно не скрывалось, не пряталось. Оно себя показывало. Владелец обыкновенно был полон остроумия. Не щадил себя, но и других не щадил. Вокруг пуза всегда компания самых хорошеньких девушек. И всем было хорошо. Обе стороны оттеняли друг друга, и каждый ощущал себя кем-то. Определенность была. Раньше бывали хилые люди, карлики, кривобокие, толстозадые, грушевидные, с асимметричными лицами, те, кого дразнили скелетами... Разные бывали. Теперь как-то уравнялись. То ли питание лучше, то ли время появилось собой заниматься. Кто очки в пол-лица наденет, кто прическу соорудит... Кто массажем, кто бегом – и подравнялись... И продолжают себя улучшать... converge сводить к середине. Даже клоуны в цирке стали не особенные – смешные, – а нормальные молодые люди с известно зачем приклеенным тоже нормальным носом, с нормальным голосом. Обыкновенный средний сверхчеловек. И внутри? Ну я-то нет. У меня внутри все разлажено. Может, и у других? Но ведь мы все молчим об этом. Слава бегу! Слава Богу! Что-то буквы путаются. Не те выскакивают. Я не помню, говорил я тогда об этом или только думал. Кажется, частично говорил. Я вспомнил дядю Кучу – сапожника в полуподвале на углу Свердлова и Трудовой. Это было перед войной. Он был огромной грушей. Он всегда сидел у своего окошка, через которое брал и отдавал обувь. Лицо-груша сидело на теле-груше. Он сопел и смачно дырявил подошву шилом. Смачно заколачивал в дырку деревянные гвоздочки. Он всегда чинил обувь, никогда не делал ничего другого. И угол улицы был живой. Дяде Куче несли туфли, деньги, шкалики водки, куски пирога, бутерброды. Дети любили сидеть около его окна, и каждый занимался своим делом. Потом он умер, и окно заколотили.

Угол стал мертвым, и уже никто не сидел на удобной скамейке. А потом и скамейку украли. И если произносят слово «сапожник», у меня перед глазами давний дядя Куча, а вовсе не тот молодой парень, который за пару рублей сверх берет вне очереди мои ботинки в нашей мастерской и занимается водными лыжами. Он не сапожник, хотя чинит неплохо. Он воднолыжник. Обыкновенный средний воднолыжник... и картингист.

Низко над тарелкой, поедая арбуз и выплевывая косточки, Шальнов говорил:

– У меня примерно сорок болезней, как у всякого. Окулист сказал: вам нужно по пять минут утром и вечером заниматься глазами, и дал набор упражнений. Десять минут в день всего! И за зубами надо следить – что поделаешь, пародонтозик. Пять минут массаж. Так! Пятнадцать минут дыхательная гимнастика. От плоскостопия надо бутылку ногой катать. От гастрита – льняное семя заваривать, десять минут мешать ложкой. Шесть упражнений от радикулита. Шею надо разминать. И общая гимнастика. И бег. Бег надо все время удлинять. Все время ушло на поддержание жизни. А жизнь где? Где время, когда хоть какие-нибудь мысли приходят?

– А ты брось все это, – сказал Пенальтич. – Встань утром, закури и мысли.

– Нет, не брошу.

– Почему?

– А не поймут. Это выпад против общества. А я не хочу ни в обидчиках, ни в обиженных ходить. Вот и буду поддерживать жизнь. Попробую тебя пережить.

– Попробуй. Марк, а ты бегаешь?

– Я все делаю, – Клейман катал орешек в твердых губах, – только без расписания. И так вся жизнь по сетке. Надо рушить сетку, а не дополнительную создавать.

Хозяйка, Ольга Сергеевна, молчавшая весь вечер, вдруг рассмеялась:

– Какие мы все старые. И разговоры старческие.

– Но, но! – угрожающе крикнул Пенальтич.

– Разговоры – не возражаю: дурацкие разговоры. А насчет «старые»... Да вроде еще ничего.

– Это вы про что, Марк? – спросила Ольга Сергеевна.

– А вы про что?

– Не про это.

Николай Владимирович поднялся:

– Без четверти двенадцать. Что же Андрей-то?

– Галя едет после спектакля.

– Пора бы уж. Может, они домой пошли.

– Нет. Папа сказал – сюда. – Вика появилась в дверях. За ней – черным жуком со сверкающими линзами очков – Вадим.

– П-п-пойдем встретим, – тихонько заикнулся Вадим.

– Чего встречать? Мамуля не успела, мамуля застряла. На следующей, значит, приедет.

Вот тут я и предложил:

– А правда, встретим их. Пробежимся легонечко. За утро зачтется. Завтра ведь не захочется после перекура.

– Пошли! – резко поднялся Шальнов. – На улицу! На воздух.

Нина погасила сигарету.

– Я бы тоже пробежалась – на спор! Жаль, что на каблуках.

Ольга Сергеевна сказала снисходительно и насмешливо:

– Да кеды у нас на всех найдутся. Этого добра в доме больше, чем другого.

Выволокли груду топтаной обуви. Надевали весело, одновременно, как в музее тапочки. Николай Владимирович тоже стал натягивать.

– С ума сошел?

– Да я легонечко. Что вы меня списываете?

– Ладно. Я рядом побегу. Со мной можно, – сказал доктор Клейман.

Вика взяла гитару и села в углу. Вадим топтался в дверях.

– Бежишь? – спросил Шальнов-старший.

– Да н-н-неохота. Б-б-бегите уж сами.

Пенальтич налил себе коньяку и молча поднял рюмку, прощаясь с нами. Мы весело построились, заняв всю ширину Лесной улицы. Нину заметно пошатывало.

– Останься, не надо тебе, – сказал Шальнов.

– Оставь меня в покое.

– Вперед не рваться! Потихоньку. А то мне вас, старички, всех не откачать. Ну, поглядим... Так, двадцать три пятьдесят одна... Сорок секунд... пятьдесят... пошли!

– Салют ненормальным! – крикнул Пенальтич из окна и хлопнул пробкой шампанской бутылки.

4

На ходу говорить было неудобно. Андрей говорил. За эти пятнадцать минут на платформе в нем снова поднялись к горлу и любовь, и страх разлуки, и ревность. Если бы она не приехала этим поездом, он рванул бы в город. Как был, без денег, в тренировочных штанах. Побежал бы.

– Между нами стена. Я не могу так. Не могу за стеной жить. Ничего не говори, ничего не вспоминай, я люблю тебя. Понимаешь ты это, чувствуешь? Я же старый, Галенька, зачем бы мне впустую такое слово говорить?

Галя молчала. Но не враждебно. Он знал это. По дыханию. По руке, которой он изредка касался на ходу.

Дошли до развилки возле школы. В школе светилось одно окно. Тут их обогнал велосипед с двумя пассажирами. Полковнику померещилось, что на багажнике, растопырив ноги, сидит прыщавый, но велосипед уже проехал и свернул на тропу. Хрипло брякнул звоночек – тряхнуло, на корень наехали. И исчезли в темноте. Полковник остановился и почему-то подумал, что надо бы идти по шоссе. Но Галя не остановилась, шла дальше по привычной тропе.

– Галя!

Она шла и уже растворялась в черноте. Он догнал ее. Он еще говорил и держал ее за руку. Рука была теплая. Просека электроопор серебряно освещена луной. Потом, как в пещеру, вошли в лесок. Молча зашагали, нащупывая ногой корни. Где-то впереди хрипло брякнул звоночек. За поворотом открылся кусок прямой, чуть освещенной луной дороги. И шагах в тридцати что-то темнело. Сердце несколько раз сильно стукнуло. Он сжал Галину руку и шепнул быстро:

– Ничего не спрашивай, беги назад по шоссе к Лисянским, зови ребят.

– Андрюша!

Он больно сжал ей руку у плеча:

– Слушайся меня! Ну! – и подтолкнул ее.

Услышал ее шаги. И стихло. И фигуры на дороге растаяли. Он стоял, скрытый густой тенью. Неподвижно. Только в ушах накатывал морской прилив. Все тихо. Померещилось. Прилив кончился. Пот и жар стыда за свой страх полыхнули по лицу. Стал потихоньку отступать, не спуская глаз с дороги. Шагов двадцать сделал. Тихо. Тогда сжал зубы, стиснул кулаки и пошел вперед. Вышел из полной тьмы на чуть серебристый участок. И сразу понял, что не померещилось. Нехорошо зашуршало впереди справа. И выскочили двое... Сверкнули очки и металлические зубы.

– Папаша, зачем Алешу обидел?

– Какого Алешу?

– Стой, папаша, поговорим!

Рука протянулась. Оттолкнул. Но рука была из мягкого железа. Дернулся. Второе щупальце ухватило левую, завернуло. Андрей Андреевич молча рвался, но все больше увязал в плотных кольцах удава.

– Алеша, погляди, – этот?

Подходил прыщавый с уже снятым фирмовым ремнем. Очень серебряной в лунном свете была пряжка.

5

Галия Хасановна Янбаева (заслуженная артистка Татарской АССР, по мужу Спелова, по сцене Галина Спелова) в этот день решилась на разговор. Но с первого мгновения встречи на вокзале муж начал говорить сам и говорил не умолкая. Это раздражало. Все раздражало. Безнадежно дурацкая пьеса, которую играли сегодня. Искренне виноватый тон мужа. Предстоящее сидение у Лисянских с вечными разговорами о пользе бега. Она тоже заметно старела и боролась со старением как могла. Но тайно. Говорить обо всех этих ухищрениях как говорить вслух о женских недомоганиях. Андрей так часто говорил о своем старении, что через эти разговоры она догадывалась о своем собственном увядании. И почему-то именно ему не могла этого простить. Жизнь кончалась. Она чувствовала это и злилась. Когда она заметила перемену в муже и буквально вычислила его роман с Аллой – только удивилась. Она спросила его напрямик – с насмешкой и любопытством. Но когда он в ответ сразу все разболтал и начал плакать и каяться, в ней взыграла почти ненависть. Она терпеть не могла мягкости, податливости. Ее предки – мужчины – никогда не стали бы извиняться перед женщиной. Полковник отступал. А в ней росло брезгливое чувство, и она мстила за мягкость жестокостью. Он подозревал ее в изменах, и не без оснований. На гастролях, на съемках случались всякие мимолетности. Но главной местью был К.Н. Ее муж не мог предположить даже, что она знакома с ним. Великий К.Н., знаменитый дирижер, три четверти года проводящий в заграничных гастролях. Только раз они с Андреем были на его концерте, и Андрей плакал от восхищения... Как он мог предположить, что уже шесть... нет, почти семь лет в каждый приезд К.Н. в Москву они встречаются всё в том же люксе гостиницы «Ленинградская» в темных высоких покоях. Этой зимой умерла жена К.Н., и их связь, кроме прелести тайны и привычки, вдруг обрела перспективу. Ей померещилась другая жизнь. С заграничным паспортом. С однодневным выездом из Триеста в Венецию... Со счастливой, улыбающейся Викой, идущей рядом с ней по зимнему Мадриду. К.Н. тоже был мягок. Таков уж ее удел. Она командовала и в назначении встреч, и в конспирации, и в постели. Но К.Н. был гений, он был победитель. Ему мягкость прощалась. Она решилась. И это определяло жизнь всех троих. С К.Н. разговора не было еще. Сперва надо было резко объясниться с Андреем. И вот он шел рядом, и клялся, и извинялся. Ее решение крепло с каждым новым его признанием – неважно в чем – в любви, в измене.

Когда полковник схватил ее за руку и приказал бежать, когда потом толкнул и она почувствовала его напряжение и страх, она только еще больше раздражилась. Но потом, идя одна в темноте, невольно стараясь ступать тише и все-таки пронзая тишину стуком своих шагов, она почувствовала, как тревога охватывает ее. До этого все было чужим, не касающимся, как в плохом фильме, и вдруг, рывком, она оказалась внутри событий. Здесь! Рывком переменился ход мыслей. Как будто по ошибке выдрали здоровый зуб и там, где был покой и уверенность, вдруг открылась боль. Галия вдруг очутилась над неожиданной бездной предчувствия. Просеку она перешла быстрым шагом. Несколько раз оборачивалась. Раз даже пошла было назад. В гору уже побежала... Задохнулась, захлебнулась с непривычки. Возле развилки у школы увидела приближающегося прохожего.

– Товарищ! – крикнула она.

Человек приближался, глухо постукивая какими-то деревяшками.

– Товарищ!

Человек нес под мышкой шахматы. Внутри коробки погрохатывали фигуры.

– Товарищ!

Свет из окошка школы упал на него, и она интуитивно почувствовала: ошиблась, не товарищ.

Узкие одутловатые глаза. Белые вспухшие полоски. Начес на низкий лоб.

Испугалась. Замерла. Вплотную с тоже замершим шахматистом. И тут полыхнуло по ним обоим фарами. Машина сворачивала на шоссе. Уходила. Она вскинула руку, что-то крикнула. Машина уже прошла. Но с визгом затормозила. Взревев, подалась назад. Распахнулась дверь.

– Подвезу, Галия Хасановна.

(Сосед по Цветочной улице, дом 11, имя забыла, полковник, желтый «жигуленок», большая скучная семья, растит цветы, носит ей букеты: «С Международным днем ребенка, Галия Хасановна!»)

Кинулась на сиденье. Прочь от белых глаз. Захлопнулась дверь.

– Скорее, пожалуйста!

6

Сперва мы бежали шеренгой. Переговаривались, перешучивались. Потом замолчали. Только топот и дыхание. Стали перестраиваться гуськом.

– Не гнать! Договорились! – кричал сзади Клейман.

Самый трудный участок – от последнего дома до трансформаторной будки. Скучная дорога. Но ночью ничего. Топочем. И все больше растягиваемся. Я шел первым. Коля прямо за мной. Чуть поотстала Нина. Она все покрикивала сквозь задыхание:

– Что, Шальнов, слабо? Слабо, Шальнов?

Остальные где-то сзади. Издалека Клейман:

– Всё! Мы встали! Лисянскому хватит!

Вот и будка.

– Подождите! – Это Римма крикнула. – Подождите, мне страшно.

У будки встали. Ф-фу-у-у. Нельзя все-таки бегать после коньяка. Я расстегнул молнию на куртке. Теплый вечер какой. Даже душный. По одному подбегали.

– Николай Владимирович! Хоп-хоп! Идете?

– Идем, идем, не падаем! Надо бы Спеловым засаду в лесочке устроить.

– Ах, черт, шампанского не взяли! А то бы бабах! Из-за кустов!

– Ага, и в психушку обоих! Здорово придумал.

Наконец все подошли. Тут из лесочка выехали двое на велосипеде. Второй сидел на багажнике и болтал ногами. Хрипло побрякивал звоночек. По корням, по корням. И поехали мимо.

– Ну что, бежим?

– Хватит в молодость играть. Пойдем мерным прогулочным. За мной!

– Ой, как темно!

– А-а-а! Попалась!

– Отпусти! Упаду я.

– Не трогай меня. Я сама.

– Осторожно, тут ветка торчит. Давай руку.

– Да это уж не рука, котик.

– Как дышится, Коля?

– Нормально. Все нормально. Надо бегать. Обязательно надо бегать.

– «Возьмемся за руки, друзья, возьмемся за руки, друзья! – ну-ну, – чтоб не пропа-асть поодиночке. Возьмемся – Коля, замолчи, фальшивишь! – за руки, друзья!»

– Нет, это не под ногу. «Я не знаю, где встретиться нам придется с тобой».

– Ну вспомнил. Как с того света песенка.

– «Глобус крутится, вертится, словно шар голубой».

– Ой, что это?

– Это веточка, моя девочка.

– Да нет, вон, вон!

– Тихо, ребята! Да подождите!

– Вон как народ гуляет. Это я понимаю.

– Да подождите. Тихо, ребята!

Лежал человек под деревом в неудобной позе.

7

— Чего ты все время улыбаешься? — спросила Вика Спелова. — Злишься на меня, а улыбаешься.

Вадик побледнел и еще шире раздвинул губы в улыбке.

— Эт-т-то входит в систему обучения карате. Европейцы думают, что это улыбка, а это м-м-мимика внимания и ат-т-таки.

Вика рассмеялась и легко провела по струнам гитары. Сидели на крыльце. На ступеньках. Теперь уже в полной темноте. Повеяло прохладой.

— «Облака плывут над морем, с ветром никогда не споря», — напевала Вика.

Вадик сидел на ступеньку ниже, опираясь локтями о широко расставленные колени, плотно сцепив длинные пальцы. Рубашка на нем была черная, как его колючая шевелюра. Бескровные кисти рук неприятно белели в темноте. Белое лицо с редкими толстыми пружинками волосков.

— «Облака плывут над морем...»

— Ты д-д-д-до утра вчера сидела у них? — не оборачиваясь, спросил Вадик.

— Почти. — Вика перестала играть. — Вбей себе в башку: я не хочу терять год. Я должна поступить. Александр Федорович меня готовит. А он это умеет.

— Вы что же, ночью реп-п-петируете?

— Вчера мы в карты играли. С ним и его женой.

— Его жена с собакой взад-вперед по улице ходила.

— Походила — потом вернулась. Слушай, не дави на меня. Я не люблю этого. Мне с ним интересно. И домой идти не хочется. Я так жалею отца, что начинаю злиться на него. И тебя еще за забором увидела. Ты что, до часу маячил там?

— Попозже.

— Вот и не маячь. А то вообще не выйду в другой раз.

Вадик захрустел суставами пальцев.

– Не смей! Ненавижу!

– Чай будете еще? – спросила из окна Нина Владимировна.

– Потом, – сказала Вика, – когда наши вернутся.

Через окно веранда выглядела уютной. Старомодный натюрморт с абажуром, чайной посудой, остатками торта, четвертинкой несезонного арбуза и ярким ковриком пасьянса, который выложила Ольга Сергеевна.

Пенальтич в углу под лампой пыхтел, курил, листал книжку. Впустую беззвучно мелькал телевизор. Несколько известных артистов с перемазанными лицами ползли среди взрывов по тщательно искореженной земле.

Вика спросила:

– Ну а практические результаты есть? Ты что, с любым можешь справиться?

– Если с одним и не в-в-в-владеющим техникой, то с любым.

– А с двумя?

– Это по об-б-бстановке.

Пенальтич швырнул книжку и подошел к окну.

– Молодые, вы про что хотели бы прочесть? Заказывайте. Ну, про что?

– Не знаю, – сказал Вадик, – подумаю.

– И мы не знаем, про что писать. А все равно пишем и пишем. А вы читаете и читаете. Или не читаете?

– «Облака плывут над морем, с ветром никогда не споря».

Засигналила машина. Резко и тревожно. И сразу появилась из-за поворота – вывернула с шоссе на Лесную. Во всю длину полыхнуло фарами дальнего света. Галина выпрыгнула из машины. Не крикнула, а сказала звучно и хрипло:

– Где все? Вика! Папу убивают.

– Что? Боже мой, что? – рванулась к окну Ольга Сергеевна.

Но уже бежали. Вадим впереди.

– Где? Где? – кричал он, оборачиваясь.

«Жигуль» крутился, пытаясь развернуться в узкой улице. Но не ждали. Бежали.

— На тропе! За трансформаторной будкой!

8

— Андрей! Андрей! Что случилось? Кто тебя? Андрей, ответь. Ты же слышишь меня, Андрей! Да уведите ее куда-нибудь. Перестань визжать! Андрей, кто тебя?

— Ну что вы стоите!!! — надрывалась Римма. — Бегите же. Зовите! Не стойте, не стойте, не стойте!

— Римка, кончай истерику! — Шальнов обхватил ее и поволок в сторону, с трудом справляясь.

— Андрей, кто тебя? — Клейман сорвал с себя рубашку и обтирал кровь с лица. — Что? Что? Да заткнитесь же! Тихо!

Распухшими кривыми губами прошамкал:

— Часы... «Касио»...

— Что часы?

— Часы японские... «Касио»... снял... с шахматами. К школе пошел. Белые волосы... глаза белые...

Как мы бежали! Шальнов отстал, но то, что его шаги стучали сзади, придавало уверенности. Мы были едины — Коля, я и Шальнов. Добежали до школы. Никого. И ни одно окно не горит. К станции! Дальше, уже на открытом месте, на шоссе, увидели освещенного луной человека со свертком под мышкой. Нас было слышно. Он обернулся. Побежал к станции. Он был далеко. И тогда мы сделали рывок.

9

Вадим миновал последний дом поселка — мертвый, заколоченный — и сбавил темп. Он слишком оторвался и почувствовал себя неуютно. Хрипло звякнул звоночек, и мимо него проехали двое на велосипеде. Вадим перешел на шаг. Сзади вывернулась машина и длинным прожекторным светом проявила двух приближающихся женщин и двоих удаляющихся на велосипеде. Разминулись. Вика бежала. Что-то крикнула мать Вики. И задний ездок соскочил с багажника. Машина встала возле заколоченного дома — тут дорога кончалась, начиналась тропа, но фары светили. Мать Вики снова что-то крикнула, и Вадим понял. Резко рванул обратно, на дальние фары. А Вика уже вцепилась в того, что соскочил и метался от болотца к болотцу. Клубок. Визг. И развалился клубок. И полетела Вика на землю. Прямо под ноги бешено мчавшемуся Вадику. Перескочил и в том же прыжке — с лету — ногой! И попал! Четко, как на тренировке, но не сдерживая мах! Есть! Покатился гад к краю дороги. Кинулся Вадим к Вике, и вдруг «звяк» рядом — и больно повалился на ногу велосипед. И мягкая рука, как щупальце, как хобот слоновый, с чудовищной силой надавила на лицо, ухватила в ладонь подбородок и нос. Потянула.

И вот тут налетел Пенальтич. Набежал и, короткий, стокилограммовый, пустил себя! Вошел головой в поддых! Ххххх-а-ак! Брызнули очки о камень. Распались кольца удава. И заверещал истошно тот, первый, подымаясь с земли:

— Да вы что?! Да вы что?!

А к нему уже снова бежал Вадик. И шофер давил и давил на сигнал.

10

Как мы неслись! Какая обжигающая радость была, когда поняли, почувствовали — догоняем! Сперва коробка упала и посыпались шахматы. А потом он сам споткнулся и, уже без скорости, запрыгал, заземляясь. Зашарил по карманам суетливо. Но нас же трое! И... все вместе. Выпал ножик.

Ах, гад! В первый раз в жизни я ударил человека. Так вышло... в первый раз только. И как это оказалось здорово! Как смачно вошел кулак между носом и выступом подбородка. По губам! Хллюм! И более опытный Коля – ыыыых! Обмяк.

– Где часы?

– Какие часы? (Глаза врут! врут! Он!)

Хллюм!

– Там валяются.

– Сволочь вонючая!

И Шальнов кинулся.

11

Ах, ночка! Лучше не бывало. Жутко хотелось есть. И опять варили картошку, шпроты открывали. Водка была вкусная и не пьянила. Смеялись неостановимо. Все было смешно. И даже Андрей, он, полулежа на диване, улыбался кривыми губами. Пили за всех и за каждого. Все молодцы. Всё сами! Справились. Без милиции, без жалоб. Со своим врачом. Свезли Андрея в соседний дом отдыха. Разбудили сестру, открыли кабинет, и Клейман сам все обработал. Уверенно, быстро, с шуточками.

Светало. Спать не хотелось. Галя держала голову Андрея на коленях, гладила его нежно, шелково. И он улыбался распухшим ртом.

Вика в открытую целовалась с Вадиком.

Пенальтич прикладывал к голове утюг.

Владимир Николаевич утирал кулаками слезы и хохотал. Вспоминались все детали, все миги. И все было смешно. Даже Нина Шальнова улыбалась снисходительно и с одобрением смотрела на мужа.

У меня ссадина через все пальцы – от зубов. Болело. Но как-то приятно. И тоже весело.

– Нет, но Андрей, Андрей! А? Грудь в грудь, и женщин долой с поля боя.

– А человек без паспорта! А Драгомир-то? Он же говорил, что мы тело тренируем, а он голову. Вот голова и сработала.

– Ну, Вадик, не зря, недаром...

– Вика, отпусти его.

– ...Но когда Галя подлетела...

– ...А я сперва подумал...

– ...А вдруг мы их...

– Да бросьте вы! Еще пойдите спросите, не надо ли им чего! Выпить сюда позовите!

– ...А ведь они нас запомнят. Ведь могут...

– ...Не могут. Не смогут! Только так! Больше не сунутся.

– ...Но когда Андрей...

– ...А знаешь, такой азарт возникает... такой...

– Утюг согрелся! Давай другой! – Это Пенальтич с синяком. (Хохот.)

Какие мы! Как мы восхищались друг другом! Какая красивая наша татарочка! А Вадик! А Вика? Наша молодежь! Сила в нас! Первый раз это чувство. Общее дело! Дело? Да, дело! Самое главное, человеческое. Защитить себя и своих! Как мы их! А? Все вместе!

Совсем рассвело. Какая ночь. Ведь успели. Слава бегу!

12

Новый год я встречал в новой компании. Какие-то дизайнеры-экстрасенсы, почти незнакомые. Говорили о медитации. Было нудновато. Даже не пилось. Я сидел в стороне и в ритме музыки стучал ножичком по столу. Вспоминал нашу летнюю ночь у Лисянских. Тогда точно договорились – Новый год вместе. Но вот не вышло. Все повалилось. И как-

7-5868

то сразу. Будто мы тогда до конца выложились. И ничего не осталось. В ноябре мы похоронили Андрея Спелова. Андрюша погиб. Глупо, случайно, на ординарных военных испытаниях в Кубинке. Галя через месяц вышла замуж за дирижера. По-моему, поторопилась, даже если... Но, с другой стороны, надо было оформляться в поездку в Швецию и тянуть было нельзя. Неделю назад они уехали. Вадима взяли в армию. Вика поступила. У Лисянских внук родился – Игорь. Им не до встреч. И Николай Владимирович опять стал прихварывать. Пенальтич выпустил новую книжку стихов. В хорошей обложке и в хороших, как он говорил, переводах. Неделю ходил в Дом книги и наблюдал – покупают или нет. Не купили ни одной. Он запил. Римма моталась с какими-то иностранцами переводчицей и в Москве почти не бывала. Шальновы ссорились, мирились, опять ссорились, рассказывали про свои ссоры. С ними было скучно.

У меня что-то с ногой. Встану утром – ничего. А часа два походишь – немеет. Прямо не ступить. И как иголками. Надо стоящему врачу показаться. Клейман говорит – ерунда. А мне кажется, что нет. Но, конечно, надо преодолевать. Понимаю, что все это мелочи. Но если нет крупного ничего. Надо держаться. Распускать себя нельзя. Хороший лыжный костюм купил. Финский. Надо опять начать бегать.

1974–1983

Голос Пушкина

Апология 60-х

М. Зальцбергу

История эта давняя, хотя все ее участники живы и поныне, даже старуха Ган, 1909 года рождения. Это важно отметить, чтобы читатель не готовился ни к каким печальным и тем более трагическим поворотам сюжета, а также потому, что раз все живы, то при желании рассказанное можно проверить. При всей невероятности случившегося всё это факты и факты. Почти одни голые факты. За очень малым исключением. И совсем не лишнее обнародовать эти факты теперь, на смене веков, когда имя Пушкина практически не сходит с уст самых заметных деятелей нашей культуры и общественной жизни.

В январе 1962 года во Фрунзенском райкоме комсомола в Ленинграде появился некто Рашковский Леонид Миронович (Ленчик). Должность инструктора райкома – невысокая должность. Но Леонид Миронович (Ленчик) обладал такой мощной энергией и такой невероятной склонностью к карьеризму (в то время назывался комсомольским задором), что должность засверкала новыми и неожиданными гранями. Достаточно сказать, что уже к ноябрю упомянутого 1962 года, по окончании описываемых здесь событий, Рашковский был перехвачен у Фрунзенского райкома Куйбышевским райкомом с повышением в должности вплоть до заведующего отделом вузов, втузов и профтехучилищ. Не лишним будет добавить, что в настоящее время (конец второго тысячелетия от Р.Х.) Леонид Миронович является гражданином Соединенных Штатов, где возглавляет небольшую фирму по закупке хлопка в Узбекистане с центральным офисом в г. Palo-Alto, штат Калифорния.

Так вот, Рашковский начал с того, что перезнакомился и сблизился со всеми актерами всех театров, расположенных на территории Фрунзенского района. Район был центральный, театров было много, театры были известные. Ленчик повез актеров на «творческие встречи» в воинские части и на «закрытые» предприятия, дислоцированные в районе и в окрестностях. «Закрытых» предприятий в то время в городе на Неве было гораздо больше, чем открытых. Поэтому поле деятельности было широким. Молодые актрисы, игравшие шутливые сценки в переводе с польского и певшие под гитару, сильно возбуждали старший и особенно средний комсостав «закрытых» военных объектов. Поэтому шефские «творческие встречи» обыкновенно заканчивались вручением букетов, подарков и большим, долго не смолкающим банкетом, ибо в «закрытых» объектах всегда были «закрытые» же «спецфонды на представительство». К марту военные не могли жить без артистов, а артисты не могли жить без Рашковского.

В Международный день театра – 27 марта – Ленчик устроил на шефских началах (все уже перестали понимать, кто над кем шефствует) конкурс самостоятельных работ молодых артистов района. Премии вручал первый секретарь. Главный приз получил Константин С. со своей партнершей Зоей Д. за композицию «Все сцены Треплева и Нины из «Чайки» А.П. Чехова». Восторг был всеобщий. Рашковский ходил именинником. Более всего ему понравились слова Кости Треплева, произнесенные Костей С.: «НУЖНЫ НОВЫЕ ФОРМЫ». Его прямо-таки обожгла мысль продолжить эту фразу, сделать ее современной и действенной: «НУЖНЫ НОВЫЕ ФОРМЫ КОМСОМОЛЬСКОЙ РАБОТЫ!» Он написал докладную записку в райком партии. Его поощрили (шло время хрущевских новаций). Ему сказали: «Давайте. Мы поддержим!» Ленчик схватился за календарь.

Даты, даты... даты, может, и круглые, но народ все какой-то второстепенный... И тут... охнул! 125 лет со дня смерти Пушкина! Класс!.. 10 февраля! Только выдохнул отчаянно – дата безнадежно пропущена – апрель на дворе. Но есть еще 6 июня – и как раз ровно 163 года со дня рождения Поэта. Действовать, действовать! Пусть сыграют «Маленькие трагедии» – да! Пусть читают стихи – да! Но это все НЕ НОВЫЕ ФОРМЫ!

Надо думать, надо искать, надо советоваться. Рашковский буквально горел на работе. Искал, советовался... связывался с телевидением, с Управлением культуры... Все вяло отмахивались или бормотали одно и то же – ставить «Маленькие трагедии», читать стихи. Более продвинутые советовали петь «На холмах Грузии...» и танцевать «Бахчисарайский фонтан». Но это все не то, это все было...

На филфаке университета пошло иначе – в настырного Рашковского вцепился еще более настырный ученый и стал всячески проталкивать как центральную часть праздника свою диссертацию «Парные и непарные рифмы в юношеских стихах Пушкина 1816 – первой половины 1817 гг.».

Скучно. Старо. Серо, как комсомольские диспуты на тему: «Какие три вещи возьмем с собой при полете на Марс», как вечера «Танцы народов мира в борьбе за мир».

Новые формы нужны! Нужно, черт побери, взорвать рутину и вывести район на общегородскую и, мать вашу за ногу, международную арену! ЮНЕСКО, ООН, Олимпиада – вот наши маяки!

Историческая встреча произошла в пельменной возле Некрасовского рынка. Ленчик столкнулся нос к носу с победителем конкурса Костей С.

– Дай идею! Надо громыхнуть Пушкиным, чтоб жарко стало. Есть идея? Есть новые формы?

Рашковский ждал, что Костя отмахнется, ответит, как все отвечали, но... Константин поморгал, почесал переносицу и спросил:

– Деньги есть?

Леонид опешил.

– Ну, есть.

– Пойдем в пельменную, поговорим.

Заказали по две порции. А в ожидании блюда попросили пива и по салатику. Странно задумчивый на этот раз, молодой артист Костя С., пожевывая капусту с лежалым зеленым луком, сказал:

– Живет на Большой Зелениной улице одна старуха...

Генриетта Бертольдовна Ган не всегда была старухой. Далеко не всегда!

Да, собственно, и в те времена, о которых идет речь, она вовсе не была старухой: подумаешь, какие-нибудь пятьдесят три – пятьдесят четыре года: пустяки! Но ведь это откуда смотреть – из нашего нынешнего далека, раскованного и прагматического, – нет, не старуха, гуляй не хочу... если есть материальная возможность. А из того романтического времени, когда свобода и коммунизм, правда, еще не присутствовали, но буквально стояли на пороге и готовы были вломиться в нашу жизнь, да еще для таких молодых артистических натур, как Константин С. и его подруга Лида Б. (о ней чуть ниже), – да, Ган была старухой. Причем окончательной и безнадежной старухой с комнатой, заставленной старой, поеденной жучком мебелью, размером 16 метров квадратных, пропахшей совместным жильем с двумя собаками и кошкой, в коммунальной квартире на Большой Зелениной улице, дом... (номер дома опустим).

Отец Генриетты Бертольдовны Ган был, конечно, Бертольд Ган (1883–1939), здесь ничего невероятного нет. Но мать ее, Елизавета Ивановна (Иоганновна) (1891–1943), в девичестве была Шольц. И вот тут-то мы и зацепляемся за ту струну, коснувшись которой начинаем слышать звуки неведомые и потрясающие душу.

Костя С. был влюблен в Лиду Б. – студентку пятого курса Восточного факультета ЛГУ имени Жданова. Лида Б. была действительно необыкновенно привлекательна. Пышные, прекрасно сформованные бедра, сильные, хорошей длины ноги, несколько расплывающиеся, но вдохновляющего объема груди. Роскошное тело венчала крупная голова с ясными умными глазами потомственной интеллигентки, с пепельными, коротко стриженными волосами и ослепительной белозубой улыбкой. Все это богатство возбуждало неукротимое желание владеть им безраздельно. Но Лида не спешила вручать свою судьбу кому бы то ни было. Она лишь слегка приоткрывала завесу тайны над своими сокровищами. Костя млел, страдал и захлебывался от счастья – все вместе.

Была еще одна проблема, в те времена необыкновенно острая, – для опытов молодой любви практически не было места. Сплошь коммунальные квартиры и совместное с разнополыми родственниками житье в одной комнате. За недостатком места узкие кровати – койки. Или общежития с целым коллективом в четырех стенах и строгими комендантами. Лида Б. и в этом смысле была девушкой исключительной. Жили они с матерью, как и все, в коммунальной квартире, но занимали в ней целых две комнаты (сугубо смежных). Мама была высокая, красивая, все понимающая и жутко насмешливая. Лидины кавалеры ее обожали и боялись.

Костя – уже довольно известный актер, играющий главные роли на знаменитой сцене, – в присутствии Лидии Алексеевны (маму тоже звали Лидой) совершенно стушевывался и трусил. Но летней порой насмешливая мама на целых два месяца уезжала «в поле» – так назывались геологические экспедиции (мама была геологом). И вот в это время появлялся шанс – некоторый простор, возможность восхитительного развития отношений.

И наступило то счастливое лето. И была та – незабываемая, не сопоставимая ни с чем белая ленинградская ночь. И было утро с трусливым пробегом через коммунальную кухню в уборную. И косой взгляд старухи-соседки, варившей что-то спозаранку на своей плите, и визгливый лай двух собак, крутившихся у ее ног.

Все это было, и, в конечном счете, все это было прекрасно. Если бы...

Ах, это вечное «если бы»! Ах, эта капля дегтя в бочке медового месяца их любви!

Ну, надо ж было такому случиться! Лида потеряла ключ от входной двери. Маленький ключ от комнаты остался, а большой – от входной двери квартиры – как в воду канул. Видимо, так и было – упал в воду или смешался с песком, когда они с Костей ездили купаться на острова. Искали ключ чуть ли не до ночи, благо, ночь белая. Не нашли. И часов в одиннадцать, и даже с лишком, позвонили в звонок соседки.

Залаяли собаки. Долго шаркали ноги в шлепанцах. Долго скрипели двери и половицы. И наконец старуха мрачно уставилась на пахнущую сиренью парочку. Пришлось сознаваться. Пришлось выслушать мрачное предсказание, что теперь квартиру ограбят. Пришлось узнать, что свой ключ старуха Лиде не доверит, и что придется менять замок, и что замков в продаже в помине нет. Короче, Лида и Костя попали в полную зависимость от старухи Ган. Вы, видимо, уже догадались, что это была именно она – Генриетта Бертольдовна Ган, по матери – Шольц.

Молодое счастье пришлось приглушить. Поздние возвращения сопровождались нотациями и угрозами в другой раз вообще не впустить. А спектакли у Кости заканчивались поздно, и Лида вынуждена была сидеть взаперти, чтобы открыть ему дверь.

Старухина комната примыкала к спальне Лиды. Их разделяла заколоченная с незапамятных времен и завешенная ковриком дверь. Теперь, в условиях обострившихся отношений, слышимость как будто удвоилась. Молодые люди общались и любились шепотом. А из-за коврика слышался лай, храп, окрики старухи Ган, скрипы старой мебели, позвякиванье посуды.

Тягостно начался июль. Стояла жара. Окна распахивали настежь. А старуха держала распахнутой и дверь в комнату. Виднелся стол под большой медной лампой со стеклярусом. Под столом, высунув языки, лежали собаки. На серванте сидела сиамская кошка. А в большой клетке покачивался на жердочке красно-желто-зеленый попугай.

Старуха Ган не преминула заметить Лиде, что мама, наверное, даже не предполагает, что дочка, видимо, замуж, что ли, вышла? И Косте, перехватив его в кухне на пути из туалета, намекнула, что для актеров, конечно, закон не писан, но ведь всему есть свои пределы...

Была тихая жаркая ночь 13 июля, пятница. Костя и Лида лежали под простыней, не прикасаясь друг к другу. Тела были мокрые и скользкие. За ковриком позванивал стеклярус на лампе и слышался собачий храп.

И вдруг... в старухиной комнате ясный мужской голос – баритон с некоторыми задышливыми, почти басовыми нотами – сказал:

– НЕ НАДО НИЧЕГО СКРЫВАТЬ. ВПРОЧЕМ, ДЕЛАЙТЕ, ЧТО ХОТИТЕ, Я НА ВСЕ СОГЛАСЕН.

Выпучив глаза, Рашковский смотрел на Константина.
– Хочешь еще? – начал он, но пришлось прочистить горло легким рычанием, потому что звук не шел. – Хочешь еще пельменей?

– Нет, спасибо, не хочу.

– Давай водки выпьем под люля. Тут есть люля.

– Ну, давай.

– Люля придется подождать, – сказала подавальщица.

– Подождем, – кивнул Рашковский, не отрывая глаз от Константина. – ...Ну? – выдохнул он, боясь спугнуть невероятное. – Ну, так чего это было?

– Вот как хочешь, так и понимай. Хочешь – верь, хочешь – не верь.

– Я верю, – прошептал Ленчик. – Глаза его были совершенно круглые. Рот открыт и тоже круглый. – Я верю. Но только ты мне объясни... значит, тот Шольц... ее, выходит, прадед?

– Прапрадед.

– А чего ж она молчала столько лет?

– Она и сейчас молчит.

– Почему???

– Да потому, что боится! Потому что пережила столько, сколько на троих хватит. Потому что немцев высылали. Потому что мать умерла в Казахстане.

– Не кричи. Тише говори. – (Человек за соседним столиком явно прислушивался к их разговору.) – А ты сам сколько раз это слышал?

– Ну, пять. Может, даже – шесть. Все до конца и опять с начала.

– И всегда одинаково?

– Почти. Не совсем одинаково. Иногда длиннее, иногда короче.

– Ты говорил с ней, со старухой? Ты сказал, что ты все слышал?

– Пробовал. Но ты же понял, какие сложились отношения.

– А Лида? А раньше? А она ее не спрашивала?

Костя налил из графинчика водки в свою стопку и выпил не закусывая. Потом сказал:

– А Лида замуж собирается... за одного геолога. Так что я там теперь лишний. Звонить не буду. Хочешь – звони сам, вот, запиши номер. Только не говори, что от меня. Ладно, спасибо за угощение. – Костя встал.

– Подожди. – Рашковский вертел в руках бумажку с телефонным номером. – Сколько же живет такой попугай?

– Эта порода двести двадцать – двести тридцать лет. И иногда даже до трехсот.

Рашковский торопливо достал авторучку из внутреннего кармана.

– Как, ты сказал, порода называется?

– Убуруку-макси.

Уже пять раз громко щелкнула минутная стрелка на больших электрических часах, перескакивая на новое место, а зав. отделом Фрунзенского райкома партии Геннадий Геннадьевич Бугорков все молчал. Он налил из графина полный стакан воды, выпил залпом, утер платком выступивший на лбу пот и наконец сказал:

– Вы понимаете, Рашковский, что вы несете полную ответственность за достоверность сообщенных мне фактов?

– Геннадий Геннадьевич, – Рашковский торопливо пошарил в тощем портфеле, нашел и выложил перед заведующим исписанный с двух сторон листок. – Вот. В публичке выписал, в спецхране... отчет... в дореволюционной книге. Все совпадает.

Бугорков хмурясь надел очки и прочел:

В РАЙКОМ КПСС
О ВИЗИТЕ ДОКТОРА ШОЛЬЦА
К ПУШКИНУ А. С.
ОТ РАШКОВСКОГО Л. М.

«Привезя раненого Пушкина домой, Данзас отправился за доктором. Сначала поехал к Арендту, потом к Соломону. Не застав дома ни того, ни другого, оставил им записки... Данзас встретил выходившего из ворот доктора Шольца. Выслушав Данзаса, Шольц сказал ему, что он, как акушер, в этом случае полезным быть не может, но сейчас же привезет к Пушкину другого доктора...»

Шольц оставил записку о своем посещении раненого Пушкина. Эта записка была вручена им Жуковскому. Она значится под № 36 в серии «Документы из бумаг Жуковского».

Бугорков посмотрел на комсомольца поверх очков:

– Ну, а при чем тут попугай? Тут ни слова нет про попугая.

– Но, Геннадий Геннадьевич, странно, если бы было. Что ж про попугая писать, когда Пушкин умирает?

– Это верно... – (Долго молчали.) – А Шольц этот всегда, что ли, ходил с попугаем?

– Выходит, так. А иначе откуда попугай мог запомнить весь разговор?

– Это верно. – (Молчание.) – Как же это он целый разговор с одного раза запомнил?

Рашковский пожал плечами и развел руки в стороны, выражая этим непостижимость факта. Потом проговорил с робкой предположительной интонацией:

– Он тогда молодой еще был... Молодая память...

Бугорков подвигал губами, втянул носом воздух, перевернул листок и прочел:

« – Не скрывайте от нее, в чем дело... Впрочем, делайте со мною, что вам угодно, я на все согласен.

– Плетнев здесь.

– Да, но я бы желал Жуковского. Дайте мне воды, меня тошнит.

– Что сказать от тебя царю?

– Скажи, жаль, что умираю, весь его бы был. Здесь ли Плетнев и Карамзин?..»

– Это кто про царя спросил?

– Жуковский.

Помолчали.

– Какой Жуковский?

– Василий Андреевич. Поэт. Воспитатель царских детей.

– И попугай все это говорит?

– Есть свидетели.

– Разными голосами, что ли?

– Говорят, разными. Жуковский тонким таким голосом, а Пушкин более густым. Низким.

– Это значит, 125 лет назад было, получается? Как его зовут?

– Василий Андреевич.

– Нет, попугая.

– А-а! Арно.

Помолчали.

Геннадий Геннадьевич внимательно разглядывал бронзо-вую статуэтку броневика на чернильном приборе. Поднял глаза.

– Я доложу Михаилу Ивановичу.

Мы вступаем в сферу запретную, сферу, которая требует абсолютной деликатности. Заранее хочется попросить читателя относиться к излагаемым событиям как к давним, растворившимся в былых временах и скорее комическим. Хотя для участников событий комедией и не пахло. Пахло скорее эпосом.

Во всяком случае, прошу поверить, что никто из участников, и тем более рассказывающий вам эту невероятную историю, и в мыслях не имел хоть на йоту оскорбить память великого поэта. Величайшее сочувствие к его страданиям и к его ранней смерти пронизывает всех нас. Но правда превыше всего. Что поделаешь, как только прикасаешься к реальности, все возвышенное спускается со своих вершин, ко всякой романтике добавляется то неуместный зевок, то чих – вообще какая-нибудь физиология. И в конце концов всякая былая трагедия от соприкосновения с потомками обнаруживает вдруг оттенки комического.

Хочу остеречь и от другой крайности – упомянутые потомки вовсе не кажутся автору такими уж мелкими, ничтожными по сравнению с великими предшественниками. Заверяю вас, что все персонажи этой повести (автор ведь лично знал их всех!) вызывают у автора самые теплые чувства и огромную симпатию. Это те, кого потом назовут шестидесятниками. Именно они – шестидесятники – стали нынче объектом подтрунивания, язвительных насмешек, а то и открытой злобы. Вне всякой логики именно их пытаются обвинить во всех бедах, которые принес XX век. В настоящее время если кого по-настоящему глубоко и постоянно НЕ УВАЖАЮТ, так это именно шестидесятников. И не только тех, кто тогда протестовал, фрондировал, будоражил умы, а вообще всех, кто тогда жил, в том числе и начальников, против которых протестовали, фрондировали и которым будоражили умы.

Я же лично отношусь к шестидесятникам с пониманием, теплотой и даже (приходится признаться!) с некоторой нежностью. Насколько они человечнее, наивнее, както даже... ребячливее, что ли, в своей серьезности, чем прожженные, все познавшие, крутые, как говорится, люди девяностых!

Михаил Иванович Мельтешнов вскочил на ноги, трахнул кулаком по столу и гаркнул:

– Хватит, понимаешь, отсиживаться в кустах! Задача партийного руководства не в том, чтобы тормозить любое дело и разваливать его на корню к чертовой матери! Напротив! Задача партийного руководства, понимаешь, увеличивать обороты, подхватывать динамику! И в областном комитете партии, и у нас, на районном уровне, трудящиеся ждут от нас конкретных дел и смелого внедрения тех форм, которые по-новому подчеркнут неизменность нашего содержания! – (Он явно подбадривал и взвинчивал себя собственной речью.) – Наш район стоит сейчас перед интересным, непростым, прямо скажу – непростым решением. У нас появилась возможность – хочу тут сказать спасибо комсомольцам, нашей смене, – возможность в юбилейные дни дать, понимаешь, опять же возможность трудящимся услышать наконец живой голос самого Александра Сергеевича Пушкина. Через века он обратится к народу в день 163-й годовщины со дня своего рождения. Так... давайте, товарищи, заслушаем, кто по этому вопросу.

В разных концах кабинета поднялись со своих мест Рашковский и Бугорков. Присутствующие склонились над столами, приготовившись записывать, и вопросительно подняли глаза. Птицы за распахнутыми окнами пели во всю Большую Ивановскую улицу, на которой помещался дворец райкома партии. Май был роскошен.

Мельтешнов закурил папиросу «Беломорканал» и шумно выпустил в сторону окна, птиц и деревьев струю вонючего дыма.

— Когда перейдем от слов к делу? — спросил Мельтешнов. — Когда можно ждать результатов? Шестое июня не за горами. Сроки поджимают. Почему молчит птица? Что требуется, чтобы она заговорила? Давайте конкретно и коротенько!

— Михаил Иванович, как вы нам уже указывали, проведено несколько разъяснительных бесед с товарищ Ган Генриеттой Бертольдовной. — Геннадий Геннадьевич откашлялся в кулак и продолжал: — Птица старая, практически неуправляемая. Как удалось установить, обращение Пушкина Александра Сергеевича прозвучало из ее уст последний раз в июле прошлого, одна тысяча девятьсот шестьдесят первого года. Было это в ночное время в отсутствие свидетелей, кроме хозяйки жилплощади гражданки Ган Генриетты Бертольдовны. На той же площади совместно проживает группа животных в составе двух собак, кота сиамс...

— Ты, Бугорков, не разводи, понимаешь, бюрократию под видом субординации, — перебил его Мельтешнов. — Так можно любое большое дело утопить в кадке с водой. Шире надо брать, более творчески подходить. Собаки ни при чем и кот сиамский ни при чем. А вот то, что пять живых существ живут в одной комнате... причем разнополых существ, как я понимаю, что тоже существенно. Какой размер жилплощади?

Бугорков беспомощно скосил глаза на Рашковского.

— Шестнадцать квадратных метров... — Ленчик совсем по-школьному поднял руку. — Михаил Иванович, можно сказать? — (Секретарь кивнул.) — За последний месяц Арно — это имя попугая — несколько раз заговаривал, причем в присутствии корреспондента радио и в моем присутствии.

Мельтешнов грохнул кулаком по столу.

– Так что ж ты, Бугорков, нам вкручиваешь? Где записи? Почему не доложили?

Бугорков съежился и втянул голову в плечи.

– Нет, нет!.. – заторопился Ленчик. – Нет! Это были только обрывочные фразы на немецком языке.

– Что-о-о? Почему на немецком?

– Так Шольц был немец, Михаил Иванович. Видимо, из побочных запасов памяти.

– Ну? Переводчиков привлекали?

– Конечно.

– Ну? Что говорят?

– Говорят, белиберда. Много устаревших терминов, и падежи не совпадают.

– Та-ак! – Михаил Иванович круто загасил папиросу в большой металлической пепельнице. – Подобьем итоги. Что нужно, чтобы решить проблему? Есть предложения?

Захлебываясь, заговорил Рашковский:

– Попугай, Михаил Иванович, молчал более пятнадцати лет. Это и хозяйка говорит, и соседи говорят. А в прошлое лето была особо сильная жара. Может быть, от этого, потому что попугай по происхождению теплолюбивый...

– А у этой Ган-Шольц, холодно, что ли?

– Ну, конечно... вообще-то... Хотя дом старый...

– Назначен на капремонт на 1964 год, – быстро и робко вставил Бугорков.

Мельтешнов отхлебнул холодного чая из стакана в подстаканнике.

– А что, если не через два года, а ударным порядком? Семен Моисеевич, как у нас по жилищному строительству? Какие объекты на выходе? Можешь выделить однокомнатную квартиру в порядке исключения?

Начальник жилстроя Канторович задумчиво стиснул челюсти, поправил очки и солидно кивнул.

– Где работает Ган-Шольц?

– Она на дому... Она корректор специздания «Котлы и котлонадзор». Инвалид второй группы.

– Во!!! – крикнул Мельтешнов. – Инвалид, корректор с группой животных, с исторической птицей, которая возвращает нам голос великого сына земли русской! Что ж мы не можем обеспечить ей нормальные условия?! А ну давай, Семен Моисеевич. Расстарайся на двухкомнатную! Все официально проведем через исполком в порядке исключения... Можешь сразу? Можешь в два счета?

Канторович втянул носом воздух и тряхнул утвердительно седой головой.

– Всё с этим вопросом. Буду держать на контроле. Бугорков, через неделю доложишь. Теперь по Белым ночам...

Костя играл чуть ли не каждый день. Шла премьера «Моста», где у него была главная роль, бурно шла французская комедия «Жанна плачет, Жан смеется» – публика млела от счастья, что стали разрешать заграничные пьесы. В предмайские и майские дни начались добавочные утренники и шефские спектакли для военных. Костя становился любимцем публики – это было ощутимо. Радовало, возбуждало, но и утомляло порядком. К тому же Костя совсем запутался в личных делах и собственных желаниях. Метался между Юлей, которая была влюблена в него и перед которой имелись уже серьезные обязательства, и Зоей, в которую, кажется, был влюблен он и которая (так получилось) тоже могла иметь обоснованные претензии. И ко всему этому в глубине сознания, там, в затылочной части мозга, уже далеко, но постоянно возникала... Лида Б.

Лида! Если бы можно было, как в пьесе Виктора Розова «После свадьбы», прямо среди брачного торжества все переиграть! Если бы она, хоть намеком, хоть как, дала понять, что вовсе не любит своего геолога, что помнит ТО ЛЕТО! Если бы!.. Да Костик всех бы послал побоку, все бы... он бы... Впрочем, не надо преувеличивать. Ну, что «он бы»? Он служит в театре, занят по горло. От этого никуда не деться, да и неохота от этого деваться. Что он может Лиде предложить – огрызки времени. А Ильюшка Сороцкий, пока лето не настало и экспедиция не позовет, – вольный казак. Сходит на пару часов на кафедру раз в неделю – и свободен. И он Лидочку каждый вечер то в Дом кино, то в гости, а то и в театр – на Костика посмотреть. Костик сам же им места оставляет, а потом в кулисах кусает губы от ревности – смотрит в щелку, как они сидят в четвертом ряду и смеются, и переглядываются, и аплодируют.

Когда однажды в антракте позвали к телефону и Костя раздраженно схватил трубку («Ну, кто там еще?»), голос Лиды (Ах, эта хрипотца! Ах, эта интонация!) буквально пронзил его, как током.

– Костичек, это я. Ты меня не совсем забыл? Нам с мамой надо поговорить с тобой. Можешь зайти к нам?.. Когда тебе удобно... Хочешь, завтра... приходи пообедать... часа в три.

Чего желал Костя С., направляясь к Большой Зелениной улице и держа в одной руке букетик ландышей, а в другой куст сирени, сказать трудно. Мысли и чувства метались, прыгали туда-сюда: от жажды войти и навсегда остаться в двух уютных сугубо смежных комнатах, где пахло крахмальными скатертями и жареным кофе, и до почти смертельного страха потерять свободу выхода из этих комнат, особенно учитывая их сугубую смежность. Рисуя в воображении эту вторую возможность, он боялся задать

Судьбе ужасный и мучительный вопрос: и это все? И это навсегда? И вся игра? И не будет больше ни Юли, ни Зои, ни всего того, что еще будет?

Костик широко шагал, приближаясь к знакомому дому. Костик вдыхал весенний ленинградский воздух и говорил себе: «Ну, что ж, если ловушка, значит, ловушка... Значит, так тому и быть! Написал же Эрнест Хемингуэй – за все надо платить!»

Из раздвинувшихся дверей лифта под ноги ему кинулись две собаки, а вслед за ними выплыла сильно изменившаяся хозяйка – причесочка, газовый шарфик, губы даже, кажется, подкрашены.

– Добрый день, Генриетта Бертольдовна!

– Здравствуйте, Константин, здравствуйте! О, какие цветы!

Лида спокойно и крепко поцеловала его в щеку возле верхней губы, пригладила руками его волосы и, полуобняв, слегка прижимаясь крутым своим бедром, ввела в столовую. Лидия Алексеевна (напоминаю – мать Лиды тоже была Лида), улыбаясь доброжелательно и насмешливо, приняла цветы и сразу внимательно и подробно занялась их (цветов) благоустройством в вазах.

Стол был уже накрыт, и белоснежная скатерть пахла крахмалом.

Первые минут десять только восклицали: «Вы помолодели!» – «А вы возмужали!» – «Мы вас слушали по радио!» – «М-х, какой салат вкусный!» – «О вас теперь много говорят!» – «В-х, какой суп!» – «У-у, как прекрасно сирень пахнет!» Спиртного не подали – у Кости спектакль вечером, и вообще в этом доме было не принято. Зато был морс. И морс был хорош.

Когда дошло до котлет, Лидия Алексеевна, подавая ему тарелку и близко придвинувшись, сказала:

– Костик, а что за история с голосом Пушкина?

Тогда тоже цвела сирень. Они шли через парк Ленина и время от времени сворачивали с дорожки в кустарник. Сиреневый цвет и сиреневый запах обступали их тесно и сладко. Жадно целовались. Потом она вырывалась, выбегала на простор, и снова шли по дорожке, касаясь руками цветущих веток.

Говорили о Маяковском и о праве на самоубийство. Она говорила, что – да, человек имеет право, а он возмущенно отрицал. Он говорил: «Жизнь есть обязанность трудиться! Обязанность строить для людей! В жизни все радость – и день, и ночь, и жар, и холод. И приход любви, и уход любви – все радость!»

– И болезнь? – спросила она.

– Да, и болезнь! Потому и есть Николай Островский. Ты читала «Как закалялась сталь»? Прочти. Если бы он не заболел, то не стал бы писателем и не написал бы эту книгу. А без этой книги и его жизнь, и наша жизнь не полна! Только радость! Для нас радость во всем, потому что будущее принадлежит нам.

– А смерть?

– Смерть наш враг. У нас много врагов, но мы сильнее. И в конце концов победим. Как у Владим Владимыча:

Под аплодисменты попов
мой занавес не опустится на Голгофе.
Так вот и буду
в Летнем саду
пить мой утренний кофе.

Он любил Маяковского. И потому категорически не прощал ему самоубийства, ведь сам же он осудил Есенина, сам же написал, что самоубийство – трусость, более легкий путь, неверие в локоть товарища.

Они опять свернули в сирень и долго целовались, водили руками по телам друг друга.

Она тоже любила Маяковского. Но не так сильно. Честно говоря, она его мало читала. Еще она любила Фета и Анненского… и – традиционно для их семьи – Пушкина. Отец держал томики в твердых фиолетовых переплетах на самой верхней полке книжного шкафа – подальше от случайных прикосновений и жирных пятен. И еще она любила Борю, черноволосого, кучерявого, губастого Борю Мидлера со сверкающими добрыми глазами.

Кажется, этот парк возле Петропавловки тогда не назывался парком Ленина – это позже назвали… или нет, уже тогда?.. забыла… Они шли мимо Народного дома, который теперь кинотеатр «Великан»… или это театр Ленинского комсомола… все путается… Народный дом был слева от них, а справа скрипели трамваи, сворачивая с Кронверкской на пологую дугу нынешней улицы Горького. Но не было видно ни трамваев, ни здания – всё закрывала сирень. Ее было так много! И они опять целовались, Боря и Гета. Генриетта.

Генриетта Бертольдовна привязала собак к перилам железной лесенки и вошла в булочную. Очередь была небольшая. И двигалась довольно быстро. Продавщица работала ловко… споро. И у нее было доброжелательное лицо.

Генриетта Бертольдовна с любопытством и изумлением наблюдала за переменами, которые происходили внутри нее. Куда-то отодвинулось или даже исчезло ее всегдашнее раздражение. Люди на улице перестали казаться ей невыносимо уродливыми. Впервые за многие годы она вгляделась в свое отражение в зеркале. Отражение ей не понравилось. Но почему-то это не вызвало отчаянья. Она спокойно в течение нескольких дней произвела простые, известные женщинам действия — посетила парикмахерскую на Льва Толстого, порылась в комоде и отыскала какие-то полузабытые щипчики, щеточки, засохшие тюбики. Снесла в комиссионку большую японскую картину — сочетание лаковой живописи и сложной барельефной техники — и картину почти сразу купили. На секунду сжалось сердце — этот дугообразный мостик через речку, этих двух женщин в кимоно с твердыми зонтиками в руках, этого рыбака с корзиной, эти деревья с плоскими кронами — она никогда их больше не увидит. Но потом она подумала, что долгие годы просто не замечала этой картины, которую купил еще дед… в прошлом веке… кажется… Она подумала, что картине тоже нужно жить, и пусть она попадет в новое помещение, к новым, любознательным людям. Она подумала, что уже весна, и надо всех ее зверей подкормить витаминами. А то Ксюша очень линяет, у Чебрика неважно с глазами, а попугай Арно как-то уменьшился… похудел, что ли? Да и себя надо хоть изредка побаловать чем-нибудь вкусным.

Генриетта Бертольдовна впервые долго и интересно поговорила на кухне с соседкой Лидией Алексеевной, и эта геологическая красивая женщина очень ей вдруг понравилась. Такая наблюдательная и остроумная…

Генриетта Бертольдовна вышла из булочной и отвязала собак. Все вместе перешли улицу и через проходной двор проникли в маленький садик со сломанными скамейками и детскими качелями. Садик был пуст. Здесь поводки можно было снять, и обе собаки — Чебрик и Асунта — стали сосредоточенно рыть землю возле стены. Отрыли какую-то тряпку и начали рыча тянуть ее в разные стороны, а потом, весело покусывая друг друга, побежали по кругу.

Когда же началось это просветление? И почему? Что за вопрос — совершенно ясно, когда и почему! Был звонок по телефону и этот странный разговор. Она сопротивлялась и привычно отказывалась от всяких контактов. Но он был настойчив. Генриетта Бертольдовна вяло согласилась. В назначенный час он позвонил в дверь. Она отворила, и они посмотрели друг на друга.

– Боря! – тихо вскрикнула она.

– Что? – не понял он и, глянув в бумажку, которую держал в руке, сказал: – Я к Генриетте Бертольдовне. Я из Фрунзенского райкома комсомола. Мы созванивались. Моя фамилия Рашковский.

Боря погиб в 39-м. Несчастья тогда повалились на нее одно за другим. В Управлении дороги, где служил отец, из восьми работников отдела арестовали пятерых. В доме поселились страх и тоска. У отца один за другим следовали сердечные приступы. Ареста он не дождался. В очередной раз была вызвана «скорая помощь», но на этот раз измученные равнодушные врачи не справились. В каком-то смысле это было спасительно, потому что за отцом пришли буквально на второй день после похорон.

А у Бори Мидлера арестовали отчима. Потом мать. Говорили, что Боря был в это время на пороге великого научного открытия. Внешняя жизнь для него почти перестала существовать. Их отношения с Гетой давно застыли в бесконечно длящейся неопределенности. Изредка они встречались, но больше разговаривали, чем любили друг друга. После ареста матери Боря пришел однажды к ней. Лицо его было лишено всякого выражения – все мышцы расслаблены, рот опал, глаза полуприкрыты. Длинные густые ресницы веерочками лежат на бледных с синевой скулах. Вся фигура Бори выражала апатию. А говорил он при этом громко и лихорадочно.

Говорил, что, видимо, надо писать отречение от матери и отчима, потому что иначе работу невозможно будет закончить, и труд всей лаборатории пойдет насмарку. Через неделю после этого разговора он выбросился из окна четвертого этажа и еще сутки мучился, умирая в больнице.

Ужасов было так много, что они начали сталкиваться, и один подавлял другой. Смерть спасала от ареста. Высылка спасала от смерти.

Им с матерью совсем не дали времени на сборы. Уехали с одним небольшим чемоданчиком и клеткой, накрытой черной тканью, под которой дремал старый попугай Арно. Комнату опечатали. А потом... годы прошли... была блокада, была послевоенная неразбериха и всеобщая нужда в жилплощади – а печать стояла, и дверь была заперта. Комната выпала из общего конвейера – забыли? потеряли? Умерли те, что ставили печать? Кто знает?!

Были миллионы смертей. Но только две из них по-настоящему коснулись ее жизни. Смерть матери – 1943. И смерть Сталина – 1953. Гета вернулась в Ленинград.

Пошла в жилотдел и, к великому изумлению, получила все нужные бумаги и... ключи. Сняли печать. В комнате густо лежала пыль. Но вещи были не тронуты. Посуда на этажерке, темная японская картина на стене, фиолетовые томики Пушкина.

Клетка с попугаем встала на свое место. Арно получил по случаю возвращения горсть орехов фундук. Черной ухватистой лапкой Арно взял один орех, поднес к близоруким глазам, посмотрел прямо, потом сбоку и прежде, чем положить орех в клюв, сказал ясно:

– ICH MÖGLICH.

Подумал, опять оглядел орех и другим, более низким голосом произнес:

– ДЕЛАЙТЕ СО МНОЙ, ЧТО ХОТИТЕ.

Тогда, при первой встрече, все поплыло в глазах у Генриетты Бертольдовны. Ленчик что-то говорил – горячо и убедительно, а она не вникала. Она смотрела на Борины глаза, слушала Борин голос. Волосы, этот волнистый чуб, эти ресницы веером – ошибиться было невозможно. Она уже знала, что зовут его Леня, и фамилия не та, и никакого отношения не мог он иметь – он приезжий, и вся семья в городе Чайковский Пермской области, и родители живы... Другой человек, другие годы... и все-таки... все-таки... перед ней сидел Боря Мидлер – не последнего, 39-го года, а давний, тогдашний, когда они целовались в сирени. Боже, она же совсем не готова к встрече. Как она выглядит, какое ужасное платье, волосы не в порядке... и сколько седины (это она мельком взглянула в зеркало), пахнет кошачьей мочой (вынести, вынести Ксюшин тазик), неубранная жирная миска на столе. Говори, Боря, продолжай говорить. Я так рада тебя видеть, слышать... ты все такой же... ты прости меня, я совсем опустилась... я приведу себя в порядок, обещаю тебе... это все так неожиданно...

Она совсем не понимала смысла его слов. Он почему-то все сворачивал на попугая. Как странно! Вам нравится мой Арно? Да, конечно, очень люблю его. Он со мной всю мою жизнь. Конечно... да, отец и дед... нет, на фотографии это другой дед... – по отцу... да, по матери Шольц... нет, я совсем его не знала... нет, мать не любила вспоминать, она всегда была в делах сегодняшних... – а как раз отец очень интересовался своим тестем... – ну да, старый Шольц приходился ему тестем... – ну, потому что отец всегда интересовался историей... боготворил Пушкина... ну, и все, что с ним связано, да... да... конечно...

Ленчик Рашковский стал бывать у нее часто. Сидели подолгу. Она стала готовить всякие блюда, чего не делала лет десять, обходясь яичницами и кашами. Сварила борщ.

Сделала казахские манты. Леня приносил очаровательные нелепости – то бутылку польского вина, то венгерскую ветчину в овальной металлической коробке – им там давали в их комсомольском распределителе.

Совсем тепло. Настоящая весна. Уже можно было раскрыть окна. Ленчик гладил собак, весело играл с кошкой и... подолгу говорил с попугаем. Все спрашивал его о чем-то. Она не вслушивалась. Она наслаждалась его голосом, движениями рук... с нее было довольно.

Она разливала вино в бокалы, чай в две последние уцелевшие чашки. Он Бориным голосом задавал многочисленные вопросы, а она улыбалась слегка подкрашенными теперь губами и отвечала рассеянно: да, Арно иногда говорил... до войны знал много фраз русских и немецких... а потом замолчал... да, теперь тоже иногда... но очень редко... очень... нет, что вы, фамилий он никаких не произносил... ха-ха-ха... что вы, с какой стати?.. Плетнев?.. Не помню... хотя... не всегда можно разобрать, что он говорит... Прошлым летом? О, прошлое лето было таким трудным для меня, я себя ужасно чувствовала, была такая жара... да, да, кажется, вспоминаю – Арно говорил... много говорил... да, да... кажется, именно это... я помню эту фразу: «ДЕЛАЙТЕ СО МНОЙ, ЧТО ХОТИТЕ».

В 62-м партийные и государственные руководители еще и мечтать не могли о собственных дачах. Да они и не мечтали. Все было государственным, и государство очень неплохо обеспечивало лучших из своих сыновей. А главное – забот никаких. И ремонт, и уборка, и еда – приготовить, подать, и транспорт – привезти, отвезти – все организовано. Ни на что не надо отвлекаться – работай себе на благо народа, и точка!

В воскресный вечер к Мельтешнову на огонек заглянул начальник райуправления внутренних дел Бутько Петр Прокофьевич. Бутько проживал недалеко, но по должности отдельной дачи ему не полагалось, а пользовал он казенную квартиру в специальном таком доме, вроде круглогодичного пансионата или дома отдыха с постоянным составом отдыхающих, общей прислугой и неназойливой охраной. До дачи Мельтешнова было рукой подать, и уж ногами-то (пешком то есть) – ну, от силы восемь минут ходьбы.

Семья была в городе, и Мельтешнов холостяковал. Буфетчица Зина накрыла скромненький такой вроде ужин, что ли. Вернее – ужин после ужина, потому что настоящий ужин уже был.

Хозяин и гость были земляками – оба с Брянщины. Бутько постарше годами, а Мельтешнов – должностью. Это уравновешивало. В домашней обстановке говорили друг другу «ты» и общались запросто. Темой, как всегда, были вопросы кадровые – кто пойдет наверх, кто вниз, кто на ниточке висит... кто сволочь, а кто настоящий мужик... и так далее.

– Ты, Прокофьич, смотри на Никиту Сергеевича, – доверительно говорил Мельтешнов. – У него каждый пленум – это поворот. Каждый пленум – новая идея. Да и между пленумами. Так? А у нас? Ряской все зарастает. Волны нет!

– Анекдот знаешь – «не делай волны»?

– Знаю, – отмахнулся Мельтешнов. – Не делай волны, если в говне сидишь. А я не считаю, что мы сидим в говне. У нас все возможности. Сейчас, землячок, другое время – шевелиться надо! Всё в наших руках. Нам Центральным комитетом подан пример, а мы не перенимаем ценный опыт. Так я говорю? Давай, Прокофьич, попросту, без официальщины, выпьем за Никиту Сергеевича! Чтоб он был здоров нам на радость!

Бутько искоса глянул на потолок в районе люстры и поднял рюмку. Чокнулись.

– Вот у меня сейчас, – продолжал Мельтешнов, закусывая огурчиком, – по линии культуры... есть возможность громыхнуть юбилеем Пушкина, да так, чтобы взбодрить людей... и чтобы вообще... чтобы в Москве вздрогнули! Ты же можешь представить – живой голос Пушкина!

Бутько слегка поперхнулся, но справился быстро и, схватив зубочистку, занялся ртом – полностью прикрыв его лопатой своей ладони.

– Попугай, понимаешь, Арно! Сто девяносто лет! Все помнит... и говорит голосом Пушкина. Позовите, говорит, Плетнева... и морошки принесите. Представляешь, баритоном говорит! Точь-в-точь голос Пушкина! А сам... это, значит, в тридцать седьмом году... понял?.. сидит на плече у доктора... как его... – (Мельтешнов нетерпеливо пощелкал пальцами.) – у Шольца... при Жуковском... Василии Андреевиче.

Бутько прищурился и цыкнул, прогоняя воздух через дырявый зуб. Внимательно вгляделся в Михаила Ивановича.

– Время уходит! – говорил Мельтешнов, закуривая заграничную сигарету «Мальборо». – Не можем разговорить. Молчит птица! С прошлого лета молчит... а юбилей-то, вот он. Пушкин ждать не будет.

Бутько поиграл скулами и попытался мысленно хоть как-то связать многочисленные обрывки полученной информации.

– Надо выходить на уровень... и, если в канун Белых ночей из Ленинграда на всю страну прозвучит призыв Александра Сергеевича, сам понимаешь... теперь, в свете решений XXII съезда партии... и одновременно 125 лет прошло с тридцать седьмого года...

Бутько аккуратно прочистил звуком горло и осторожно обронил:

– Сейчас всё валят на тридцать седьмой год. – Подумал: не-ет, не показалось – он так и сказал: «Прошло СТО двадцать пять лет с тридцать седьмого года!». Стало очевидно, что Михаил Иванович прямо на глазах, за мирным дружеским ужином, свихнул с ума.

А Михаил Иванович, обсасывая какую-то косточку и прихлебывая то спиртное, то лимонад, тянул свою линию:

– Понимаешь, Прокофьич, тут вплоть до прямых контактов с Финляндией... скажешь, зарываюсь? Не-а! Не зарываюсь! Ну, может, зарываюсь самую малость... но есть основания думать, что найду поддержку и ТАМ. – (Мельтешнов показал на лампу под потолком.) – И вот на тебе! В конечном счете все упирается в попугая... заговорит или не заговорит... У меня все на изготовку, день и ночь на старте, а он молчит.

– Попугай? – с малюсеньким вопросительным знаком произнес Бутько. Зондировал почву. – Попугай молчит?.. Какой попугай? Зачем он тебе?

Ну, не был! Не был Бутько на том активе, где развернулась пушкинская идея. Отсутствовал! А Мельтешнов был уверен, что его почин подхвачен повсеместно, и что буквально все живут ожиданием. И потому, не замечая недоразумения, продолжал:

– Есть решение создать этой Шольц все условия. Отдельная квартира ей уже выделяется. Но ведь птица может и в обратную сыграть. Когда тебе под двести лет, а тут переезд, понимаешь, даже, допустим, в улучшенную планировку. Еще неизвестно – может заговорить, а может и дуба дать и послать нас всех к такой-то матери! Ведь практически с прошлого века ждет улучшения...

Бутько взял со стола бумажную салфетку и вытер обильный пот на шее и на затылке.

А Михаил Иванович все развивал и развивал какие-то фантасмагорические идеи о Всесоюзном фестивале искусств и спорта, позывными которого должен стать живой голос Пушкина, воспроизведенный древней птицей. Он горячился и вслух мечтал о Белых ночах, когда вспыхнут мощные факелы на маяках ростральных колонн.

Все это, кстати говоря, потом, в более поздние и более застойные годы, было благополучно осуществлено – только без всякого голоса поэта и других излишеств. Осуществлено, к сожалению, уже без Михаила Ивановича Мельтешнова – энтузиаста и мечтателя, ибо его партийная карьера пошла на убыль, а потом и совсем сморщилась и превратилась в жалкое директорство в музучилище народных инструментов имени композитора Будашкина дальнего Подпорожского района Ленинградской области.

И если рассматривать историю величия и падения Михаила Мельтешнова (если рассматривать ее пристально и подробно!), то надо признать, что падение, пожалуй, началось с той самой ночи на госдаче, когда он взмыл смелой мечтой к превращению Ленинграда под его, Мельтешнова, руководством в центр европейского тяготения к культуре, к прошлому и одновременно к будущему, и крепко связал это будущее с престарелым попугаем Арно, который должен наконец сказать свое слово и голосом Пушкина повести за собой людей, освободившихся от культа личности, к культу света и разума.

Бутько далеко не сразу принял решение. Ему хорошо работалось с Михаилом Ивановичем, и вообще Мельтешнов был свой парень. Да и... по пьяному делу, конечно, всякой ерунды можно нахерачить, но...

– Слушай, Михаил Иванович, не переживай ты, плюнь – разотри, – произнес Бутько, не поднимая глаз. – Что за проблема?! Надо, чтоб заговорил, значит, заговорит!.. Надо, чтоб замолчал, – замолчит... Это ты можешь на меня положиться... – (Была долгая пауза...) – Ты кого имеешь в виду под попугаем?

Дни мчались. Ночи стали маленькие и серенькие, как мышки. Когда Костя в двенадцатом часу возвращался после спектакля, было еще светло, и в окнах верхних этажей вдруг поблескивало неутомимое солнце. А в третьем часу ночи начинался уже птичий гомон. Не спалось.

Костя был на пике успеха. Его ласкала критика, одобряло начальство. Публика не только провожала, но уже и встречала его аплодисментами. И его любили коллеги. Пока! Почти все. Почти искренне. Женский вопрос совсем потерял актуальность. Его желали все (так, по крайней мере, ему казалось), а он снисходил то до одной, то до другой... по минутной прихоти... по капризу. Косте очень стали нравиться его собственные шутки, его улыбка, походка, ловкие движения его рук. В похвалах, которые ему отпускали то устно, то письменно, стало мелькать выражение «моцартианское начало», и он, засыпая под шорох листвы за распахнутым окном и кошачьи подвывания, думал, улыбаясь: «А правда... наверное, у Вольфганга Амадея была такая весна... и у Пушкина... в 20-м... или в 21-м... в Кишиневе... или в Одессе... летом съемки в Одессе... можно забрать с собой Лиду, если она... хотя Юлька, наверное, сама махнет туда и будет меня там дожидаться... тогда все запутается... а потом, в Одессе тоже, наверное, есть на что посмотреть в смысле женского контингента... интересно, сколько Пушкин написал за ту весну?.. а я сыграл за сезон четыре новые роли, и на телевидении две... ночь уже кончается... какая маленькая ночь... маленькая ночная серенада... Моцарта...

Май бушевал. Всех (казалось, что буквально всех!) охватило какое-то необыкновенное возбуждение. Было жарко и нескучно. Уже взлетел Гагарин, год уже казалось, весь мир ликует оттого, что МЫ В КОСМОСЕ, уже (худо-бедно) в стране была ОТТЕПЕЛЬ, и каждый как будто слегка подпрыгнул от переполнявшей радости и пошел ходить по-над землей. ВСЕ хотели петь песни! И пели! Очень много было хоров. На сценах, на стадионах, на площадях... на радио, на уверенно входящем в жизнь телевидении – везде царил хор. Мужской, женский, смешанный, солдатский, детский, народный, академический. Самые трогающие, самые проникающие в душу звуки издавал хор мальчиков.

Простор голубой,
Волна за кормой...

Потому что мы Ленина имя
В сердцах своих
Не-сем!

Еще недавно пели «Сталина имя». Теперь пели «Ленина имя». Но оказалось, что не особенно важно, чье именно имя несли в сердцах, важно, что несли. И мальчишеские голоса, взлетая к самым верхним и пронзительным звукам, вышибали слезу из глаз слушающих и почему-то будили надежду.

Солнышко светит ясное,
Здравствуй, страна прекрасная!

Массы полюбили стихи. За всю историю человечества нигде и никогда массы так не любили стихи. В залах на несколько тысяч мест, построенных для скучных партийных и профсоюзных конференций, собирались толпы, чтобы увидеть, как поэты, вытягивая тонкие шеи, выкрикивают справедливые, много раз уже слышанные слова. Поэт вскрикивал, и целые стадионы вставали со своих мест.

8-5868

Для театров май – трудный месяц: люди хотят ехать за город, люди истосковались по зеленой листве, они хотят гулять по садам и паркам, они не хотят ходить в театры. Но в том году… В том году чудесным образом люди, погуляв по садам и паркам, успевали битком набивать плохо проветренные театральные залы, где накопившаяся за зиму пыль подогревалась в горячем, уже совсем летнем воздухе.

Костя избегался. Везде звали. Всюду приглашали. Всем обещал и начинал уже сильно путаться в этих обещаниях. Одно налетало на другое. Когда Лидия Алексеевна огорошила его вопросом: «Что за история с голосом Пушкина?», Костя далеко не сразу сообразил, о чем, собственно, идет речь. Но когда, посидев немного с открытым от изумления ртом и выпученными глазами, понял, что (вот это да!) соседке дают квартиру, а у Лиды с матерью возникает (пока теоретически, но все-таки!) возможность расширения площади, и виновник этого, кажется (ну, конечно, это тот пьяноватый разговор в пельменной!), он, когда он понял, что все не плохо, а наоборот, все просто замечательно, великолепно, Костя шестым чувством уловил две важные идеи. Во-первых, дело с попугаем ни в коем случае не гасить, а напротив, развивать сколько можно далее. Во-вторых, надо обязательно сыграть Хлестакова – он теперь ярко и как-то цельно ощутил, как надо играть сцену вранья и сцену одновременного ухаживания за доченькой и за маменькой.

Резко похолодало. По Неве пошел запоздалый в этом году ладожский лед. Люди успели уже засунуть теплые вещи в дальние углы шкафов. Женщины ходили в легких кофточках, мужчины в рубашках с короткими рукавами. А ветер с залива холодный, сильный. Все сплошь простужены.

Пританцовывая от холода, Костя ловил на Фонтанке такси. Семафорил двумя руками, а когда серия машин проскакивала мимо, отогревал руки под мышками. Из второго ряда наперерез грузовику рванулась черная «Волга» и резко застопорила возле Константина. Ленчик распахнул заднюю дверцу:

– Куда?

– Домой, на Бассейную. Переодеться надо.

– Поехали.

Машина ходко пошла на разворот.

– Сильно я вас с пути сбил?

– Можешь верить, можешь не верить, но я ведь тебя и искал. Звонил во Дворец искусств – сказали, был, поехал в театр. Я в театр, а ты уже ушел.

Леня сидел в углу заднего сиденья, развалясь по-хозяйски, нога на ногу. Глаза, как всегда, сверкали азартом.

– Заговорил! – выкрикнул он и победно вздернул подбородок. – Заговорил! Сегодня ночью!

– Кто?

– Арно заговорил! Причем мы все ждали, что в жаркую погоду заговорит, а он – в ледоход. А? Видно, дело в резкой смене температур! А? Заговорил! Наговорил черт-те сколько! Минут семь, не меньше. Я отвез пленку на радио. Там с утра уже сидят, монтируют.

– Обалдеть! – Костя глядел, выпучив глаза. – И ты успел записать? Как же это? Ночью? Кто же?..

– Я! – выдохнул Ленчик и опять вздернул подбородок. – Вместе с Лидой. Мы прямо подскочили оба, так ясно слышно – говорит! Представляешь?! Я схватил магнитофон, стучу в дверь к Генриетте, а та спит как убитая. Попугай орет, я стучу кулаком. Потом расчухалась, впустила, и еще почти семь минут он все говорил. Там, правда, иногда накладывался собачий лай, но они там, на радио, подрежут, почистят... Все записалось!

— Постой... это как же... — Костик почувствовал, что диафрагма его ухнула куда-то вниз, а сердце мелко заколотилось где-то у горла.

— Там, конечно, много лишнего, — захлебываясь радостью, продолжал Леня. — Немецкие слова, обрывки песен... стуки какие-то, знаешь, вроде как дятел стучит... но и русский текст... ясно так, четко! И еще все время повторял: «СКЕРЦО!» Представляешь, «СКЕРЦО!» говорит. Много раз. Делайте, говорит, со мной, что хотите. А потом опять ерунда — ихь-михь, и пошел по-немецки.

— Подожди... подожди... — Костик с трудом переводил дыхание. — А Лида?.. А ты почему, собственно...

Ленчик не слушал. Он бил правым кулаком по левой ладони и выкрикивал в такт ударам: «Успели! Дождались! Прямо к юбилею. Вот Мельтешнов машину дал на весь день. Юра, ты со мной до двадцати трех? — спросил водителя. Тот молча кивнул. — К семи они подготовят пленку. Собираю двух поэтов, пушкиниста Егорова, ты — ведущий, и редактор Барончик Вера Васильевна, ты ее знаешь? Режиссер Страз, знаешь? Я с ним уже говорил. Спектакля у тебя сегодня нет, я все выяснил, так что сейчас к тебе, а потом прямо туда. В десять меня ждет Мельтешнов с готовой передачей, а на завтра я договариваюсь с «Комсомольским прожектором» на телевидении — на Москву пойдет «Через 125 лет после смерти Пушкин снова с нами»...

— Остановите! — крикнул Костик. — Как вас, Юра! Остановите машину!

Водитель слегка обернулся. Но не через правое плечо, а через левое — к Ленчику.

— Пусть остановит машину! — кричал Костя.

Леня, как подстреленный влет, посреди своего вдохновенного монолога, сидел, открыв рот, и тяжело дышал.

Никак не мог понять, чего от него хотят и почему вообще от него чего-то еще хотят. Костя все вопил, а потом начал дергать ручку двери. Водитель снизил скорость, а потом аккуратно притулился к тротуару возле подвальной рюмочной на Московском, не доезжая Обводного канала.

– Куда ты?

– Покурить.

– Да кури в машине. Подожди...

Рубашка была с короткими рукавами, и Леня хватал ускользавшего Константина за ремень.

– Я сказал, хочу курить!

– Я с тобой.

Леня выпрыгнул из машины, и оба пошли быстрым шагом через дорогу, а потом дальше вперед – к громаде Фрунзенского универмага. Пытались закурить на ходу, но не получалось – ветрило.

– Куда бежишь? Ты чего, как ужаленный? Стой! Ты простудишься в такой рубашке.

Миновали крутые широкие ступени универмага, по которым, пряча лица от ветра, кутаясь в плащи, с трудом удерживая надувшиеся парусами зонтики, катилась толпа. Выскочили на Обводный. Сплошной вереницей волоклись с ревом тяжелые грузовики. Задувало еще сильнее, и начинался дождь. Здесь прохожих не было. Встали у парапета над высокой несвежей водой и наконец закурили.

Костик молчал и смотрел в сторону. А Леня уже и сам понял... вспомнил... догадался, что оплошал. Но что ж было делать? Он затянулся крепко, забыл выдохнуть и заговорил дымящимся ртом:

– Я же на задании. Я дежурю на квартире. Ждали голоса Пушкина. У нас Белые ночи на носу. Они требуют открываться попугаем. Я днем у Генриетты, а ночью... где мне быть? Старуха и так на меня масляными глазками смотрит. Совсем из ума выжила. Вчера вдруг присунулась близко, рукой меня по щеке гладит и говорит: «Боренька, хочешь водочки?» Я даже испугался. Какой я ей Боренька?! Так где мне сидеть? В коридоре, что ли?

– Анекдот знаешь? – Костик выплюнул окурок в канал и заложил кисти рук под мышки. – «Абраша, мне все говорят, что, когда я в командировке, ты ходишь к моей Розочке». – «Я? Ой, слушай, Хайм, какие выдумки! Я сказал об этом твоей жене Розочке, мы с ней так смеялись, так смеялись, что даже оба с кровати упали».

Костик зажмурил глаза и резко наклонился, сопротивляясь налетевшему сильному порыву ветра, а потом пошел, увертываясь от летящей пыли и мелкого мусора. Он не имел никакого, ну абсолютно никакого права никого обвинять! Все давно уже решилось, и решилось так, как он пожелал, – у Лиды был геолог Илья, у него самого были головокружительные победы. И все было хорошо! Он жил радостной, можно сказать, какой-то неуязвимой жизнью, и, казалось, от любой опасности был защищен. Но вот злился! Понимал, что без оснований, но злился с каждой минутой все сильнее и не мог себя остановить «Нет, но, главное, с ке-ем?» – думал он.

За этот год они с Леней стали почти друзьями. Но только теперь Костик вполне осознал, что для него эта дружба ни в коем случае не была союзом равных. Под покровом внешней доброжелательности в Костике жила абсолютная уверенность, что Ленчик уступает ему во всем. Он всего лишь допускал до общения с собой этого суетливого активиста. Ну очевидно же, что тот уступает ему по всем статьям и достоин всего лишь снисхождения и жалости! И вот... на тебе!.. Эх, Лида!.. Лидочка, умница, Лидочка-недотрога!.. Чтобы этот Ленчик с пухлыми губками... с этими закрученными волосиками... Костик с ужасом обнаружил на дне своей злости омерзительно шевельнувшееся антисемитское чувство. Чтобы всякие там ленчики... Боже, как стыдно!

Они уже перебегали Московский проспект в обратном направлении. Черная «Волга» услужливо тронулась навстречу, но Костя проскочил мимо, а Леня, махнув шоферу рукой, рванул вслед за ним. По скользким обломанным ступеням скатились в рюмочную.

Проверить нельзя, а вот поверить можно. Поверьте мне, уважаемый читатель, – в этих вонючих полуподвальчиках... в рюмках грубого мутного стекла... водка была изумительно вкусная. И килька на половинке кусочка плохо пропеченного черного хлеба была восхитительна. Не знаю, в чем тут секрет, но подобного вкусового эффекта уже не удавалось достичь ни на белых скатертях ресторанов, ни на хрустальной посуде домашних застолий.

Выпили по одной. Выпили по другой.

– Сейчас к тебе – переоденешься, возьмешь паспорт, и прямо в Дом радио. Время вышло... – говорил Леонид. – В десять часов, сегодня, понял, в двадцать два часа Михаил Иванович ждет меня с готовой пленкой... А чего ты так взъелся, я, Костя, честно говоря, не понимаю... Пива взять? Будешь пиво?

– Пива не хочу, язык от пива заплетается... – Костя целиком отправил в рот бутерброд с килькой. Продолжая жевать, сказал: – Все ты врешь! Все врешь!.. С начала до конца!

Ленчик замер.

– Константин, ты что? Что я вру? Почему я вру?

– Потому что ничего не было! Ни-че-го! Ты забыл, с чего началось? Забыл? Я тоже забыл... а теперь вспомнил – с пельменей! Кто про Пушкина рассказал? Помнишь? Я рассказал! Я тебе рассказал! Я со-чи-нил! Ляпнул! Бреханул!.. Пошутил я... вот и все. И больше ничего.

– Ты с ума сошел! – зашипел Леня. – Что ты мелешь? Есть же Генриетта и есть Лида...

– Не я с ума сошел, а Генриетта из ума выжила... – ты сам сказал. А Лида... ясное дело... Лида лицо заинтересованное... когда отдельная квартира замаячила...

– Чего, чего, чего, чего? – Ленчик зажмурил глаза и быстро-быстро затряс головой справа налево, слева направо. – Что значит, ты пошутил? Это как это? Ты, Константин Борисович, конечно, большой художник, мы тебя, конечно, очень ценим. Но и ты оцени, что уже полных два месяца и райком партии, и райком комсомола вкалывают, высунув языки, по твоей наводке по поводу голоса Пушкина. И уже на цырлах стоят радио и телевидение, и газета «Строительный рабочий». И если ты думаешь, что можешь всю общественность раком поставить, то сильно ошибаешься. Общественность просто маленько меньше будет ценить тебя... и ты, Константин Борисович, сразу это почувствуешь. – Ленчик отпил сразу полкружки явно разбавленного пива и слегка остыл... сбавил напор. – Ты только не дергайся, – уже спокойнее сказал он. – Я тебе объясню, что происходит. У тебя, Костя, колоссальная интуиция. А вот память твоя тебя иногда подводит. У меня наоборот – интуиции ноль, а помнить – все помню! Ты ведь тогда очень точно произнес мне слова Александра Сергеевича: «НЕ НАДО НИЧЕГО СКРЫВАТЬ. ВПРОЧЕМ, ДЕЛАЙТЕ СО МНОЙ, ЧТО ХОТИТЕ».

– Заткнись, не кощунствуй!

– Ну и так далее... – Ленчик не заметил Костиного вскрика. – Так вот эти самые слова мы с Лидой... ага, повторяю – мы с Лидой и со старухой Ган записали со слов попугая. И в данный момент эту запись чистят на радио, освобождают от ненужных звуков и слов... и хлопанья крыльев. Ты сам все услышишь через... – он глянул на ручные часы, – через час восемнадцать минут в Доме радио, второй этаж, аппаратная 9. Я так думаю, Костя, что интуиция правильно тебе все подсказала... потом только затуманилось, память подвела... или ты, может, пить много стал... но тогда – ты тогда в самую точку попал. Слышишь? И об этом самом расскажешь сегодня радиослушателям.

– Пойдем отсюда, душно здесь, – Костя двинулся к выходу.

– Стой! – негромко, но резко приказал Леня, и Костя остановился и оглянулся.

– Ты мокрый весь. Потный совсем. Простудишься на ветру. Подожди. Я пойду машину подгоню. – Леня пошел к выходу, обернулся и кинул Косте смятый комок носового платка. – Оботрись!

Генриетта Бертольдовна Ган положила ладони на колени, откинула голову на спинку дивана и горько заплакала. Ведь она уже смирилась! Ведь она уже ничего не ждала от жизни и ни о чем не просила! И вот само, само пришло – все эти соблазны... новая квартира (зачем она ей, теперь-то?)... суета вокруг бедного попугая, бесконечные расспросы... посетители... и этот комсомольский ангелок, так похожий иногда на Борю... Зачем? Зачем поманили ее из одинаковой жизни, к которой она так привыкла?

Но вчерашний день!.. И эта ночь... И этот звонок... буквально три минуты назад, голос этот скрипучий: «Все решено в вашу пользу, надо будет только подписать одну бумажку...»

А вчера было вот что – около часу дня позвонили в дверь два раза. Лиды не было, и открыла Генриетта Бертольдовна. Двое в синих костюмах, стрижка под полубокс, блеснули каким-то красным документом, пробормотали невнятное и ввалились прямо в комнату.

– Ну, и чем же плоха эта площадь для вас одной? – спросили.

Она что-то отвечала, сбивалась, объясняла, что она не просила, что ей предложили. Один слушал и невнимательно кивал головой, а другой пристроился к птичьей клетке и постукивал, посвистывал, все вызывал попугая на разговор. Потом первый – тот, что у стола, – спросил: «А он у вас вообще-то разговаривает?» И опять она объясняла, путалась, предлагала выпить чаю, говорила, что Леонид Миронович из комсомола обещал...

Арно молча раскрывал и закрывал клюв. Голова была повернута в профиль. Попугай внимательно и недобро смотрел черной бусинкой левого глаза на двух одинаковых гостей. Потом вдруг ясно, громко и картаво произнес:

– СКЕРЦО.

Оба синих замерли. А Генриетта Бертольдовна кинулась к клетке:

– Арик, Арик, маленький мой! Вот, слышали, слышали?

– СКЕРЦО! СКЕРЦО! СКЕРЦО! – настойчиво повторял старик Арно.

В углу проснулись обе собаки и с любопытством задрали головы.

– Где у вас телефон? – спросил первый синий. – В коридоре?

Позвонил, вернулся, пошептался со вторым и сообщил:

– Вам придется проехать с нами.

– Я... как же... у меня собаки... с ними надо гулять... – многое вспомнилось старухе Ган, и заколотилось быстро и тревожно ее старое сердце.

– Это ненадолго, – сказал синий.

Она сняла ключ с гвоздика, вбитого в стену, и пошла к двери.

– Паспорт возьмите с собой, – сказали ей. – И клетку с птицей.

Потом в длинном узком кабинете человек с одним стеклянным глазом долго постукивал по клетке и бесконечно повторял: «Пушкин! Пушкин! Где Пушкин?» Но попугай молчал. Одноглазый наконец устал и пригласил Генриетту Бертольдовну присесть к письменному столу.

– Напишите подробненько все, что он говорил в разное время. И вот еще что – ваша фамилия Ган, так ведь? А вот фамилия КАГАН вам ни о чем не говорит? Совсем ни о чем? А если подумать? Я вас оставлю, а вы припомните и напишите.

Ах, как давно Генриетта Бертольдовна не водила пером по бумаге. Как трудно было вывести первые слова:

«Я признаю (зачеркнуто)... Я заявляю (зачеркнуто)... Сообщаю, что принадлежащий мне попугай Арно, XIX века рождения, сегодня произнес слово «СКЕРЦО»... В другое же время...»

Тут она надолго задумалась. Вспомнилось давнее, и она ясно поняла, что пишет донос на старого попугая. Слезы потекли по щекам. Она смяла листок, спрятала его в карман, а перед собой положила другой, чистый, из стопки.

Вернулся одноглазый, и с ним другой – крепкий, широкий, с густым голосом. Новый сказал внушительно:

– Меня зовут Петр Прокофьевич. С квартирой вашей, думаю, все будет в порядке. Там уже на девяносто процентов все бумаги прошли. Так что готовьтесь к переезду. Если действительно, как выясняется, такая историческая птица, то, конечно, надо условия создавать для налаживания, так сказать, смычки веков. Но вы должны сознавать, что несете полную ответственность и за точность показаний... и за неразглашение. Это в общих интересах – и в ваших личных, и в государственных, да и в интересах самой птицы. А у нас к вам будет вот какой вопросик – отец ваш, Бертольд Ган, он точно немец или, может, какой другой национальности?

– Я не понимаю... – у Генриетты Бертольдовны дрожали руки и слегка кружилась голова. – То есть в каком смысле?

– Ну, может... разное бывает... ошибки всякие при паспортизации... или псевдоним (он сделал ударение на «о»). Может быть, он, к примеру, еврейской национальности или еще какой? Ничего зазорного тут нет, но к чему скрывать?

– Я ничего не скрываю.

– Ну, вот! К примеру, Светлана Иосифовна Каган – не из ваших родственников?

– Нет, я не знаю такую... не слышала.

– Просто интересное совпадение. Она вот тоже пишет, что ее родители из Сибири... из казаков... хотя она и Иосифовна... Тут ничего зазорного нет – уважаемая женщина, жена крупного партийного работника... Мельтешнова Михаила Ивановича... Это ведь он вам с квартирой решил помочь? Вы с ним встречались?

– Я?.. Нет... Я не знаю.

– Ну, как же это? Сейчас, знаете, большой дефицит жилплощади, а вы даже не очередник. Так что, может быть, по-родственному... бывает, знаете... со стороны жены?..

– У меня нет родственников... Не осталось...

– Так как же, Генриетта Бертольдовна, а?..

В это время попугай встрепенулся, хохолок на его голове приподнялся несколько раз, и он закудахтал курицей. Одноглазый бросился к клетке, застучал по железным прутьям и заголосил: «Пушкин! Пушкин! Где Пушкин?»

В пять вечера их привезли домой. Генриетта Бертольдовна накормила всех зверей, погуляла с собаками и два раза приняла валерьяновые капли. Очень рано уснула. А ночью... Это был кошмар. В дверь колотили кулаками, громко кричал Арно, лаяли собаки. Тяжелая штора прикрывала окно, и поэтому белая ночь была не властна в этой захламленной, с кислым запахом комнате. Спросонья не очень соображая, что к чему, старуха открыла дверь. Вид орущего комсомольца Лени, так похожего на ее Борю, в трусах и с какими-то приборами в руках, мучительно подтвердил то, что и так было очевидно. Развратная Лида пряталась где-то за поворотом коридора. Правильно делает, что прячется, значит, хоть какой-то стыд остался. Все ясно с этой современной девицей. Потом эти долгие вскрики попугая, и комсомолец Леня, протискивающий в клетку свой магнитофон. И все палец к губам прижимал, дескать, тише, тише! И опять головокружение и валерьянка.

Арно слишком долго не видел света Божьего, и, видимо, визит в узкий кабинет Большого дома был для него потрясением. Он говорил, и пел, и снова говорил без конца. Генриетта Бертольдовна накрыла клетку тяжелой черной тряпкой, но и из-под тряпки все слышалась всякая ерунда: «ПЛЕТНЕВ, ПЛОСКОГУБЦЫ!», а потом все: «СКЕРЦО! СКЕРЦО!»

Проснулась Генриетта Бертольдовна поздно. Кошка, всеми забытая и молчаливая, терлась об ее щеку – просила есть. Поскуливали собаки – пора гулять.

Она встала, сняла черное покрывало с клетки. Старик Арно на секунду открыл круглые глаза, а потом снова прикрыл их. Он устал.

Мысли были туманные. И болели суставы. Она заставила себя сделать все привычные дела. С трудом вышла с собаками – погуляли четверть часа, не больше. Накормила всю компанию. Выпила невкусный чай, заев невкусным бутербродом, вымыла чашку и, обессиленная, опустилась в кресло. В передней настойчиво трезвонил телефон. Она не шевелилась. Когда началась третья серия звонков, поднялась и, шаркая домашними туфлями без задников, вышла из комнаты.

Трубка сказала скрипучим голосом одноглазого:

– Генриетта Бертольдовна, я по поручению Петра Прокофьевича... дело ваше будет решено в вашу пользу. Решение уже принято... надо будет только подписать одну бумажку... я вам завезу через часик...

У нее едва хватило сил войти в комнату. Она снова выпила капли и заперла дверь на ключ. Потом села, положила ладони на колени, откинула голову на спинку дивана и горько заплакала.

– Нет, нет! В студии отвратительные динамики, слушать можно только в аппаратной, – сказала Вера Васильевна Барончик. – Молодые люди имеют возможность продемонстрировать свое хорошее воспитание – принести четыре стула из буфета, у нас на всех мест не хватит. И еще хочу предупредить – курить категорически запрещено, и у меня нет ни малейшего желания платить за вас штрафы.

Вера Васильевна не любила людей. Вера Васильевна любила литературу. Она блестяще окончила филфак, а потом... все не удавалось. Не удалась работа в издательстве, где выпускали книги на иностранных языках. Не стало счастьем замужество. От мучительного и недолгого брака осталась фамилия мужа, которая ее раздражала, и остался сын. Теперь, когда сыну было уже под тридцать, стало очевидным, что Вера Васильевна стала неудачной матерью. Жизнь обижала ее на каждом шагу. Во всяком случае, так ей казалось. В свои «под пятьдесят» она была совсем недурна собой, но почему-то считала себя уродом, с некоторым даже мазохизмом была небрежна в одежде и в прическе. За все беды она взяла реванш в профессии – она безоговорочно считалась лучшим редактором на радио. Она была безотказна и строга и действительно знала дело. Вера Васильевна абсолютно не боялась начальства. Поэтому ее боялись все, в том числе и начальство. За ней предполагалась какая-то тайная сила. На самом деле она просто терпеть не могла людей. Всех! Не делая исключения ни для кого.

Принесли стулья, и все участники расселись в аппаратной. У окна Костя, два приглашенных поэта, режиссер Страз и Вера Васильевна Барончик возле пульта, Леня Рашковский и пушкинист Егоров ближе к дверям. Стояла только техник-оператор Клара – бледное красивое лицо и отсутствующий взгляд.

Она привычно манипулировала ручками, настраивая большие стационарные магнитофоны.

– Если готовы, Клара, начинайте, – сказала Вера Васильевна. И тут же резко: – Стоп! Еще два слова перед началом. Я полагаю, мы сперва послушаем то, что Николай Павлович, – она показала на Страза, – предлагает нам как основную пленку, а потом запись товарищей Ухова и Максимовича, – она показала на поэтов. – Нет возражений?

Аппаратная испуганно молчала.

– Пожалуйста, начинайте, Клара.

Смачно щелкнул тумблер. Пошла пленка. Мужской голос сказал:

– Голос Пушкина, дубль один.

Костя почувствовал, как жаркая волна прилила к вискам.

– Позовите Плетнева... Плетнева позовите... – сказал баритон и замолк. Потом: – Так тяжело, давит... лесной морошки хочется... Не надо ничего скрывать. Впрочем, делайте со мной, что хотите... – (пауза, стуки) – Товарищ, верь... взойдет она... – (пауза) – заря... Россия вспрянет...

Короткая пленка кончилась, и хвостик начал хлестать по бобине.

Минуты две они молчали. Никто не поднял глаз, все смотрели в пол перед собой.

— Клара, а второй дубль у вас на общей бобине? — спросил режиссер Страз.

— А не надо второго дубля, — сказала Вера Васильевна. Потом добавила: — И этот хорош.

В тишине было слышно, как Леня Рашковский выстукивал зубами какую-то мелодию. И опять заговорила Вера Васильевна:

— Николай Павлович, у вас поэты на сколько?

— Оба вместе семь минут. Это и стихи, и текст. Мы там немного подрезали, но это только улучшило, — обратился Страз к сидящим у окна поэтам.

Те согласно закивали.

— Послушаем, Клара.

Щелкнул тумблер.

— Голос Пушкина, дубль два, — сказал голос.

— Не надо Пушкина, — резко произнесла Барончик. — Давайте сразу поэтов.

— Промотайте! — сказал режиссер.

Крутанулась пленка и с визгом остановилась. Щелчок тумблера.

— ...красен наш союз... Товарищ, верь...

— До конца промотайте, Клара! — сказал режиссер.

Пленка задергалась туда-обратно.

— Я готова, — сказала Клара.

— Ну и давайте! — сказал режиссер.

Клара нажала.

Когда б я мог, с курчавой головы
Не пал бы никогда единый даже волос.
Но нынче счастлив я — вновь на брегах Невы
Звенит, зовет, звучит живой поэта голос.
Я верю, из руки не выпал пистолет,
В борьбе за мир он здесь, он вечно с нами.
За счастье всех людей он подымает знамя
Сто двадцать пять непроходимых лет.

— Стоп! — сказала Вера Васильевна. — Извините, нам сегодня сдавать готовую передачу, поэтому я для экономии времени сразу хочу уточнить: в каком смысле «непроходимых лет»? Это ваши стихи, Ухов?

— Нет, Максимовича.

— Непроходимых... в смысле... как будто их и не было... этих лет... он как бы всегда остается нашим современником... — Максимович слегка заикался.

— Понимаю...

— Вообще-то в этом году 125 со дня смерти, — сказал Страз. — Эти стихи были к февралю. Я бы вообще обошелся без дат. Важно, что есть преемственность, и все. Я предлагаю вторую строфу вообще убрать. «Звенит, звучит, зовет живой поэта голос» — это нормально... и сразу музыка, на музыке мы запишем Константина: «Из глубины веков долетел до нас...» и так далее... И тут пойдет голос Пушкина... Это начало...

— Позвольте мне пару слов, — сказал пушкинист.

— Пожалуйста, товарищ Егоров.

— Видите ли... — пушкинист был тощий, сутулый, сидел, заложив ногу на ногу, обхватив длинными пальцами коленку. — Видите ли, прижизненные документы и позднейшие исследования неоднозначно толкуют визит Шольца на Мойку. Некоторые отрицают даже сам факт его присутствия. Поэтому попугай как источник первичной информации должен быть...

— Какого Шольца? — спросил Страз.

— Это доктор, хозяин попугая, умер в прошлом веке, — пояснила Вера Васильевна.

— Доктор?.. Ну, и при чем тут это? Мы же обсуждаем, как передачу построить.

— Видите ли... — снова заговорил пушкинист. — Видите ли, я к тому, что если мы хотим поставить тексты, переданные попугаем, на научные ноги, заложить основу, то мы должны, так сказать...

– Товарищи! – Вера Васильевна произнесла это слово с такой интонацией, что все сразу подобрались и подняли на нее глаза. – А вы отдаете себе отчет, что мы с вами вместе с этим попугаем станем посмешищем на многие годы? Пленку этой передачи будут хранить в числе курьезов радио и по большому блату давать прослушивать ради смеха. Глупость, сделанная по приказу свыше, не перестает быть глупостью... – (Режиссер Страз поднялся с места.) – Куда вы, Николай Павлович?

– Мне покурить... я... мне за дежурство надо расписаться.

– А мы тогда все вместе пойдем и покурим. А? Даже я с вами, хотя я да-авно бросила это занятие!

Это сейчас пародистов развелось пруд пруди, а в наши милые далекие шестидесятые на всю страну подражателей голосам было... раз, два... и обчелся! Они были на виду и под большим присмотром. Пародия была жанром сильно возбуждающим и потому опасным. Вроде боя быков.

Самым первым и общепризнанным из пародистов был Игорь Ч., артист драматического театра. Артист средний, малозаметный, но необыкновенно знаменитый тем, что на всех самых официальных торжествах и концертах неотразимо похоже передразнивал известных певцов, певиц, актеров и даже (это уже в застолье, в кругу допущенных и проверенных лиц) руководителей государства. Игорь Ч. был желанным гостем везде и всегда, потому что для нас, советских людей (по причинам, не выясненным до сих пор), не было большего счастья, чем увидеть своими глазами, как кого-то передразнивают. Наверное, все вокруг было настолько серьезно, я бы сказал – заморожено, что пародия казалась откровением. Пародия считалась королевским жанром, и Игорь Ч. был королем пародии.

Все сошли с седьмого на шестой этаж – в курилку, а Костик съехал на лифте вниз – в туалет. И тут, выпутываясь из решетчатых дверей лифта, увидел – мелькнула на выходе, возле дежурного милиционера, миниатюрная фигурка Игоря Ч. Костя хотел крикнуть: «Здорово!», спросить: «А ты чего тут, что пишешь?», но упустил момент. Игорь вышел, и в ту же секунду кольнула догадка: ОН! ПОДРАЖАТЕЛЬ! ЛЮБЫМИ ГОЛОСАМИ ГОВОРЯЩИЙ! ОН! И Костя кинулся вслед.

– Я на минутку, – сказал милиционеру.

– Пропуск подписан?

– Да я на минутку, я еще не ухожу.

– Пропуск подпишите и сдайте.

– Я не кончил работу. Мне еще в студию надо вернуться.

– Надо, значит, новый выпишут. А этот сдайте.

– На, на, на! Возьми!

– Подписать надо у секретаря.

Бешенство подкатило мгновенно и неостановимо:

– Кто я? – крикнул Костик. – Кто я, по-твоему? Актер или уголовник в концлагере? Ты где научился так руки выставлять? Что ты меня хватаешь? Три магнитофона за неделю вынесли за милую душу, ковер из редакции уперли. Где ты был тогда? Что ж ты тогда руки не выставлял? Отпусти! Все, я сказал! Я никуда не выйду, отпусти. Поздно уже... Тебя как зовут? Ладно, не говори, неинтересно мне. Просто знай – ты сейчас охраняешь большую подлость. И мы с тобой вместе только что поставили в этой большой подлости большую точку.

– Чего он шумит? – к охраннику подошел другой, пожилой. – Отойдите от поста.

– Здесь радио... которое... слушает вся страна... И я работаю на этом радио... И у меня сейчас запись... И здесь не штрафной батальон!

– Отойдите от поста!

– Я бы все ваши посты... ... ...

– Костя, вас ждут, уже начинают, – от лифта бежала ассистентка.

Костик до боли и, кажется, до крови прикусил губу. Зажмурился. Застонал. Набрал воздуху широко открытым ртом и... пошел к лифтам.

Режиссер Страз наклонился к микрофону и сказал:
– Перерыв окончен, все в студию, пожалуйста! Пишем текст ведущего и соединяем с поэтами. Товарищу пушкинисту придется немного подождать. Вас, я думаю, будем писать через полчасика. А где Вера Васильевна?

– Она пошла звонить по телефону.

– Ну, вот! Подождать придется. Но не расходитесь, пожалуйста!

Режиссер Страз отключил микрофон в аппаратной и сказал звукотехнику Кларе:

– Придет позже всех, и опять начнутся претензии. И это не так, и то курам на смех. До чего надоело!.. Будем ждать. Без Барончик писать не будем.

А Вера Васильевна Барончик в это время, запершись в пустой по вечернему времени комнате редакции, говорила по телефону с главным редактором Загурским.

– Вы понимаете, что, зайдя за определенный уровень пошлости, мы компрометируем самые высокие идеи. Мы попираем ногами то, чему на словах поклоняемся... Нет, но вы сами это понимаете?.. А вы-то слушали эту «попугайскую» в кавычках запись?.. А этот комсомольский Ноздрев, этот Леонид Миронович, он помалкивает... Да нет, он просто ничего не говорит, он свое дело сделал. Даже если сам Мельтешнов... можно же и ему объяснить. – Что? Что, что?

Я не расслышала... Нет, Алексей Сергеевич, не потом. Потом будет поздно. Я вам сейчас заявляю... я эту работу делать не буду!

Алексей Сергеевич Загурский собирался провести этот вечер в блаженном одиночестве (жена уехала на два дня в Комарово к подруге на дачу). Он хотел крепко выпить водки, съесть яичницу из трех яиц с колбасой, а потом просто от-ды-хать! Читать, спать, телевизор смотреть — что захочу, то и буду делать, грезил он. И вот этот звонок! И уже двадцать минут он пререкается с этой въедливой бабой. Алексей Сергеевич был человеком мягким, приказывать не умел. Он дал понять Вере Барончик, что это надо просто пережить... перетерпеть, зажмурив глаза. Он объяснил, что если не она, то за эту приказную передачу мгновенно схватятся Галкина или Агафонов... сляпают, глазом не моргнув, и будет хуже... а у нее (у Барончик) есть вкус, и прямого безобразия она не допустит.

— Я настаиваю, чтобы вы немедленно приехали на радио. Уверяю вас, ситуация экстраординарная.

— Я не могу, я никак не могу! Совсем! Я неважно себя чувствую. — Алексей Сергеевич с тоской смотрел на стынущую на тарелке яичницу.

— Тогда звоните Баринову или самому Мельтешнову.

— Мельтешнов ждет от нас готовую передачу.

— Ну, тогда я вам заявляю, я не могу поставить свое имя под этим безобразием.

— Одну минутку, Вера Васильевна. Подождите у телефона.

Загурский положил трубку на комод, подбежал к столу, наполнил водкой большую рюмку и выпил залпом. Ткнул вилкой в кусок одесской колбасы, уже застывшей среди желтых полушарий глазуньи, быстро разжевал, проглотил с трудом и запил еще одной рюмкой.

— Вера Васильевна, — сказал он в трубку. — Я тут посмотрел кое-какие бумаги, мы обязаны сделать эту передачу, и сделать ее в срок. Не в нашей власти перенести пушкинский юбилей.

– Алексей Сергеевич, вы даже себе не представляете...

– Выполняйте, пожалуйста, мое распоряжение.

Произошло молчание на обоих концах провода. И Загурский вдруг закричал визгливо:

– Не надо испытывать мой мягкий характер! Не надо!

И повесил трубку.

Запахло жареным уже к шестнадцати часам. Юрий Кириллович Баринов подъехал к Смольному загодя. Сказал шоферу: «Жди, я недолго», – и, поправляя галстук, подошел к группе куривших под деревьями солидных мужчин. САМ боролся с курением – на совещаниях в последнее время даже пепельниц на стол не ставили. Поэтому накуривались впрок.

Здоровались, крепко, до хруста жали руки. Собрались практически все идеологические хозяева города. Спрашивали друг друга, что за срочность, почему вдруг такой сбор, но никто ничего не знал. То есть, может быть, некоторые знали, но те, кто знал, опускали глаза, быстро докуривали, бросали окурок мимо урны и, сутулясь, входили в парадные двери.

В пятнадцать пятьдесят пять, когда рассаживались за большим столом, САМОМУ принесли на подпись какие-то эскизы, и разразился совершенно не по событию скандал. Эскизы были отшвырнуты, и было крикнуто, что «Проводы белых ночей – это не проводы на тот свет!» и что «у нас, слава богу, Советский Союз, рабоче-крестьянское государство, а не Институт благородных девиц».

Настроение САМОГО было уловлено, и потому начали мрачно. Повестка дня никак не объясняла срочности совещания и созыва всех по телефону – текущие дела по всем июньским мероприятиям: работа с молодежью, общегородской выпускной бал, идеологическая ориентация абитуриентов, повышенная бдительность в связи с дружеским визитом двух иностранных военных кораблей... Ну, и, конечно, – Пушкиниана в начале месяца и Белые ночи в конце.

Отсутствие Мельтешнова было замечено, но... мало ли что?! Болезнь... командировка... хотя, с другой стороны... Юрий Кириллович крепко почесал шею и крепко задумался. Худо-бедно, Юрий Кириллович фактически единолично возглавлял радио-телевидение и с Мельтешновым по Пушкиниане был в тесном контакте.

Совещание шло нервно и сильно затягивалось. Но очевидным все стало, когда добрались до Белых ночей. САМ разгромил докладчика по этому вопросу и опять крикнул, что у нас не Институт благородных девиц. «Когда начинают, понимаете, группировать вокруг себя всяких Шольцев, Ганов, Каганов, – кричал он, – в целях выпячивания собственной роли, когда серьезное дело подменяют попугаями, выставляя руководство в комическом духе... будем, понимаете, категорически бить по рукам... и не создавать почву для проявлений карьеризма... и семейственности!»

В перерыве Юрий Кириллович сбежал вниз к телефонам-автоматам.

Алексей Сергеевич не стал есть яичницу – холодная, она имела вкус резины. Он сварил макароны, слегка обжарил их на сковородке, обильно смазал маслом. Поверх натер пошехонского сыра. Выпил очередную рюмку водки, запил шипучей водой «Байкал». Раскрыл свежий майский номер «Нового мира» и поставил его на стол перед собой, прислонив к вазочке с конфетами. Вонзил глаза в страницу, а вилку в макароны под сыром. В этот момент зазвонил телефон.

Интеллигентный Алексей Сергеевич громко матерно выругался и снял трубку.

– Как у тебя там «Голос Пушкина»? – спросил в трубке голос Баринова.

– Добрый вечер, Юрий Кириллович, они работают. Я решительно приказал Barончик, чтобы сегодня же...

– Вот что... – сказал Баринов и замолчал.

– Алло! Алло! – забеспокоился Загурский.

– Вот что, – снова сказал Баринов. – Ты, Алексей Сергеевич, поезжай-ка сейчас сам туда.

– Я немного нездоров... у меня... я в данное время никак...

– Вот что, – в третий раз сказал Баринов. – Я сейчас в Смольном. Понятно? Поезжай сразу. Мягко так, без особых объяснений сверни работу. Скажи, что поздно... пусть идут отдыхать... Понял? Все материалы заберешь... Все! Понял? Заберешь... и сотрешь. Я ясно говорю? Под мою ответственность. Вернее, под твою ответственность. Понял? Нет, стой! Вот что... не смей ничего стирать! Понял? Я ясно говорю? Задача понятна? Собери все материалы и... жди меня. Там! Понял?

– Да, да, Юрий Кириллович.

– Не слышу!.. Понял?

– Понял.

Макароны остывали. Пар уже не шел.

– Кто спрашивает?

– Это Рашковский Леня... из райкома комсомола...

– А Михаила Ивановича нет.

– Как? Мы должны привезти ему радиопередачу к десяти часам, он сам назначил...

– Нет, никого нет.

– А кто говорит?

– Дежурный Сысоев.

– Вы передайте Михаилу Ивановичу, когда он подойдет.

– Он не подойдет. Звонил – сказал, не будет.

– А откуда он звонил?

– Я ничего не знаю, я дежурный.

– Он про Пушкина ничего не спрашивал?

– Вроде нет... Про Пушкина? Не припомню... А ваша как, вы сказали, фамилия?

– Рашковский. А ваша, я не запомнил.

– Сысоев. Так если что, тогда что... насчет Пушкина?

– Скажите, с Пушкиным проблемы.

– Ясно.

Вообще говоря, Питер построен скверно. Не в смысле «плохо», нет, вовсе не плохо, можно даже сказать (как многие уже и говорили), построен просто великолепно, но, если честно и нелицеприятно, то... скверно.

Начнем с того, что на болоте вообще лучше не строить. Но если уж так пришлось (или приспичило?), то строить надо в соответствии с этим болотом. И потому все эти шпили, иглы, донебесные купола можно рассматривать только как упрямство, желание все сделать поперек. В описываемые времена еще очень любили слово «наперекор». «Наперекор стихии» говорили, имея в виду под стихией природу. Но ведь от того же корня, что «наперекор», и другое словечко – «перекореживать». Вот и получился город со странным нерусским названием «Санкт-Петербург», поправленный потом на «Петроград», а позднее вольно (совсем уж вольно!) переделанный в «Ленинград» – перекореженный город с претензией казаться чудом гармонии.

Отдельные части и вправду гармоничны. Так гармоничны, что прямо на удивление. А они на удивление и сделаны. Вот, дескать, удивляйтесь – тут на тысячу верст кругом и камня такого нет, и цвета такого нет, и форм таких нет, а мы вот взяли и построили все, чего тут нет и быть не может! И точно – чудеса на каждом шагу. Улица Росси – вся желтая, ровная по линеечке, из одного длинного-длинного дома состоящая и упирающаяся прямо в громадный зад тоже желтого театрального здания. А в тылах театра всегда куски декораций стоят – те, которые в данный момент на сцене не нужны. Колонны, статуи из картона, окна без стен, дворцы, нарисованные на фанере. И стоят они в торце улицы Росси, и кажется, что придет час, и вместе с декорациями всю улицу Росси на сцену занесут. Там ей и место.

Дворцы и перспективы хороши, ничего не скажешь. Только жить неудобно. Забыли созидатели, что настоящие-то города, города для людей, всегда из местного камня строятся, и цвет у них – местный. В настоящих-то городах город и пригород дружат – одно в другое переходит. А к искусственному Питеру пришлось и пригороды искусственные приделывать. И опять чудеса – глядеть не наглядишься – Петергоф, Царское Село, Павловск... дворцы да парки... все дорогое до немыслимости, красивое, любую заграницу превосходящее... только для жизни неудобное.

Но ведь всю землю чудесами не обставишь – не боги все-таки. И всю природу поперек не перечеркнешь. Потому есть и Колпино, и Парголово, и Невская Дубровка, и бесконечные дальние кварталы Выборгской стороны, и тоскливая Малая Охта, воспетая (тоже поперек всей поэзии!) одним только Иосифом Бродским.

Одно к другому не лепится, и получается нелепица.

А уж теперь-то, когда одежда от расшитых кафтанов и белых чулок упростилась до синих габардиновых костюмов в полоску с брюками шириной сорок сантиметров a la Matross Partizan Geleznіak, а уж теперь-то, когда из дворцовых спален отгородили кабинеты для Михаила Ивановича, Петра Прокофьевича и Юрия Кирилловича, теперь совсем не понять, как такой город мог возникнуть и что с ним теперь делать. Но неужели зря трудились, тратили свои силы, свое вдохновение, вкалывали и помирали тысячами на стройках этого чу́дного и чудно́го города? Да, черт побери, декорация! Пусть декорация! Но декорация-то великая! Да, чудо света! Ну и хорошо, что чудо! Что ж нам своих чудес не иметь, что ли?! Может, просто мы не годимся для этой декорации? Царственным ритмом жить надо, чтобы иметь право даже проходить мимо Казанского и Исаакиевского соборов и всходить по парадной лестнице Зимнего дворца.

Никак не хочу я оспорить Александра Сергеевича Пушкина, страдательного героя моего правдивого повествования, — ну, конечно же, и я «люблю тебя, Петра творенье» и «твоих оград узор чугунный»! Я тоже люблю. Я и сам отсюда. «И в Летний сад гулять водил» — это и про меня. Я не только Неву, я и Фонтанку люблю, и Невку, и Мойку. Даже на Обводном канале есть у меня дорогие кусочки. И на мрачной Карповке иногда щемит сердце от воспоминаний и нежности. Но все думается — почему так коряво живем? Почему никак не обустроимся? И возникает грешная, может быть, неправильная — поправьте меня тогда! — мысль: а если задел был неправильный?! Не там, не то и не тогда начиналось? А?

Остановимся! А то плакать хочется.

А мы улыбнемся! От общего дальнего перенесем наш взгляд на частное, ближнее, конкретное. Припомним, припомним... как славно было временами просыпаться в этом городе и смотреть в окно на серые дома с большими окнами. И пробегать по этим улицам, и заходить во дворы-колодцы с чахлой зеленью. Выкрикивать призывно приятное имя и видеть появившееся в окне дорогое личико. Как славно убегать из-под надзора папы и мамы, но знать, что они есть, они еще живы – и папа, и мама. Приезжие в белые ночи нервничают, сбиваются с ритма, а мы, коренные питерцы, просто не спим. Мы бодрствуем и радуемся жизни круглые сутки.

В 205-й средней школе выпускной бал удался. Я вообще не слышал, чтобы где-нибудь когда-нибудь не удался выпускной бал. Это на следующий день всякое может случиться, иногда даже совсем ужасное – то Отечественная война начнется, то группа выпускников окажется вдруг группой преступников. Но это на следующий день. А про сам выпускной бал всегда вспоминают: «Так все было чудесно! Такие все были светлые... ну, поверить невозможно, что через какие-нибудь несколько часов... дней... лет...» и так далее.

Так вот, в средней 205-й школе выпускной бал тоже удался. Торжественная часть была недлинной, концерт и буфет на уровне. Учителя немного выпили и немного всплакнули. Ученики и ученицы бросились в пляс. Потом полулегально тоже пригубили сухого винца и высыпали на светлую серую улицу, пустую и прямую. Разбиваясь на группки, тронулись к Неве. С каждой минутой становилось светлее, и жизнь казалась широкой и бесконечной, как перспективы ленинградских улиц. Сперва перекрикивались, как в лесу. Потом группы отдалились и замкнулись в тихих перешептываниях, касаниях, пожатьях рук.

Шли по Росси. Возле бронзовой Екатерины пересекли Невский. Короткую Малую Садовую пробежали бегом наперегонки и уткнулись в улицу Ракова. Свернули налево и вышли к легкой приветливой фигуре Пушкина на высоком постаменте. Прокричали хором: «Я к вам пишу, чего же боле!» – и уже парами в полуобнимку тронулись вдоль канала Грибоедова к Спасу на Крови.

Тут шли Светлана Ш., Марина В., Вероника Т., братья Игорь и Леонид Ф., Борис С., а чуть отставали от них Лиза Б., Неля К., Миша Т., Володя У. и Валя (Валентин) К. Фамилии я не называю по той причине, что все эти молодые люди не имеют никакого отношения к нашему повествованию.

Читатель может спросить – а зачем в таком случае упоминать их, и не является ли это литературным приемом постмодернизма, где все неглавное выпячивается, главное – отсутствует, а все вместе теряет всякий смысл? Отвечу – нет, это не является приемом постмодернизма, ибо автор полагает, что всему свое время, и очень надеется, что тотальный постмодернизм придет тогда, когда автора уже не будет на этом свете.

А перечень тех, кто шел белой ночью дальше – по Конюшенной, через Мойку, направо по Халтурина к Марсову полю и потом по Пестеля, – перечень этот нужен для конкретности. Для создания достоверной атмосферы, которую автор хорошо знает и очень хочет, чтобы ее почувствовал и читатель.

Генриетта Бертольдовна не спала. Она стояла у раскрытого окна, опершись ладонями на непривычно низкий подоконник, и смотрела на пустую незнакомую улицу.

Переезд прошел, как во сне, – быстро и неутомительно. Ей не дали времени собраться и уложиться. Пришли незнакомые люди, ловко похватали вещи. Все мелочи покидали в принесенные с собой коробки. Оторвали вросшую в пол и стены мебель и понесли, напружив круглые плечи, стол, шкаф, кровать, стулья, коробки, ящики. Генриетта Бертольдовна собрала своих зверей, присела на минутку на табуретке в коридоре возле телефона, и тронулись все вместе вниз к крытому грузовику.

Ей выделили прекрасную большую комнату в прекрасном районе. Она хотела было напомнить, что обещали вроде отдельную квартиру, и даже двухкомнатную, но потом подумала: «А зачем?» – и не напомнила. Вещи расставили кое-как. Вещи никак не могли приспособиться к новеньким веселеньким обоям. А веселенькие обои никак не могли приспособиться к высоким потолкам и солидной серьезной лепнине. А Генриетта Бертольдовна никак не могла приспособиться ни к чему. Спала мало, а читать почти перестала. Телевизор не работал – не было антенны. Она гуляла с собаками, кормила свое зверье. Сама питалась всухомятку. Небрежно убиралась в комнате, вяло делала свою необременительную корректорскую работу. В остальное время смотрела в новое окно.

Было тихо. И уже совсем светло. Посредине улицы парами и тройками шли одиннадцать молодых людей. Пиджаки мальчиков были наброшены на плечи девочек. Только один был в пиджаке, потому что для его пиджака не хватило девочки. Шли обнявшись – по двое, по трое.

Было очень тихо. Только шаги по асфальту, и где-то далеко, за Кировским мостом, требовательно гудел буксир.

Генриетта Бертольдовна смотрела на улицу. Кошка лежала на шкафу и желтыми глазами тоже смотрела на улицу. Чебрик и Асунта потерлись о ноги хозяйки, а потом вспрыгнули на невысокий подоконник и сели по обе стороны старухи. Опять издалека попросил о чем-то буксир.

Из-под черного покрывала раздался ясный несонный голос Арно.

– СКЕРЦО! – сказал попугай. Генриетта Бертольдовна сняла покрывало.

Попугай потоптался на жердочке, встряхнул перья и широко раскрыл могучий клюв.

– СКЕРЦО! – картаво сказал попугай.

Этой картинкой я и закончу мою повесть о 60-х годах. Как видите, все кончилось хорошо – и Генриетта Бертольдовна расширила жилплощадь, я уж не говорю о кубатуре, и Лида с мамой оказались в отдельной квартире. Дальнейшая жизнь у каждого из героев этого повествования была, конечно, своя, но главное – все они живы. Вы представляете, живы до сих пор! (Жив даже Арно, которому и тогда было не меньше ста пятидесяти.) Кто стал знаменитым (это я о Косте), кто богатым (Леня), кто споткнулся и пошел на понижение (Мельтешнов), кто развелся, бросил государственную службу и стал успешным свободным журналистом (Загурский), кто в перестройку купил даже «мерседес», но этот «мерседес» у него угнали (Баринов), кто при всех переменах оставался «на плаву», а потом вдруг сразу все лопнуло, и выкинули его на пенсию (это опять Баринов), кто на старости лет получил возможность путешествовать и побывал в очень многих странах (Вера Васильевна Барончик), кто до конца остался коммунистом, но с очень сильными психическими отклонениями (Бутько). А Вероника Т. (из тех, кто шел тогда белой ночью по улице) стала замечательным врачом и даже написала книгу по педиатрии.

Но главное – все живы! И вы, если захотите, можете разыскать их, поговорить, расспросить и убедиться в абсолютной достоверности рассказанных здесь событий.

И вот вспоминаю я сейчас все это и думаю, что, ей-богу, сравнительно это были совсем не худшие годы.

РАССКАЗЫ

9-5868

Рождество на чужбине

Приключение

Виктор Георгиевич шел в толпе по улице иностранного города. Виктора Георгиевича душило раздражение. Все оказалось серьезнее, чем он предполагал. Город и страна проявляли себя прямо враждебно к нему. Он не привык к этому. Он выучил на местном языке «добрый день», «пожалуйста» и «спасибо». Он исправно громко произносил эти слова, а потом вежливо-медленно говорил по-русски и даже, в угоду интернационализму, переставлял все ударения: «Про́шу пока́зать он ту юбо́чку ра́змер пя́тьдесят», — и более того, выставлял перед лицом продавщицы растопыренные пальцы — пять! Чтобы еще более объяснить — пя́тьдесят! Его *не хотели* понимать. Очевидно — *не хотели!* Потому что... чего ж тут не понять?

Перед ним стояло человек шесть, все женщины, и подолгу болтали с продавщицей на своей тарабарщине. Продавщица носила туда-сюда юбки, кофты, разворачивала, рвала дорогие пакеты. Чего-то смотрели, цвет подбирали, мяли, опять заворачивали и всё лопотали, лопотали... В магазине было жарко. Виктор Георгиевич не привык к очередям. То есть привык, но сам в них давно уже не стоял.

Всегда был другой ход. Заграница столкнула его с очередями, с унижением, сразу обнажив свои язвы. И главное – долго. Взял – уходи! Нет, они болтают. О чем? Товар есть – бери, вали. Нет, болтают. Виктор Георгиевич подумал, что эта баба – знакомая продавщицы, подружка. Но когда та отошла, а продавщица стала и со второй так болтать и опять таскать туда-обратно, Виктор Георгиевич решил: «Нет, не подружка». А Виктор Георгиевич был человек наблюдательный.

Виктор Георгиевич вежливо-терпеливо ждал. Но когда покупательница совсем зарывалась в кучу, а продавщица на секунду подымала свои красивые глаза от шмоток, Виктор Георгиевич и пользовался. «Добрый день, здравствуйте! – выкрикивал он по-иностранному, и дальше раздельно: – Прошу показать он ту юбочку размер пятьдесят!» – и выпучивал пальцы. Продавщица не могла не слышать (женщина впереди Виктора Георгиевича даже слегка шарахнулась от его вскрика), но продавщица *делала вид*, что не слышит. А на третий раз вдруг повернулась резко, прямо в глаза ему уставилась, что-то прошипела довольно громко и опять принялась таскать тюки передней бабе. Виктор Георгиевич понял, что его отшили, не так он был прост, чтобы не понять. Но почему? И главное – и это было особенно угнетающим, – он... ну совершенно ни одного слова не разобрал. Да ведь это сознательно, это нарочно делается!

С горечью и укоризной вспомнил он слова Сервантеса, написанные на стене гастронома в полуподвальчике на углу Невского и Литейного: «Ничто не дается нам так дешево и не ценится так дорого, как вежливость!» Но разве ИМ это объяснишь?! Потом подумалось, что, если бы эту большеротую, большеглазую... приголубить, она бы поняла, с кем имеет дело, и не так бы забегала перед ним. Но опять же и этого не объяснишь. «Неужели и ЭТО у них другим словом называется?» – изумился Виктор Георгиевич и самим фактом изумления впервые в жизни коснулся мысленно науки лингвистики... Тем не менее жарко было отчаянно. Абсолютно зря надел он кальсоны... Конечно, надо было идти с Николаем Ивановичем и уродкой переводчицей Евой, но его угораздило сегодня рвануть одному. Во-первых, всегда был уверен, что одолеет любую стенку, а во-вторых...

Во-вторых, деликатный момент... Николай Иванович в любом магазине, когда доходило до расплаты, умудрялся достать из кармана меньше денег, чем требовалось, бесконечно долго шарил, не находил, а потом небрежно и вместе категорично говорил Виктору Георгиевичу: «Ну-ка, Витёк, подкинь покуда... сколько там?.. Одиннадцать этих ихних... трипперов...» И так порядком перебрал монет, а напомнить было неудобно.

Виктор Георгиевич шел в толпе по улице иностранного города с тоской в душе и с пустыми руками. Нет, он не спасовал, не такой он был человек – достоялся и сосредоточил наконец на себе внимание продавщицы и с помощью долгих тыканий пальцем заставил подать ту самую «юбочку, размер пятьдесят», но юбочка-то оказалась не юбочкой, а штанами непонятного назначения. Виктор Георгиевич, весь в поту, отступил. Проклиная продавщицу, город и страну, спустился ниже этажом в мужской отдел. Пот лил ручьем. Тут он сделал спасительный маневр. Из бесконечного ряда костюмов выбрал первый попавшийся и спокойно понес его в примерочную. Задернул занавеску, быстро разделся и снял наконец мучившие кальсоны, сунул в карман пальто. Через минуту он снова вышел из примерочной и повесил костюм на место. Стало легче, но тоска не проходила. Да еще карман пузырился от кальсон, раздражал.

Виктор Георгиевич шел в толпе. Толпа оскорбительно непонятно журчала на своем муторном языке. Он сталкивался со встречными, чертыхался. И ему кидали в лицо короткие картавые словечки... Виктор Георгиевич отрулил с середины людской реки к берегу. Но и там течение несло. До Нового года было еще семь дней, но здесь, на чужбине, уже вроде гуляли, уже пахло легкомысленным праздником... Темнело. Гудящий поток раздвоился. Огни площади остались слева. Виктора Георгиевича отнесло направо, в узкую кривоватую, но тоже неплохо освещенную улицу. Вдруг посвободнело. Можно было идти сюда или туда...

«Зайду в универмаг, попробую еще раз», — подумал Виктор Георгиевич и отдался небурному ручейку. Вплыл в универмаг.

При входе брали плату («Западные штучки!»). Бросали мелочь в здоровую ржавую копилку. Виктор Георгиевич тоже бросил — чего позориться? Подавитесь! Потом почему-то мыли руки в каменной ванночке. Не стал Виктор Георгиевич. В первом этаже универмага стояло много скамей. Это было удобно. Но зато с товарами было слабовато. Практически вообще не было. Виктор Георгиевич стал искать лифт. Не нашел. Поднялся по каменной лестнице, глянул сверху. Оказалось, не универмаг, а церковь. И уже начинали. Виктор Георгиевич крепко протер глаза — наваждение не таяло: служили культу, и народу было много. Подумалось: «Боже мой, что за хреновина». Виктор Георгиевич на цыпочках спустился вниз, боком, боком, никем не замеченный, юркнул из каменного мешка на волю. Смачно плюнул на мостовую, растер. Закурил жадно.

Потом нашел наконец универмаг, уже пустеющий, даже страшноватый в своем невероятном количестве товаров при малом количестве людей. Вбежал в громадный зал женского готового платья. Совсем пустовато. Вот момент! Здесь! Сейчас! Без юбки я отсюда не уйду! Неужели из этих тысяч нет хоть одной пятидесятого размера? Уже шла навстречу улыбающаяся в халатике. Уже близко!.. Сзади накрыл, как обухом, омерзительный визгливый, надоевший голос Николая Ивановича: «Витёк, а, Витёк! Подкинь до гостиницы семьдесят пять этих ихних... как их... шнацеров или люмпенов... Отличный макинтош своей Нинке нашел, чек в руках, и не дотягиваю».

Конечно, дал! Не скажешь же – с собой не захватил! – чего, спрашивается, тогда тут ошиваешься? Дал. Заметил, что деньги тают, хотя все же пачка была еще приличная. Но вдруг расхотелось! Все расхотелось – юбки щупать, без конца говорить «добрый день» по-иностранному, тем более что уже наступил вечер, а как «добрый вечер», он не знал. На волю. На воздух!

Кинулся к лестнице. Николай Иванович что-то кричал – не слушал. Уродка переводчица вслед зазывно засюсюкала – на хрен, на хрен, на волю!

Виктор Георгиевич выскочил на улицу. Три раза быстро свернул наобум в узкие улочки, вышел на какую-то площадь и уже спокойнее пошел вокруг старинного замшелого собора. Райончик был незнакомый и глуховатый. За маленькими раскрытыми дверцами в первых этажах ступеньки вели не вверх, а вниз, в подвальчики, полуподвальчики, и оттуда, из глубины, из-за бархатных шторочек, из-за склизлых стеночек, несло чем-то тревожным и запретным. Да и фотографии в маленьких витриночках были ой-ой-ой!!! Были и надписи, но малопонятные. Слово «КЛУБ» Виктор Георгиевич разобрал, но остальные слова оказались недоступными, а в них-то и было все дело. Подумалось: «Какой там, твою мать, клуб!»

За спиной забренчало. Повернулся. Шел парень, весь увешанный цепочками, – на шее штук десять, на плечах... к брюкам тоже цепурки пришиты... и все позвякивают. Покачивая бедрами, парень проценькал последние шагов пять, вошел в круг света... Мамочки! – весь накрашенный, глаза подведены, блестят губы красные –

полуоткрыты... и в губах орешек... или пуговица... Вурдалак!

Парень вопросительно и, как показалось Виктору Георгиевичу, угрожающе уставился на него. Виктор Георгиевич не выдержал взгляда. Отвел глаза и напрягся. Пальцы левой руки в кармане пальто поплутали в месиве кальсон и нащупали тяжелый ключ от номера, который Виктор Георгиевич не сдавал никогда... Крашеный глядел не мигая.

– Что, сынок? – хрипловато спросил Виктор Георгиевич.

Парень по-сумасшедшему засмеялся и почапал, звякая своими медяшками, вниз по лесенке.

«Вот те и клуб. Вот те и Дом культуры. Вот те и место отдыха. Ай да райончик! Куда же это я попал?»

Виктор Георгиевич хитрил сам с собой. Он прекрасно понял уже, куда он попал, догадался, что за райончик. «Держись, Витёк, ты здесь как в разведке!» – сказал сам себе и тронулся дальше по улице, сжимая кулак с ключом внутри шелковистой массы кальсон.

Пусто. Тихо. Звуки были... вроде голоса и вроде музыка... но вроде не поймешь что и не поймешь откуда. И глухо. Звуки эти и создавали большую тишину, в которой часы на соборе с кастрюльным звуком пробили восемь.

Что-то кралось сзади. Слева. Большая машина бесшумно обогнала его и мягко остановилась впереди. Открылась дверца водителя, вынырнула женская фигурка и развернулась к нему. Женщина что-то говорила, но он не слышал. Он глядел на нее, освещенную красноватым светом соседней рекламы, и пропадал. Это был его идеал. *То самое.* Недостижимое и вместе знакомое... По снам, что ли? Эти волосы... эти губы... глаза, одежда, шея... особенно шея... ШЕЯ! «Я ее видел... – мучительно крутилось в мозгу. – Видел в... видел на... видел около... где я ее видел?.. Да, кажется... Ой... на картинке три дома назад в маленькой фотовитринке видел я ее... голую... в шляпе... и в сапогах».

Он еще машинально двигался вперед, а она договорила, снова села в машину, и тогда распахнулась дверца, ближняя к нему... Он подошел... Она одна в машине... и смеется, и зовет... его... и мелет, мелет... и ручкой, все ручкой, садись, дескать!

То, что мелькнуло в голове Виктора Георгиевича, можно назвать одним словом – «разное». Мелькнул кусок то ли сна, то ли виденного когда-то в кино, – ослепительный, нарядный, с цветочками кафель, чистое, фигурно вырезанное зеркало, под ним широкий мраморный подзеркальник и баночки, флакончики, гнутые, тянутые, с цветными, большими, в полбутылки пробками... шум душа и голый силуэт с распущенными волосами сквозь полупрозрачную пленку... и так четко виден каждый изгиб, потому что она руки подняла к волосам, и приподнимает их, и приподнимает... и все четко – одна колба на мраморе особенно здоровая, с синей, с кулак пробкой... и даже чужие буквы видятся, помнятся и сами складываются в неизвестное Виктору Георгиевичу слово «Desodorante».

Мелькнул короткий кошмар: вожделенное барахтанье в какой-то чистой темноте – и внезапно рубанувший луч из щели, дверь приоткрылась – и жуткая улыбочка Николая Ивановича из-за двери.

Мелькнул портрет жены – Веры Никитичны, в серостальных тонах, с жесткими металлическими складками возле рта и с грозно поднятой рукой, – выразительны были в общей серой гамме красноватые короткие растопыренные пальцы.

На мгновение – длинный низкий северный пейзаж с лесоповалом.

Потом – дача, приезд шурина на машине, богатый стол, батарея водочных бутылок, салат с крабами под майонезом, и домашние грибы в миске – гриб мелкий, ненабрякший, в меру скользкий, в меру плотный – хороший, не черный гриб, и хлеб черный – теплый... (Виктор Георгиевич не ел с самого завтрака, никуда не звали. До этого вроде каждый день то прием, то банкет, то встреча, но и на встрече... все же... как-никак... худо-бедно, но... и бутерброды, и чаю-кофе, и хоть пару рюмок... а сегодня как отрубило.)

Мелькнули вперемежку какие-то отрывочные фразы, вроде: «Никогда не забывайте...», «Остерегайтесь!» – и одна подлиннее: «В вашем, Виктор Георгиевич, возрасте это не может служить оправданием», – та самая фраза, которую он, как заместитель председателя комиссии народного контроля, недавно сам произносил, но только он говорил не «Виктор Георгиевич», а «Нугзар Шалвович», и обращался не к себе, а к проворовавшемуся развратнику Околошвили.

Время неслось. А может быть, стояло на месте. Не исключено даже, что время поехало назад. Во всяком случае, оно измерялось какими-то новыми, неведомыми Виктору Георгиевичу единицами. Пока «разное» мелькало в голове, перед глазами уже мелькали огни, подъезды, площади, жирные кругляши светофоров. Машина слаломными зигзагами ввинчивалась в узкие улицы. Из хаоса мыслей Виктор Георгиевич спустился в разноцветный космос чужого и чуждого города. А из космоса вдруг, в одно мгновение, еще ниже – на грешную землю. И все заслонил простой земной вопрос: «А сколько это может стоить?» Очень своевременный вопрос, потому что время совсем раздвоилось, и, пока сознание металось, тело жило своей жизнью, на совсем иных оборотах. Он уже подержал чуть излишне костлявую, но все же завлекательную коленку, прикрытую невесомой серебристой тканью длинного платья. Уже получил по лапе ручкой в перчатке – маленькой ручкой, на секунду оторвавшейся от руля. Получил порцию смеха (с обнажением ослепительных зубов). Он уже выслушал птичий концерт милейшего щебетания, из которого не понял ни хрена. (Ему даже показалось, что развратная водительша среди своей белиберды как-то ломано произнесла его имя и отчество, чего уж никак не могло быть.) Виктор Георгиевич и сам уже высказался – пропел по-иностранному «добрый день», «здравствуйте» и сразу «до свидания», чем вызвал одобрительный хохот оторвы, а потом сказал на родном языке пару-тройку более раскованных слов. А чего стесняться? С одной стороны, не поймет, а с другой – да хоть бы и поняла! Он же не в обиду. Он от чистого сердца. Он и грудь ее опробовал рукой – маленькая, но плотная. Водительша ахнула, но руки от руля не оторвала – больно сложный поворот намечался, машин много.

Многое уже было, и вопрос «сколько стоит?» замаячил ко времени. А когда Виктор Георгиевич схватил веселую девицу второй раз за коленку и машина с мягким лязгом шмякнулась в зад другой, вопрос «сколько стоит?» встал ребром. Пока водительша выскочила и вступила в объяснения с шофером из передней – погнутой – машины, Виктор Георгиевич быстро и справедливо прикинул, что:

первое – за рулем она и отвечать ей;

но:

второе – его вина есть: отвлек;

третье – даже если за погнутый бампер платить пополам, неизвестно, хватит ли всей пачки (на всякий случай он пощупал пачку в кармане – на месте).

Чужой мир показывал не только свои язвы, но и отдельные положительные стороны. Вместо того чтобы орать друг на друга, водители (шофер передней был невзрачный мужик, куртка на нем хорошая, а сам мужик – дерьмо), так вот, вместо того чтобы орать, оба поглядели на свои бамперы, побалакали минутку (не больше!), показали друг другу документы, чего-то записали и руки друг дружке пожали. Виктор Георгиевич даже крякнул. Подумалось: «Что значит на нетрудовые деньги живут!» Но все же это ему понравилось, смотреть приятно. Он было вспомнил, как однажды сам врезался в продуктовый пикап на углу Обводного и Боровой, но остановил себя – даже вспоминать не хотелось.

А потаскуха уже сидела рядом. Строго, но без злобы погрозила пальчиком и как ни в чем не бывало опять зарулила, заюлила по улицам. Оба молчали. И тут в мозгу Виктора Георгиевича всплыло откуда-то еще одно иностранное слово – «извините». Он произнес его. «Патрон», – сказал он негромко. Водительша оторвала правую руку от руля и слегка коснулась его левой.

И от этого легкого касания, от этого явного прощения колыхнулось в косматой, забытой, заброшенной душе Виктора Георгиевича что-то такое, чему и название он уже давно забыл.

Осторожно втиснулись в узкую щель между двумя машинами. Остановились. Вышли. Свернули за угол. Шли рядом. Хотел взять под руку, но раздумал – может неверно понять. Шли так. Парадная с высокой дверью из цветных стеклышек. Поднялись по чистой деревянной лестнице без ковров. Большая пустая передняя. Вешалка, и штук тридцать пальто на ней. Мужских и женских. И никого! Ни души! И за стеной слышна музыка.

«Бардак», – понял Виктор Георгиевич. Обдало потом. Но не назад же идти. Здесь-то уж не бормотать «извините» на иностранном языке, тем более и слово опять куда-то провалилось и никак не вспомнить. Да и потом... когда сняли пальто и он увидел ее в серебристом... «Ой, да что ж мы, не люди, что ли? Камни мы, что ли?»

Виктор Георгиевич обхватил ее, тоненькую, и сказал сдавленным голосом: «Люня моя!» Черт его знает, почему «Люня», но все равно – хорошо. Как-то ведь надо называть ее, что ж мы, не люди, что ли?

Люня хохотнула и вырвалась. Вошли в смежное помещение. Пустая зала с диванами и креслами. Лампы на стенах под горчичными абажурчиками. И опять никого. Но музыка ближе. И тут же из противоположной двери скользнул официант с подносом, а на подносе рюмочки, фужерчики... и все полные... ну не все, но больше половины полные... то есть полные в ИХ смысле – ДО половины налито. Официант к ним с улыбочкой и предлагает.

«Бардак!» – снова подумал Виктор Георгиевич, на этот раз с какой-то даже удалью.

– Добрый день, – сказал он официанту на родном языке служителя непристойного места и взял два фужера с красным. Один протянул Люне, с сильным звоном чокнулся и опрокинул залпом. Питье недурное, но слабоватое – градусов восемнадцать–двадцать, не больше. Поставил фужер, взял рюмку с белым, и оказалось... вот не ожидал... – нормальная «Столичная».

– Водка! – сказал он весело.

– Водка, – одобрительно захохотала оторва.

– Водка, – прошептал служитель бардака.

Потеплело внутри, и в душе, и в желудке, и как-то сразу повело. Неудивительно – с утра ни крошки во рту. И такие переживания. А может, и к лучшему? «Пускай ведет, скажу – пьян был, – подумал Виктор Георгиевич, а потом с опозданием удивился: – Кому скажу?»

Уже шли дальше. Комнатки... тут уже и люди попадались, парочками... в уголках, рюмочки в руках... бала-а-акают! У-у-у-у! Развратники... а строят из себя... «Большой вальс»! И опять официант, другой... и опять фужерчик красненького и рюмочку беленькой... ан хрен! – на этот раз не водка, а что-то чудовищное – пламенем по кишкам. *«Одеколон,* – мутно сообразил Виктор Георгиевич. – *Опаивают...»* Еще одна комната. При входе сильно ляпнулся о косяк... «Нехорошо...» Люня пропала. Какая-то красная харя надвинулась с рюмкой и понесла околесицу. Розовые губы улыбаются, а глаза жуткие и вроде ненавидящие, и рукой куда-то показывает, вроде зовет или приглашает.

И тут колоколом в голове: «Шпионы... ловушка. Ай, Витька, куда ж тебя?!.. Ах ты, сука, Люня! Ой! Ведь предупреждали же на собеседовании. Ни слова не скажу! Пусть консула вызывают, тогда скажу... НЕТ! И тогда ничего не скажу... Дочку жалко – вышибут ее из института, как пить дать вышибут... Ну, где эта харя красная, резидент? Где он? А его нет... А Люня тут как тут... и тарелку несет с бутербродами... Ах ты, милая... Ах ты, наводчица... Но запах от нее... запах – сон!.. или это от бутербродов? С утра ничего не жрал... А волосы, а кожа!.. А спина полуголая... Нет, Люня, я не такой, не думай... Я, может, пропал, но ты от меня сегодня не уйдешь».

Взял за руку. Сильно, но чтоб не больно. Повел. И опять комнаты, комнаты... Где тут поукромнее? По дороге еще рюмку хватанул с первого встречного подноса – что-то запредельно ледяное. И... и... прояснело в голове, дурман сошел. Огляделся. «Вот глупый! Сдрейфил! Померещилось тоже – шпионы! Да кому ты нужен? Смотри, Витя, растопырь зенки – люди пьют, гуляют, а ты... Э-э-эх! Откуда в нас эта подозрительность? Уже и в бардаки не верим! Во всем политику ищем. Какая-то в нас бездуховность!.. ...
...Люнечка моя!»

И тут вдруг опять накренилось в голове – мелькнул в дверях Николай Иванович, тоже с бабой и с уродкой переводчицей Евой. «Та-а-а-ак!» – радостно хихикнул Виктор Георгиевич. Он почему-то нисколько не удивился и тут же сильно удивился тому, что не удивился. Пока все это путано колыхалось в мозгу, он уже тянул Люню влево за шторы. За шторой стоял бородатый в очках... улыбался, кланялся... Люня стала знакомить с сутенером... «После, после... Идем, идем... За мной, за мной... Куда тут, куда тут?» Обхватил, засунул руку крепко за пазуху... Она взвизгнула, отскочила. Скакнул за ней и влип в Афанасия Гавриловича.

«И этот тут???»

Афанасия Гавриловича им представили на собеседовании. Объяснили, что он хорошо знает, что к чему за границей, и будет не то чтобы руководителем, а как бы помогать будет руководить. Но подчеркивать этого не надо... хотя помнить надо... а о самом предупреждении забыть.

Афанасий Гаврилович приобнял крепко Виктора Георгиевича и тряхнул так, что у того лязгнули зубы.

– Ты где был? – спросил Афанасий Гаврилович.

Виктор Георгиевич стоял столбом.

– Пойдем домой, – сказал Афанасий Гаврилович.

В мозгу у Виктора Георгиевича навернулась мысль: «Вызовите нашего консула, без него я говорить не буду». Но он оттеснил эту мысль – она пришла не вовремя.

– Все нормально, – сказал Виктор Георгиевич для пробы.

Афанасий Гаврилович бросил его обнимать – видимо, надоело. Внимательно посмотрел, как стоит Виктор Георгиевич. Тот стоял твердо.

– Ну, погуляй. Через сорок минут все поедем, – сказал Афанасий Гаврилович. – Поди поешь. Разговор потом будет.

Подбежала Люня, таща за собой одной рукой бородатого, а другой уродку Еву. Ева заверещала, запереводила:

– Госпожа Шпиндельканц хочет познакомить вас со своим мужем, господином Шпиндельканцем...

Не Шпиндельканц, конечно, но разве запомнишь? Разве разберешь? Чего, чего? С МУЖЕМ? Ну люди! И он ей позволяет? А на карточке у подвальчика? В сапогах и в шляпе? Голая?

Помутилось, помутнело опять. И пошло все с провалами.

Вспоминалось:

Вот стою у стола. Ем горячее мясо с перцем. Перец жжет десны.

Провал.

Беру рюмку. Наливаю из графина сок. Вижу жуткие глаза Афанасия Гавриловича. Показываю ему графин – сок это, СОК!

Провал.

Лысый... тот, который встречал на вокзале неделю назад, говорит речь... Ева блекочет по-русски... «Укрепление дружеских связей...»

Провал.

– ...Очень важно понять друг друга...

Провал.

– ...Контакты, несомненно, были полезны для обеих сторон...

Провал, провал, провал.

Провал.

В углу, возле зеркала, опять Люня. Опять Ева:

– Госпожа Шпиндельканц в восторге от знакомства с вами. Она и ее муж надеются увидеть вас скоро, они собираются в вашу страну...

Полный провал.

И еще один.

Сидят с Николаем Ивановичем на диване. У каждого в руке горсть чищеных орехов. Грызут.

– Ты чего, Витёк, кривишься? – спрашивает Николай Иванович.

– Живот болит, – врет Виктор Георгиевич.

Живот не болит. Он кривится от ломанувшего голову прозрения: не на голой карточке видел он Люню, не на карточке в витриночке. Видел он ее на вокзале... в день приезда... была она с тем лысым... и с цветами в руках... и им объясняли, что она что-то вроде секретаря в ихнем объединении профсоюзов... знакомили... Но действительно была в большой шляпе и в сапогах.

Провал.

– Где мы? – спросил Виктор Георгиевич у Николая Ивановича.

– Чего? – спросил Николай Иванович и сунул всю горсть орехов себе в пасть. Зажевал с треском. Не переставая жевать, хлопнул себя по лбу, полез в карман, достал конверт, протянул Виктору Георгиевичу. – Жа-был шовшем, – прошамкал сквозь орехи.

Виктор Георгиевич достал из незапечатанного конверта скользкую белую картонку, на которой типографски было отпечатано (читал через пятое на десятое):

«УВАЖАЕМЫЙ ГОСПОДИН ....В.Г.
...... ОБЪЕДИНЕННЫЙ ПРОФСОЮЗ ....
...... имеет честь пригласить по случаю Рождества
...... на коктейль ....
...... состоится .... В ДОМЕ
ПРИЕМОВ МИНИСТЕРСТВА ТРУДА...............
...... к 8 часам вечера ....
(.....)»

Провал.

Брно,
1979

Любимец публики

— ...не позаботитесь ли вы о том,
чтобы актеров хорошо устроили?
— Принц, я их приму сообразно их заслугам.
— ...Черта с два, милейший, много лучше!
Если принимать каждого по заслугам,
то кто избежит кнута?

Шекспир. «Гамлет»

Не люблю унылых. Я сам унылый, но я и себя не люблю. А вот веселых, легких, нахальных люблю. Хотя не очень. Не всегда. Но иногда просто влюбляюсь в них.

Лёдя М. – актер, если правду сказать, никакой. В театре совсем не сгодился, ну а в кино все же снимался и популярность какую-никакую имеет. Потому что фигуристый: туша на центнер с хвостиком, воротничок шестидесятого размера!.. Да нет, даже не поэтому. Проще! На встречах со зрителями, или с девушками знакомясь, или вообще входя куда, он говорит: «Я Владимир М. Я запомнился вам по таким фильмам, как...» А дальше любые названия, хоть «Большой вальс». И нормально! Производит впечатление. И вправду что-то вспоминается, вроде бы незабываемое.

Лёдя и теперь такой, и смолоду таким был. А этот случай еще в застойные времена произошел – при низких ценах и малых деньгах.

– Пойдем, – говорит нам Лёдя, – в Дом кино, погуляем в ресторане. Приглашаю.

Входим все четверо. Лёдя с порога на весь зал:

– Здравствуйте, гости нашего Дома! Приятно видеть, как люди, не связанные с кино, приходят посидеть в обществе известных актеров. Точь-в-точь как в картине «Двойной запал», в которой я, как вы помните, снимался на «Молдова-фильм». Ниночка, накрой нам!

Люди притихли, а потом заулыбались и загудели. Народу порядочно.

Мы в углу сели. Нина закуски ставит. Лёдя поощряет:

– ...И паштет... и салатики... А язычок?.. Икорку можно, иди, Ниночка, скоренько!

Отошла она – он говорит:

– Товарищи, жду первых взносов. У вас башли водятся?

Мы, унылые, краснеем, стыдимся напомнить, что вроде он же сам позвал... Шарим по карманам, двенадцать рублей наскребли, а у нас на столе уже рублей на сорок – пятьдесят стоит, а еще икру принесут.

Лёдя ресторан оглядывает. В другом углу грузинская компания гуляет. У окон тоже группочка... такая... с еврейским уклоном. Остальные неопределенные: пары, тройки, одинокие деловые очкарики... А в левой стороне официантки столы сдвигают – большой банкет готовят... И музыка уже играет. Громко.

Лёдя евреям через два стола кричит:

– Товарищи, очень выпить хочется! Закуска стоит, а водку все не несут. По-соседски одолжите бутылочку, сейчас подадут – мы вернем!

Те встают – давайте нальем, товарищ артист!

Лёдя уперся:

– Нет, этого я не люблю... Не надо, халявы не надо, артист горд... Я вот нераспечатанную забираю и такую же верну.

Бац – и в центре нашего стола бутылка! Музыка гремит. Я восхищаюсь – как он это легко, озорно, запросто – и, взяв бутылку, собираюсь пробку отвинчивать.

— Ку-у-уда? — Он у меня бутылку вырвал. — Ниночка! — зовет. — Давай быстренько бутылочку эту вон в тот дальний угол грузинам на стол. От моего имени. Скоренько, скоренько!

Ниночка завиляла между столиками. Подошла. Поставила. Сказала. Грузины ахнули, вскинулись, завертели орлиными носами в нашу сторону. Лёдя уже к ним двигается, раскинув руки:

— Хочется по-человечески встречать новых гостей. Просто, скромно, по-доброму — бутылкой водки! Кто потянулся к искусству, кто к художникам потянулся, у того, значит, руки длинные. Того не останавливать надо, не бить по рукам, а водкой-солью, с земным поклоном!

Лёдя и в самом деле коснулся рукой паркета. И все эти раскидывания рук и поклоны, и вся эта ахинея, которую он молол и молол, получились у него как-то солидно. И даже засосные поцелуи (а он, окончив речь, расцеловал каждого ошалевшего грузина), даже эти звонкие троекратники прозвучали убедительно — вроде не только от себя, а от имени всех присутствующих... и отсутствующих... ну, в общем, хорошо прозвучали.

— Но я пришел предупредить, — гудел Лёдя, навалившись пузом на грузинский стол, — никаких этих «от вашего стола — нашему, от нашего — вашему... Ты мне бутылку, я тебе две» — это не нужно, у нас это не проходит. Во-первых, за вами все равно не угонишься (тут грузины одобрительно засмеялись), а во-вторых, это, ребята, от души! Всё, гуляйте! Мы, кинематографисты, рады видеть вас в нашем Доме!

Он опрокинул две рюмки подряд и отошел. Ну, чтобы не соврать, минут семь прошло, не больше, как официант Боря приволок к нашему столу ящик спиртного: пополам водка и коньяк, десять белых бутылок, десять рыжих.

— Ну, Лёдя, ну гений, ну сила! — восхищались мы. И уже сильно хотелось запить свое восхищение. И опять я схватил бутылку за горло, и опять получил по рукам.

Лёдя распоряжался:

– Значит, так, Ниночка, одну бутылку вернуть евреям, а остальные, значит, в буфет. Напитки сдашь, деньги мне. А пока... Зорик! – обратился он к младшему из нас. – Зорик сгоняет... напротив, во дворе... знаешь «Красный богатырь»? Возьмешь две бутылки. Мы не нацмены, чтобы с наценкой пить. Нина, дай ему пока червончик до расчета. А я сейчас вернусь.

И правда, вернулся довольно скоро с двумя эффектными, но сильно пьяными девицами. У одной в руке был воздушный шарик, которым она все время хлопала себя по губам. Другая буквально висела на Лёде, обвивая недурными, высоко заголенными ногами его ляжку. Лёдя шагал, как слон, поднимая всю тяжесть веселой бесстыдницы, и на каждом его шагу вздрагивали и звякали на ней десятки цепочек, ошейничков, браслетов и сергушечек.

Лёдя гулял. И мы гуляли вместе с ним. И чем больше он прокучивал, заказывал, жертвовал, тем богаче становился в тот вечер. Деньги липли к деньгам, наворачивались, как снежный ком. Окружение сменилось раз, потом еще раз. Грузины исчезли, пришли узбеки в тюбетейках. Евреи сменились другими евреями. И скатерти сменились – «Все заново, Ниночка!» – и в руках у Ниночки свежестираный крахмал взлетал, как парус. Дело шло к вечеру. Были в прохладной зеленой бильярдной. Лёдя не играл. Он авторитетно распоряжался, давал советы, заключал пари чуть не на каждый удар, судил пари и все время выигрывал. Вроде шутка, вроде розыгрыш, но деньги к нему слетались настоящие, быстрые и нешуточные. Открывали шампанское, учили девиц держать кий. Ломились в маленький просмотровый зал, где шло какое-то кино. Вломились и расселись, но быстро надоело, и тогда, перекликаясь в темноте, ломились уже в обратную сторону, на выход. Были на каком-то вечернем заседании. Кого-то выдвигали куда-то, и Лёдя выступил с места – горячо и непонятно. Присутствовали на открытии выставки, видимо детской, потому что там было много детей.

– Ваш ребенок? – кричал Лёдя какой-то застенчивой женщине. – Ребенок ваш? А? Где ваш ребенок? Сколько ему? А? Не слышу! А? Одиннадцать лет? Хорошо! Роды легкие были? Я спрашиваю, роды были легкие? Воды скоро отошли? Говорите, не стесняйтесь, я сам из ОСВОДа.

А в ресторане тем временем уже накрыли столы к большому банкету. Известный Шурик Д. праздновал то ли премьеру, то ли день рождения жены. Цветов по летнему времени надарили великое множество. Большую часть роскошных роз и гвоздик свалили горой в предбаннике ресторана, прямо на подзеркальные диваны. Тут-то мы и оказались всей нашей компанией. Уже поздно было и некоторые настраивались на «пошли домой, у меня собака не гуляна», но не так судьба велела. За дверьми шумел банкет и соревновались острословы. Лёдя сгреб все цветы с диванов в огромную неохватную охапку и вломился в зал.

– Шурик! – закричал он изумленному хозяину стола. – Извини, что я не с вами, но у нас тут свой праздник. Я просто не мог не зайти, не поздравить в этот день Катю.

– Риту, – поправил кто-то из гостей.

– Да Риту, Риту! – нисколько не смущаясь, прямо-таки завопил Лёдя. – Для вас – Риту! А для меня она всегда останется Катей! Да, Катерина? Вот – к твоим ногам! – И он кинул на пол всю гигантскую охапку.

Гости узнавали свои еще не освобожденные от прозрачной бумаги букеты, уже подаренные той же Рите час назад, но все неслось мимо, мимо... весело неслось, нахально... мимо правил, мимо смысла... артисты, они такие, они другие... Может, и надо так?! Вот и вся наша компания уже на почетных местах.

– За Риту! За Катю! За Шуру!

– Ну, Лёдя, ну-у! Спасибо тебе, что не забыл!

– Как я мог?! А давайте поклянемся – каждый год в этот день в том же зале и в том же составе...

Гуляли за полночь, и далеко за полночь. С криками вывалились на уснувшую уже Васильевскую улицу. Захлопали дверцы машин. Кто на такси, кто на своей, но пьяные – поголовно. Мы с Лёдей, каким-то Вадюшей, какой-то Ядей и еще, и еще набились в «Волгу» Саши с его именинницей. Ехали как молния – быстро и криво. На пустынном проспекте резко свистнул милиционер, и в углублении садика мелькнула затаившаяся гаишная машина.

– Гони! – рявкнул Лёдя.

Да чего рявкать? И так уже гнали дальше. Но в заднее стекло было видно – мильтон побежал к своей машине.

– Направо, – приказал Лёдя.

Свернули в улочку, и Лёдя громыхнул:

– Стой!

На удивление живо выскочил, обежал машину, силком вытащил из-за руля обалдевшего Сашу, затолкал его назад, сам втиснулся на место водителя и замер. Все произошло в доли секунды. Машина стояла с включенным мотором, а мы застыли в молчании.

Милицейский громкоговоритель прохрипел на весь город: «Белая «Волга» номер такой-то, остановитесь!» тут же из-за угла со свистом вывернул гаишный «мерседес». Так рванул, что проскочил нас метров на 5. Остановился. Взревел и на большой скорости подал задом.

– Всем молчать! – сказал сквозь зубы Лёдя.

Бежали инспектора. Лёдя грузно вылез навстречу.

– Инспектор окружной ГАИ (далее неразборчиво). Ваши документы, товарищ водитель.

– Какая власть в городе? – строго спросил Лёдя.

Оба инспектора остолбенели. Инициатива была перехвачена. Лёдя властно протянул руку и крепко пожал неуверенные длани обоих преследователей.

– Кажется, все спокойно. Продолжайте дежурство, товарищи офицеры.

Мильтоны переглянулись.

– Смущение понимаю, – продолжал Лёдя. – Вы запомнили меня по таким фильмам, как «Большой крюк», «Ошибка инженера Кочина», «Смелые люди». Особенно, думаю, в роли полковника милиции Носарева. Вас как по имени?

– Володя... Игорь... – потупились сержанты.

– Вова, тезка! Игорек! Перед вами пьяный народный артист. Я пьян. Машину вести не могу. Бросаю здесь. Прошу, товарищи, в целях безопасности движения доставить меня домой к Даниловскому рынку. Государственный бензин будет оплачен. – Он сделал широкое движение в направлении внутреннего кармана пиджака.

Мильтоны покраснели, замахали руками:

– Что вы, что вы... садитесь.

Открылась гостеприимно дверца «мерседеса».

А Лёдя выключил мотор «Волги».

– Извините, ребята, – сказал он нам, – извините, но на сегодня всё. Аванти попули! – Мы вылезли и шатко столпились на тротуаре. – Возьмете такси, – жестко сказал Лёдя, запирая машину. – Ядя со мной. Заберем девушку? – крикнул гаишникам. Те смущенно и понятливо закивали. – С этим ясно. – Обнял Ядю за талию. – Сашок! А ну, возьми ключи, чтоб я не вернулся и не поехал. Сегодня мне нельзя. Меня милиция забирает. А то с меня станется. – Гаишники засмеялись шутке. Лёдя кинул ключи Саше: – Завтра завезешь! – С Ядей в обнимку прошел несколько шагов и обернулся: – Не рано! Завезешь – не рано! Дай нам выспаться.

«Мерседес» с мигалкой рванул и помчался наискосок на красный свет, пересекая сплошную линию разметки.

Несколько минут мы просто стояли и молчали. Потом стали открывать рты, но без звука. Звуки не шли из горла.

И как-то все протрезвели. Саша сел за руль. Рита (она же Катя) рядом. Мы нормально и свободно расположились сзади. Машина шла ровно и не быстро.

– Сила! – выдохнул Саша.

– Да, сила! – с вызовом и обидой вскричала Рита. – А ты... Ты никогда бы... – Она не договорила.

А мы молчали. Только рты открывали, чтобы дышать.

Я думал: «Да-а, и я никогда бы...»

Жизнь – легкая штука! Надо только, надо только...

Начинало светать.

Почему так тяжело на сердце?

Унылый я тип... завистливый...

Не люблю унылых.

Токио,
март-апрель, 1998

Теорема Ферма

— Нэвжели так больно?

— Еще бы не больно — иголку втыкают прямо в глаз.

— Кто, Таня?

— Нет, Юля.

— А-а, Юля… Да, она твердо работает.

Вацлав Иванович указательными пальцами развел на две стороны свои жидкие седые усики.

— Теперь легче вже?

— Вроде немного легче. Но все равно ужасно больно. Дело в том, что я дергаюсь от укола, ничего не могу с собой поделать. Как люди выносят операцию без наркоза?

— Они дают новокаин.

— Я имею в виду — без общего наркоза. Даже глаза нельзя зажмурить.

— Ну нет, нет, не надо думать об этом! Я имел три операции. Это можно терпеть. Ради глаз можно.

Мне делали укол в глаз каждое утро. Вечером, когда гасили свет в палате, я не мог заснуть, потому что начинал думать об утреннем уколе. В девять, после завтрака, мы становились в очередь к сестре. Потом в курилке час примерно я плясал от боли. А после, в одиннадцатом часу, проваливался наконец в блаженный сон. Ничто мне не мешало – ни жаркое июньское солнце, ломящееся в окно, ни громкие разговоры моих пяти соседей, ни пылесос в коридоре. Все слышал, и все только убаюкивало.

Вацлав Иванович помещался отдельно. Он был тут давним, многоразовым пациентом и выпросил одиночную каморку. Без соседей, но и без окна и почти без пространства – кровать, стул, тумбочка. Мы как-то сразу друг друга отметили. Уже на второй день он стал мне исповедоваться. Со мной часто так, уже привык. Мы сидели в тихое послеобеденное время на длинной скамье с высокой спинкой в темном тупике коридора. Скамья была старая, хорошего дерева, без зазубринки отполированная тысячами спин и задов. И рук. И плеч. И вся эта больница была старая. И Вацлав Иванович был старый, седенький, щуплый, с плоскими усиками вразлет.

Западный был человечек. Хотя вся его жизнь на Западе – это время оккупации и сидение в гестапо. Потом – и гораздо дольше – он сидел в лагере под Пермью. А на свободе и до, и после лагеря Вацлав Иванович преподавал математику в старших классах в маленьком городке на границе Белоруссии и Литвы. Он был чех. Я-то думал – поляк, раз Литва, Белоруссия... Но он сказал: нет, чех. И звали его сперва Вацлав Игнациевич. Однако давно уже для простоты он стал Ивановичем. Какие сильные гены! Ведь всю жизнь, можно считать, абсолютно всю жизнь он «наш». А вот – не наш. Эта белая рубашечка с каким-то особенным старомодным воротничком, мелкие ботинки вместо стандартных больничных тапочек, и самое поразительное – не стрелка, но все же складка на пижамных брюках. Ну, еще и европейские усики.

– Нэвжели вы любили в школе математику?

– Обожал. Остальное было легко. А это... одолеть алгебру... Это было как спорт.

– Математика – это логика, а логика – это разум. Все мои ученики ненавидели алгебру. Почти все. (Он еще иногда окал и сказал: пОчти все). КОтОрый час?

– Уже начало восьмого.

– НадО ужинать.

Вацлав Иванович передвигался по отделению совершенно свободно. Он попадал сюда уже много раз и знал пространство по сантиметрам. Но в коридоре стояли две одинаковые скамьи – друг против друга. И чех забыл, на какую из них мы сели. Вставая, он свернул направо, в глухую стену. Сразу почувствовал, поправился и пошел налево. Однако этот маленький пируэт вдруг ясно показал мне: Вацлав Иванович был слеп. Я взял его под руку.

– Квадрат суммы двух чисел забыли?

– Это как раз помню.

– Нэвжели не забыли?

– $а^2$+2ав+$в^2$.

– Это совершенно достаточно. Если не ляжете, заходите ко мне. Я покажу удивительную вещь. Вы слыхали о теореме Ферма?

– Да, слыхал... но забыл. Это какая-то сложная теорема, которую уже сто лет никто не может решить.

– Доказать не может, – поправил меня Вацлав Иванович. – Она совсем простая в задаче. Вы поймете. Заходите ко мне после ужина, я покажу вам.

– Ой, нет, Вацлав Иванович, это мне не по зубам!

– По зубам, по зубам, я уверен, вы поймете. Я доказал теорему Ферма.

Телевизор в холле работал скверно. Постоянно шли горизонтальные полосы, звук то исчезал, то возвращался. После программы «Время» несколько человек ушло, освободилось кресло. Я опустился в него и стал задремывать под однообразный документальный фильм про галерею Уффици. Чех не появлялся. Может быть, уже лег? Хорошо бы, глаза слипаются. Кажется, сегодня завалюсь без всяких мыслей про уколы, про боль, про завтра. Какая там теорема Ферма! Да и старик, наверное, забыл, о чем говорили. Я поднялся и зашаркал в свою шестую палату. Тапочки были без задников. Надо бы зубы почистить... но это еще идти на тот край отделения в умывальник. Нет, нет, утром, нет сил.

Каморка Вацлава темна – из-под двери света не видно. Уснул, конечно. Для очистки совести я без стука приоткрыл дверь. Старик сидел на аккуратно застеленной кровати, чинно положив руки на колени. Слабая лампочка под абажуром из толстого картона еле светила на тумбочке. На кровати рядом с ним лежала большая бухгалтерская книга.

– Входите, входите! – сказал Вацлав Иванович. – Зажигайте верхний свет. Сейчас вы все поймете. – Он нервно разгладил на стороны свои плоские усики. – Садитесь, садитесь на стул.

Я смертельно хотел спать.

– Теорему Пифагора помнят все, и вы, конечно, тоже. Квадрат гипотенузы равен...

– Сумме квадратов катетов.

– Это так, и это очень красиво. Значить, – он произнес слово с мягким знаком на конце, – если в прямоугольном треугольнике меньший катет равен трем, больший – четырем, то три в квадрате – девять, четыре в квадрате – шестнадцать, девять плюс шестнадцать будет двадцать пять. Гипотенуза равна корню квадратному из двадцати пяти, то есть пяти. Это так. Это понятно?

– Угу.

– Что?

– Понятно, понятно.

– Теперь я буду говорить тише – десять часов, там, за стенкой, женская палата, они рано ложатся.

Вацлав Иванович пересел ближе к изголовью кровати и к моему стулу. Наши колени соприкоснулись. Он протянул мне бухгалтерскую книгу:

— Значить, так, откройте.

В книге была закладка. Я раскрыл книгу и разглядел закладку. Обычная фотография пса. Пес сидел возле парадной, раскрыв пасть и свесив на сторону язык.

— Это ваша собачка?

— Нет, это Искра, овчарка-поводырь. Морозова Николая Герасимовича, который умер.

— Ага... Отчего умер? — У меня слипались глаза, и даже, кажется, что-то снилось.

— Он умер от инфаркта. А Искру взяли обратно в питомник.

— Ага-а...

Мне снилась светлая комната в деревянном доме. Окно выходило на веранду. За верандой колыхалась под ветром сирень. Звучный женский голос говорил: «Позовите сестру, позовите сестру!»

— У них в палате две лежачих, — сказал Вацлав Иванович.

Я поднялся и пошел в дежурную комнату за сестрой.

— Да, я знаю, — сказала сестра Таня, — уже иду. Ей укол надо. Сейчас.

Вацлав Иванович стоял в дверях своей каморки.

— Идет?

— Да, сейчас придет. Идет сестра! — крикнул я в женскую палату.

Мы снова сели на свои места — колени в колени.

— Теперь смотрите. Вот, значить, формула:

$$a^n + b^n = c^n.$$

Видите?

Он ткнул пальцем в бухгалтерскую книгу. Там через все секции учетной разлиновки четко было выведено:

$$a^n + b^n = c^n.$$

— Так вот, еще в семнадцатом веке Ферма предложил доказать, что если n больше двух, то это равенство невозможно: если

$$n > 2,\ a^n + b^n \neq c^n.$$

– Больше двух?

– Ну да! Если n равно двум, то это теорема Пифагора, это возможно.

– А если больше двух, то невозможно?

– Невозможно.

– А зачем доказывать отрицательную истину?

– Как?! – тихо вскрикнул чех. – Отрицательная истина отличается от положительной только тем, что лежит по другую сторону от нуля.

– Ну! – От желания спать я начал терять вежливость.

– Переверните страницу, – сказал чех. – Смотрите. Теперь я начинаю мое доказательство. Нужно сделать всего два допущения. Первое: допустить на время, что n – целое число, кратное одному из однозначных чисел. Понятно?

– Ну... да.

– То есть двадцать один – годится, оно кратно трем и семи, да? Оно делится на три и на семь. Так. Двадцать два – годится или нет?

– Годится.

– Кратно чему?

– Двум и одиннадцати.

– Одиннадцать – не однозначное число. Однозначное только от двух до девяти. Кратно двум. Двадцать три – годится?

– Годится.

– А чему же кратно двадцать три?

– А?

– Чему кратно?

– Чему?

– Ничему. Значить, не годится.

– Да, не годится. Ну...

– Второе допущение. Переверните страницу.

Я прошелестел толстой серой бумагой и прикрыл глаза. Нехорошо было пользоваться слепотой собеседника, но я ничего не мог с собой поделать.

– Теперь мы приходим к простому уравнению... Переверните страницу. – Я перевернул вслепую, и, кажется, даже не одну, а сразу несколько страниц зацепилось. – Остается признать, что a^n всегда меньше X.

Я открыл глаза и глянул в бухгалтерскую книгу. Страница, о которой говорил старик, была давно потеряна, и нить рассуждений окончательно ускользнула от меня. На расчерченной бумаге громоздились какие-то совершенно неведомые буквы, знаки, степени, корни. Может быть, это была уже другая теорема.

– Теперь вы видите это неравенство? – спросил чех.

Я захлопнул книгу.

– Вацлав Иванович, я все-таки сильно позабыл алгебру. Мне трудно.

– Вы устали. Отложим до завтра.

– Нет, подождите. Что вообще значит теорема Ферма? Сам-то он ее решил или нет?

– Пьер Ферма написал несколько знаков на полях возле формулы и ссылку на другие свои бумаги.

– Значит, у него решение было?

– Видимо, так.

– А если не было? Если он сам понял, что это некорректная постановка задачи?

– О, да вы математик! – засмеялся старик. – Вы такие слова знаете... Почему некорректная?

– Да потому что я применяю это к обычной жизни! – Я начал злиться, и сонливость прошла, отодвинулась. – Это то же самое, что сказать человеку: докажите, что вы невиновны! Это незаконно. Ты сам докажи, что я виновен. А мне нечего доказывать, я живу себе и живу.

– Ферма достаточно авторитетен. И он никогда не ставил задач некорректных.

– А в принципе, в принципе что это дает? Ну да, сумма квадратов катетов равна квадрату гипотенузы – это колоссально, потому что это всегда так. Это – открытие. И это нужно для дела, для людей. А здесь... Допустим, вы доказали, что никогда так быть не может. Ну и что? Это же бездна. Никогда...

– Это и есть бездна, – тихо сказал чех и облизал свои плоские усики. – Я ее чувствую, и я обосновал ее. А мне не верят. Думают, что там, в бесконечности, есть дно, что там уравнение может сойтись. А оно не может. Бездна.

Мне почему-то стало жутковато, и сон совсем прошел.

– Вы говорили, что у вас много друзей – больших физиков и математиков, – продолжал Вацлав Иванович. – Я бы только хотел, чтобы кто-нибудь познакомился с этим доказательством. Это моя мечта.

Я долго стряхивал с простыни непонятно откуда набившиеся крошки, песчинки. Стряхнул, лег и все равно почувствовал множество крупинок, въевшихся в тело. Накрылся второй серой и навсегда пыльной простыней. Палата спала. Я думал о том, что на Руси много гениев. Какие идеи, какие странные, бескорыстные увлечения, какие биографии! Как несправедлива жизнь! Гениев обижают, не замечают. Я думал о том, что я, пожалуй, больше замечен, чем Вацлав Иванович, и что это несправедливо. Потом захрапел сосед слева. Даже не захрапел, а зарычал и засвистел одновременно. Я перевернулся на другой бок, и мысли мои повернулись. Я стал думать, что и меня не заметила жизнь, что вот я ворочаюсь на пупырчатой простыне в палате с тяжелым запахом и завтра мне всадят укол в глаз. А ведь я тоже немало хорошего сделал или хотел сделать... Потом я уснул.

Мне снилась внутренность гладкой черной трубы. Я летел по ней, слегка касаясь плечами маслянистого металла. Потом меня прижало всем правым боком – поворот. Скорость была громадная. Крутая извилина кончилась, я поднял глаза и далеко впереди увидел яркий свет – труба кончалась раструбом, и там, в конце, под сильным ветром колыхалась сирень.

10-5868

В правый глаз мне вставили монокль в виде овальной рюмочки с теплой жидкостью. Рюмку привязали к голове резиновым бинтом. Подсоединили к торчащей в бинте клемме и пустили слабый ток. Я откинулся на спинку кресла. Нас сидело шестеро в этом зале физиотерапии. Распахнутое окно, пышное тепло июня. Легкое потрескивание никому не понятных электроприборов, бесшумные колдовские шаги медсестры. И никакой боли, и, честно говоря, никакой веры в это лечение – уж слишком все это симпатично, слишком умиротворяюще. Тебя просто греют, просто не тревожат. Тебя просто любят. Неужели это может вылечить? Весь опыт жизни говорит, что нет. А все-таки приятно.

У всех из глаз торчали ножки овальных рюмочек. А от ножек шли проводочки к черным коробочкам на стене. Мы походили на инопланетных насекомых с кристаллическими глазами, вынесенными впереди головы.

Некоторое время мысли мои не имели никакой формы. Напряженно и легко я думал ни о чем. Потом я стал мысленно разглядывать внутренность моей головы. Я подбирался с фонариком к местам, где глаз крепится к глазнице. Я видел заломившиеся, искрившие нехорошим током сосуды-проводочки. Их бы надо менять. Замутненное стекловидное тело – оно походило на непрозрачное волнистое стекло в дверях учрежденческих туалетов. На нем была пыль. Я думал о том, что человек, лишенный зрения, видимо, всегда погружен во внутренний свой мир. У него всегда есть индульгенция, позволяющая ему не думать о других. Это его право, и в этом есть определенная соблазнительная степень свободы. Например, я лично свободен еще минут двенадцать – до конца процедуры – не задумываться, не заботиться ни о ком и ни о чем. А вот, скажем, Вацлав Иванович, тот вообще... Но здесь в мою беззаботность вдвинулось острие тревоги. Я вспомнил эту бухгалтерскую книгу, сплошь исписанную почти совершенно слепым человеком. Вспомнил его напряженную сосредоточенность. Старик не устал жить и бороться. Он в неравных, худших условиях. Ему все труднее. Но он не покидает ринг. Вот и меня хочет он сделать своим секундантом, чтобы продолжить бой. А я зеваю, засыпаю... Мне стало стыдно, и лицо вспотело под резиновыми бинтами. Вацлав Иванович не подошел ко мне за завтраком. Я вообще не видел его сегодня.

– Я его отпустила домой за документами. У него завтра комиссия, – сказала мне завотделением.

У меня с ней были славные шутливые отношения. Как бы не замечая своего жуткого вида – больничной пижамы, тапочек, бахил, – я в ее присутствии постоянно обозначал все признаки салонной галантности – вскакивал со стула, шаркал ножкой, кланялся. Ей это нравилось.

– А далеко живет наш Вацлав?

– Ой, далеко! На окраине.

– И что же, сам поехал или кто его забрал?

– Сам, сам. Он одинокий. Потихоньку, с палочкой, с палочкой.

– Вот что, мадам, Любовь свет Владимировна... позвонить бы мне по телефону, да не из автомата, а для тихой беседы, а?

– Во как! – Она кокетливо покачала головой. – Идите ко мне в кабинет. Ключ в двери. Запритесь изнутри.

Из больницы легко разговаривать даже с тем, кому не собрался позвонить месяцы, а то и годы.

– Я уж думала, ты совсем пропал. Может, думаю, зазнался или, может, эмигрировал. Или, думаю, влюбился...

– Что ты, что ты, дорогуша моя! Просто так получилось. Я сейчас из больницы звоню...

– Как? Что? Где?

– Да нет, все уже нормально...

Все! Мои вины уже позабыты, и вроде уже должок за ней – она дома, а я вот в больнице. Уважают в России болезнь.

– Кстати, о птичках... Что ты думаешь о теореме Ферма?

Трубка замолчала. Потом послышался легкий смешок... хмыканье:

– Ну-ну, продолжай.

– Ты не подумай чего плохого, я еще не свихнулся, скажи только – ты ведь работала в этом математическом издании, как оно называется? Ты еще там?

– Я давно не там. Ты мне, дорогуша, не звонил два года. Вот что... апельсинов я тебе привезу и, что я о тебе думаю, скажу откровенно, а насчет Ферма... позвони Саше. Он в журнале работает, и он тебе скажет, что он думает о Ферма и что я думаю о Ферма. Целую. Пока.

Я позвонил Саше и произнес все положенные слова вежливости вроде: «Брось, старик, да знаю я тебя» – или: «Да надо плюнуть на все, сесть нам вдвоем и выпить водки с пельменями из картонной коробки». Когда я дошел до Ферма, трубка замолчала, как и в прошлый раз.

– Алло, ты здесь?

– Слушай, сколько твоему Вацлаву Ивановичу лет?

– Семьдесят, может, больше. Слепой старичок.

– Я все понимаю, но, знаешь, ты подальше от этого.

– В чем дело, Сашок? Ты можешь посмотреть эту тетрадку?

– Могу посмотреть. А могу и не смотреть. Говорю заранее – сумасшедший. Я это все десятки раз видел. Теорема Ферма в математике – это как перпетуум-мобиле в механике. Близко и понятно, как собственный локоть, но ведь не укусишь.

– Сашок, у него там какой-то совершенно новый подход. Там два простых допущения и... всех дел полчаса... а? Он, Сашок, и в гестапо сидел, и в лагере сидел.

– Ну ладно. Потом, может, занесешь, и я тебе объясню. Только не давай ему моего телефона.

В дверь три раза стукнула Любовь Владимировна:

– Это я, хозяйка, иду покурить.

Я повесил трубку.

В палате на моей койке лежала бухгалтерская книга с закладкой. Еще раз я поглядел на собаку Искру. Пасть была разинута, язык свесился набок. Искра улыбалась.

Двое моих сокамерников играли в шахматы. Трое остальных давали советы и страшно при этом матюгались. Потом все стали хватать фигуры руками и отталкивать друг друга. Потом вся партия просыпалась на пол, и мой сосед-храпун начал всех хватать за грудки, крича одинаково: «Ты играл за «Пищевик» или я играл?»

Я лег на спину поверх одеяла и попробовал читать доказательство сначала.

$$a^n + b^n = c^n \text{ (?); при } n > 2 \; a^n + b^n \neq c^n.$$

Первые три страницы невероятно крупных букв и цифр прошли, как детектив. Потом я забуксовал, стал беспомощно отлистывать назад, рванулся через страницу вперед, и опять накатились сонливость и равнодушие. «А на хера мне с ним играть? – кричал храпун. – Он поля не видит в сраку, он пешки жрет – и п...ц!» «Во, во! – говорил от окна Володя, которому шибануло глаз взорвавшимся кислородным баллоном. – Вот ты используй! Ты выиграй! Попробуй!» – «Одна попробовала, да весь и сжевала». «Всё, статус! – крикнул плешивый дядя Леша. – Развели, ё-моё, экологию. Я футбол буду слушать». И он стал прилаживать наушники.

Вацлав Иванович появился перед ужином.

– Ручаться не могу, – сказал я ему, – но, может быть, удастся показать вашу теорему. Я связался кое с кем.

Чех не дрогнул. Даже, кажется, не вполне расслышал мое сообщение.

– Могу я попросить ту фотографию с тетрадки?

– Искру?

– Да, да, Искру.

Немного обиженный его равнодушием, я пошел в палату. Было тихо. Ругань дошла до точки, и теперь соседи, все обиженные, лежали молча, отвернувшись друг от друга. Я взял книгу и вышел. Вацлав Иванович ждал меня у распахнутой двери своей каморки. «ЗахОдите». Он снова подчеркнул букву «О». Мы уселись во вчерашнюю позицию – я на стуле, он на кровати. Я вложил в его руки бухгалтерскую книгу. Он вжикнул большим пальцем во всю толщину страниц, определяя – где фотография? Взял карточку и осторожно положил поверх гроссбуха. Несколько раз быстро пригладил усики. Только теперь я заметил, что он сильно взволнован: руки слегка тряслись, кожа на лице стала совсем пергаментной.

– Знаете, я сегодня заплутал в городе. Я почти три часа ехал домой. Обратно меня привез на машине сосед. Потому что мне стало нехорошо около двери.

– А что за срочность? Что за бумаги им вдруг понадобились?

– О, это не им. Это мне. Завтра комиссия. Они мне два раза (он сделал ударение на последнем слоге), два раза вже отказывали.

– В чем отказывали?

– Я хочу собачку.

Мы помолчали.

– Если бы это была Искра, то это как семья. Мы давно знаем друг друга. Но это невозможно, невероятно. Пусть другая собачка.

– Из питомника? Это специально, что ли, – поводыри?

– Да, да. Они обучены. И потом, у них есть душа. У всех. Я знаю.

– А почему вам могут отказать? Ведь вы же... – Я замялся. – Чего им надо?.. Надо еще хуже видеть, что ли?

– Да, да... тут и группа инвалидности, и еще, и еще... Большие интриги. Надо, с одной стороны, доказать, что ты абсолютно одинок и не имеешь ни средств, ни помощи, а с другой стороны – что имеешь средства хорошо содержать собачку. Потому что ты стар и умрешь, а она еще перейдет к другому. Я жду уже два года, но там очередь, и много человек на одно место.

– Может, я чем могу помочь? Поговорю с главной или на комиссию пойду. Это здесь, в больнице?

– Да, внизу. Завтра. Спасибо вам большое, но я правда не знаю... Там интриги – у всех свои кандидаты. Там, говорят, дают взятки, но я не уверен. Это слухи. Я не знаю, кто берет, сколько и когда нужно дать. Вот, вот у меня здесь характеристики, рекомендации...

Он протянул мне прозрачную фиолетовую папку, в которой лежало десятка два документов.

– Ну, вот видите, – сказал я. – Какая у вас кипа.

– Да, да, это со школы – и с Белоруссии, и с Общества слепых – я там преподавал... И с жэка... Два года это все собирал.

– Вы же еще и отсидели. Вас реабилитировали?

– Да, да, там есть. – Вацлав Иванович нервно застучал тонким пальчиком по фиолетовой папке. – Но, знаете, все же оккупация. Там, на комиссии, по-разному на это смотрят.

– Даже теперь?

– Нэвжели ж нет?! Там ветераны, они прежней закваски. Они воевали, а я...

– А вы в гестапо прохлаждались.

– Вот именно, так они и говорят.

– Ну ладно, пойду-ка я завтра на это судилище и попробую стать вашим адвокатом.

Не спалось. Мучила жара. Болел глаз. В коридоре ходили, двигали кровати. Несколько раз привозили больных по «скорой». В полудреме все путалось: всплывали слепые лица ветеранов из комиссии, и это были мои соседи по палате. Ветераны сидели на пляже. Лысый дядя Леша поднимал с песка графин с водой. По краю графина сплошь был песок. Дядя Леша пил из графина, выплевывал песчинки и говорил: «Развели, ё-моё, экологию».

Часа в четыре ударила сильная гроза. Прошел ливень, и сразу похолодало. Утро было серое. Володя у окна надрывно кашлял. Вчерашний мой адвокатский азарт куда-то улетучился, и я не представлял, как приступить к делу. В самом воздухе было что-то нехорошее. Все впали в угрюмость и неврастению. Валера, сосед справа, пил кефир, проливал его на майку и, постукивая кулаком по колену, бормотал: «Сходила моя Элка налево. Вот чувствую, в эту самую ночь сходила налево». В коридоре стало тесно — привезли новеньких, а в палатах мест не было: кровати стояли вдоль всей стены до самого буфета.

Из буфета шел Вацлав Иванович, держа впереди себя чайник с кипятком.

— Во сколько ваше судилище? — спросил я.

— Еще в одиннадцать. Знаете, я думаю, они вас не пустят. Они никого не пускают.

Мы вошли в его клетку без окон. На кровати распластались черные брюки, а низ правой штанины лежал на тумбочке. Казалось, маленький невидимка разлегся в развязной позе и неслышно храпит. Вацлав Иванович накрыл брючину на тумбочке полотенцем и стал медленно водить по ней горячим чайником.

— Зачем это вы?

— А-а! Надо прилично выглядеть. Я всю ночь их гладил. Все равно сна нет. Мне дали чайник, я сам кипятил. А потом вот сломался штепсел (он произнес «штепсел» без мягкого знака), стало надо ходить в буфет. Сейчас уже скоро конец.

Водить чайником с водой было неудобно и жутко опасно. Слепой... с кипятком... в комнате без окон... и эти маленькие брючки с маленького тела. Картинка была настолько жалостная, что проснулось во мне спасительное раздражение: чего он в самом деле?.. «Чего он наворачивает?» – неприязненно думал я о Вацлаве Ивановиче, направляясь в кабинет завотделением.

– Я, конечно, буду на комиссии, – сказала мне Любовь Владимировна. – Но голоса у меня там нет. Я только докладываю. И вот что, голубчик мой, отступитесь-ка вы от этого дела, толку не будет.

– Любовь свет Владимировна, смотреть на него просто невозможно. Он какой-то втройне одинокий, в кубе одинокий, математически говоря.

– Да... – Ее сигарета потухла, она начала щелкать зажигалкой, встряхивать ее, но огня не было. Я протянул ей свою сигарету, и она прикурила от нее. – Да... – повторила она. – На всех на вас смотреть невозможно. Там, на комиссии, такие судьбы всплывают, что уже непонятно, кого жалеть, а кого...

– У него в питомнике даже знакомая собачка.

– Да знаю... Искра. Она занята, я спрашивала.

Окно распахнулось от ветра. Взлетели к потолку занавески. С подоконника полилась вода. Я с трудом наводил порядок. Любовь Владимировна не шевелилась. Курила.

– Но шансы у него есть все-таки? – спросил я.

– Мало.

Когда Вацлав Иванович явился в коридоре при полном параде – в черных коротких брючках с идеальными стрелками, в пиджачке на четыре пуговицы, при галстучке, – я и сам понял, что шансов у него ноль. Такой он был иностранный, чужой нашему миру. Без палки, с фиолетовой папкой в руке, он держался очень прямо и походил на дипломата капитулирующего маленького государства.

С моей «защитой» все решилось само собой. Мы спустились вниз и увидели целую толпу слепых и провожатых возле двери комиссии. Выкликали по фамилии и каждый раз добавляли жестко: «Без сопровождения! Без сопровождения!»

Мы просидели около часа. Люди входили, выходили. Ответ давался не сегодня. Все это еще должно было рассматриваться, оформляться, кем-то утверждаться. Потом пришла сестра из отделения и вызвала меня на консультацию.

Я выписался из больницы, но продолжал заходить через день на осмотр, на процедуры. Пару раз принес гостинцы – хорошие конфеты заведующей, шоколадки сестрам, фрукты для Вацлава Ивановича. Мы с ним спустились в сад и просидели на скамейке. Я еще раз предложил показать для журнала его теорему. Он странно заупрямился.

– Ну давайте, давайте, пусть они посмотрят, – настаивал я.

– Нет, надо все переписать. Я понял: там есть одно нечеткое место. Возможно произвольное толкование. Могут придраться. Я еще поработаю.

Говорили и про собаку. Я спросил: а нельзя ли просто купить такого поводыря? Вацлав засмеялся:

– Этому нет цены! Ни у кого нет таких средств.

Мелькнула мысль о сборе денег, об обращении по телевидению, о письме министру. Но дела... дела все туже напрягали время. Вацлав Иванович отодвигался на дальний план моей жизни. В больнице я бывал редко. Однажды Любовь Владимировна завела меня к себе в кабинет.

– Ну вот, отказали ему. Мы его выписываем. Если хотите, попробуйте дать ему денег.

– Сколько?

– Сколько можете. Только он вряд ли возьмет.

– Да, придется без собачки, – сказал мне Вацлав Иванович. Мы помолчали. – А неравенство, – заговорил он снова, – неравенство доказать можно. Я это чувствую нутром. Задача Ферма правильная. Если больше двух, то неравенство абсолютно. Это бездна, как вы говорите. Я это еще докажу.

Было жарко и ветрено. Неровные плиты двора были вычищены и высушены. Ветер продул и вымел каждую песчинку. За нашими спинами в больничном саду с морским шумом металась сирень.

– Вы завтра выписываетесь?

– Завтра.

Я хотел спросить: «Ну и как же вы теперь будете?» – но почувствовал, что этого вопроса задавать нельзя.

Москва,
лето 1994

Бумажник Хофманна

До Пскова поездом, а там нас должен был забрать автобус. Меня и костюмершу. Таней ее, кажется, зовут. Мы были голодны, а дорога еще дальняя, и автобуса на месте нет. Я пошел к гастроному – куда-то наверх, в гору, – по смутным воспоминаниям прошлых приездов. Вот тут справа бетонный забор стройки, а слева брошенные дома. Дорога сузилась и за поворотом превратилась в тупик. Но был лаз. Была дыра в бетоне. Костюмерша отстала на подъеме и кричала что-то снизу визгливым голосом. Это раздражало. Она вообще раздражала меня всю дорогу.

– Иди обратно, жди автобуса, я сейчас! – замахал я руками.

За лазом была то ли улица, то ли тропа – не поймешь. И грязь под ногами, желтая, липкая. То ли от стройки, то ли от осени.

Я еще прибавил шагу и весь взмок. Однако и холодом пробирало. Как-то быстро стемнело и зазимнело. Поворот показался знакомым. Тут налево длинный дом, а за ним магазин. Мелькнул проходной двор, и я решил срезать – напрямик пойти. Да что ж это за сумерки такие – прямо ночь свалилась за какие-то пять минут. И ветер пронизывает. Там ведь, на площади, еще вовсю солнце светило. И грело. Ну, вот он, магазин.

«РЕМОНТ».

Дверь не заперта. Хлопает. Прохожие появились – трое.

– Ребята, где здесь магазин работает?

Что-то ответили, куда-то показали. И направления не понял, и слов не разобрал. Пьяные, что ли? Да, конечно, пьяные. Хорошо, что не пристали. Пощупал бумажник в правом кармане брюк – Хофманн подарил во Франкфурте-на-Майне. Куда ж идти-то? Назад – уж больно противная дорога. Значит – вперед и опять налево.

Какие-то ангары, сараи... Улица исчезла. Гулко стучу ботинками по листам железа. Иду под потолком, а стен нет – одни опоры. Руки в карманы засунул. Приятный бумажник Хофманн подарил, хороший... Что ж они, гады, вызывают, а автобус не присылают? Я ж к ним черт-те откуда еду.

Ну вот, стены появились. Из досок. Дырявые, а все-таки стены. И огоньки вдали замелькали. Ветра не стало. Но опять все как-то сузилось, в тупик стало обращаться... В барак. Да, похоже, барак. Необыкновенной длины. Пошли нары. Люди копошатся. Где-то радио хрипит – музыка. Вдруг (и опять слева) открылся высокий зал с колоннами (и опять бетонными), и по залу удаляется мой режиссер – вдвоем с кем-то. Значит, они приехали за мной, а где же автобус...

– Виталий Борисович!

Не слышит, видно, за стуком шагов. А может (скорее всего), у меня голос от холода сел. Их и не видно уже. Рванул я к темноте, а там разветвление. Взял левее (опять левее) – надо одного держаться направления – может, замкну круг.

– Виталий Борисович!

Ох ты, вот теплом понесло. Печка горит железная, и им же и пахнет – железом ржавым. Противно, а спасительно. Руки совсем окоченели. За деревянным – из кривых досок – столом водку пьют. Картошка на газете.

– Ребята!

И вдруг крюком повис на мне человек – как алюминиевую арматуру на шею повесили. Не то чтоб тяжело или больно, а неприятно плотно – другого слова не скажешь. Шею обхватил, кулак под подбородком, а подмышка его на моем плече. Иду – как раненого волоку. Щетиной щеки об меня трется. Перегаром и плохими зубами изо рта несет. Страха еще не было, а вопрос был: и чего меня сюда понесло? Стоял бы себе на площади, там асфальт, солнце светит.

– Нормально... – хрипит висящий на мне. – Ни х... не сделается... мы в уголочке... Сейчас они подойдут...

– Погоди... – говорю я. – У меня автобус, мне еще ехать.

А он всей тяжестью алюминиевой сдавливает меня. Рука как трубка. И сели мы оба на какое-то тряпье на лавке. Тут же еще несколько небритых, в ватниках... Сидят, бормочут.

– Посиди, посиди... – хрипит мой. – Это тебе не Франция. – И продолжает давить. Безмышечная такая, трубчатая рука.

Вот тут стало страшно. Почему Франция? Узнали, что ли? Сделал незаметное движение, карман брюк пощупал – бумажник на месте. Сейчас обворуют.

– Да хрена ли?.. – бормочут мужики. – Чего он? Какой автобус?

– Погоди... – говорю я, кряхчу, отодвинуть, сбросить его стараюсь. – Меня люди ждут... ехать...

– Ну что ты, что ты, что ты... – дышит он мне в рот. – Какие люди?

– Ладно, ну хватит!

Рванулся я, и соскочил с меня человек, отвалился куда-то, пропал. Я сижу, дышу тяжело. Отогреваюсь. От печки жар сильный, коже приятно. А тут гляжу – и впрямь кожа! Кожа да майка на мне – ни пиджака, ни рубашки. Как же это он с меня сдернул все? Значит, так сдавил, что, когда отскочил вместе с одеждой, я и не почувствовал. Воровской приемчик. Опять машинально – хвать рукой по брюкам – бумажник на месте. И странная мысль: пока до бумажника не доберутся, еще ничего. А вот если доберутся...

– Ребята, мужики! У меня пиджак украли.

– Да ладно... – вяло замахали руками и поднялись расходиться. – Пиджа-а-ак! Где покупал-то? Во Франции?

– Да почему во Франции? Здесь покупал...

Соврал я. Не покупал я его, а сшил в ателье, в Москве. Но сказал бы «сшил» – что бы началось?! Однако почему-то стыдно было и унизительно, что соврал.

Народ разбредается, бормочут.

– Я ж замерзну. У меня работа.

Опять соврал – приспосабливаюсь, понятнее хочу быть: не работа у меня, а съемки, какая это работа? Что меня понесло в этот барак, в этот Псков, в страну эту?

– Мне ж в Пушгоры, ребята. Это сколько километров? Сто, сто пятьдесят? – подхалимничаю я, в контакт вхожу.

Машут руками, удаляясь:

– О-у! Пушгоры... До Пушгор... о-о! Туда рейсовым через повертку... на Пыталово... там разрыто все.

Нет, надо делать что-то. Идти надо. Сообщить. Но голому как идти? Схватил что-то с перекладины свисающее – пиджак! Не мой, конечно, а такой, рабочий... пиджак-рубаха, что ли. Грязный, просаленный. Но куда деваться! Сунул руку в рукав, а из внутреннего кармана пачка денег торчит. Да мало того – водительские права с фотографией – того, алюминиевого. Ну, теперь он у меня в руках. Добраться только до властей. Представлюсь, объяснюсь. А то абсурд какой-то, прямо сон. Быть не может.

Сам не помню, как я на улице оказался. Пригород, что ли? Не улица, а тропа под горою. Дома все на горе. Светятся тускло. И к каждому дому разрез в траве – пробором таким, лысинкой – дорожка. Рыжая глина. Пошел, попробовал. Скользко. Что ни шаг, все круче. Как на льду. Сейчас начну руками хвататься. И начал. Все ладони в холодной рыжей глине и мелких острых осколках.

Дополз, до окна дотянулся и грязными ногтями в стекло стукнул. И раз, и два, и три.

Мутно выглянула в окно, а потом на крыльцо вышла женщина. Лицо нейтральное. Как будто не замечает, в каком я виде и какая погода. Улыбнулся я через силу – разглядит, может быть, наконец, кто я такой? И не собирается...

– Вам кого?

Ей лет сорок. Выглядит опрятно, интеллигентно. Изба, на пороге которой она стоит, совершенно ей не подходит. Как не подходит коробка уличной уборной, подглядывающая за нами из-за кустов круглым глазом своего выреза в верхней части – пугающая своей наивностью вентиляция. Этой женщине подошел бы кабинет парткома какой-нибудь небольшой фабрики. С монолитным полированным столом заседаний, со знаменами в углу. С каким-нибудь славным недорогим портретом над ее головой. Большой блокнот. Две бутылки боржоми. Вазочка с печеньем. Коньячок, спрятанный в книжном шкафу за бордовыми обложками полного собрания. Три телефона и четвертый – без диска – на отдельном столике, на кружевной салфеточке. Ах, какие были времена! Все были загнаны, но все было пригнано. Ничего не добьешься, но хоть знаешь, к кому обращаться. А может, и добьешься, если... как бы это выразиться... если подходы знать и лишнего не запрашивать.

– Добрый вечер, если можно так сказать. Вы извините, но я ищу кого-нибудь из начальства. Где тут у вас... Я здесь давно не был. Я из Москвы. У нас досъемки...

О, этот запах! То ли из глаза туалета понесло, то ли... это от меня? От этой рубахи-пиджака, который на мне. Это запах алюминиевого вора, его алюминиевый запах. Ведь он как повис на мне, так и висит – не телом, так одеждой своей. Ну зачем, зачем ему нужен мой пиджак? Бумажник-то в брюках! А свой бросил – и фотографию оставил, и деньги – там много, кажется.

– Я не знаю ничего. – Женщина не торопилась уходить, но и участия никакого не проявляла. – Вам кого надо-то?

– Мне бы надо...

Какой ужас, я не могу найти слово! Мне нужен... мне нужен большой дом с флагом на широкой пустой площади. С шестью дверьми, из которых открывается одна, но табличка со словом «Вход» не на той, которая открывается, а на соседней, которая забита наглухо, а под словом «Вход» стрелка – справа налево... Там, за дверью, сидит человек в фуражке, одетый в полуформенные серо-зеленые тона. Там мраморный пол и широкая парадная лестница с ковром... Вот что мне надо! Чтобы из этого дома куда-то позвонили и все бы устроилось. Да, конечно, слово «ОБКОМ» я не забыл. Но их же нету теперь, обкомов. В Москве – «префектуры», но это, кажется, только в Москве. А здесь? Как можно без начальника?! Кто вообще начальник? Я, честно говоря, даже не представляю, как должна выглядеть префектура. Милиция – да, понимаю. Но от кого я приду в милицию в таком пиджаке? Мне нужен... большой дом, мне нужна власть, которая сказала бы, что делать дальше.

Опять пошел дождь. Женщина на крыльце монументально возвышалась надо мной. Смотрела, как на лодку с капитанского мостика большого корабля... Я ощущал (абсолютно реально ощущал), что становлюсь меньше ростом. Так и было – я перетаптывался от холода, и мои ботинки ушли в глину почти по щиколотку. Я хотел переступпить на доску возле ступенек крыльца, потащил наверх правую ногу, но вместе с ботинком от земляной каши отжмачился широкий твердый рыжий пласт и уверенно повис в воздухе, истекая жидким гноем. Я опустил ногу обратно, вклеил пласт на прежнее место.

– Сегодня пятница, – сказала женщина. – Я не знаю. Спросите Попова Алексея Ивановича. Знаете его? Первая Зарядная улица, восемь. – Она махнула рукой налево. – Это за башней. Если только он не уехал.

Я долго вытирал ботинки о траву и промочил их насквозь. Ладно, все равно. Я обогнул башню и попал на мощенную булыжником улочку вдоль стены кремля. Навстречу мне спускалась группа туристов. На всех прозрачные дождевые накидки с капюшонами, и у каждого сумка через плечо. Послышались пересмеивания, восклицания, французская речь. Я крикнул:

– Комман-т-алле ву, ме коллег?

Французы затихли, потом шарахнулись слегка от меня и пошли вниз торопливее. А замыкающий окинул меня таким взглядом, что я точно понял: нам не по дороге.

Были избы, были вонючие пятиэтажки, были старые купеческие дома в два этажа – из мелкого белого кирпича... были номера 11, 63, 27, 6, 9/14. Восьмого номера не было. Открывались двери. Выходила заплаканная женщина с распущенными волосами и кричала мне:

– Ну, чего ходить-то, чего ходить-то? И без вас тут...

Был парень в дверях – полуголый, с мощной мускулатурой. Очень убедительно он выглядел на фоне вьетнамской занавесочки из стеклянных трубочек.

– Слышь! – крикнул он в глубину квартиры. – Попова спрашивают, Алексея Ивановича!

Из-за занавески захохотали в два голоса – мужской и женский. Парень тоже оскалился и сказал:

– Да умер он.

– Умер?

– Сдох, сука, – сказал он без всякой злобы. – Теперь на кладбище ищи.

Двери закрывались, закрывались, закрывались, и кончилось опять каким-то дном. Полудворницкая: лопаты стояли, обычные, и скребковые, и широкие железнолистовые для снега; полукотельная: вентили, коленчатые толстые трубы. Народ непонятно балдел. Бродили бесцельно, дремали возле труб. Бесконечно крутили на столе, смешивая, кости домино. Ухало за стеной какое-то паровое устройство. Сочилась горячая вода из стены.

Я сидел на железной кровати – их тут много стояло. Железная сетка накрыта досками. Я прислонился щекой к шершавому рулону оберточной бумаги... И стало мне все равно... Еще слышал голоса, шелест и постукивание домино, а уже задремывал и видел сон. Мне снилось, что...

Я проснулся в просторном номере отеля «Метрополь» в самом центре Брюсселя. Свежие простыни не давали двум теплым одеялам нагнать излишний жар. Я проспал закат. «Не спите днем. Пластается в длину / Дыханье парового отопленья. / Очнувшись, вы очутитесь в плену / Гнетущей грусти и смертельной лени». Пастернак был прав. Я уснул днем, и теперь, когда к окнам приклеена черная бумага ноябрьского вечера, я в плену. В плену своего ужасного видения. В руках холод, и они слегка дрожат. Я вхожу в белоснежную ванную с двумя умывальниками, множеством зеркал и всяческих приспособлений. Включив подсветку и глядя на себя в увеличивающую линзу в металлической оправе, я бреюсь. Мне очень не нравится мое лицо. Эти все более обозначающиеся мешочки под нижней челюстью, эта непробриваемая дряблость кожи на шее. Воспаленные, полные ужаса и тоски глаза. Да, сон был ужасен. Сейчас седьмой час. Пора идти в театр. Но я никак не могу начать думать о роли. Я только хочу убедиться, что я здесь... Трогаю предметы, несколько раз включаю и выключаю воду.

Я бесшумно иду по громадному бесшумному отелю. На ковровых дорожках сотни тысяч раз повторяется буква «М» – «Метрополь», вплетенная в виньетку и похожая на лиру. Я топчу эти лиры ровно сто шестьдесят раз, пока подхожу к лифту. Старинная карета красного дерева с двумя прозрачными стенками – только изящные металлические перекрестья. Лифт идет медленно, торжественно щелкает на этажах и опускается в целый залив света и сверкания. На тронном возвышении – императорское кресло, обитое темно-бордовой кожей. Какие-то гинекологические латунные подставки возле. Это для чистки обуви. Каждый день негр-чистильщик делает мне приглашающие жесты, а я благодарю и отмахиваюсь. И мы оба улыбаемся. Сейчас негра нет – уже вечер, все ботинки давно почищены, а если бы и был негр, не смог бы я ему улыбнуться – я думаю о своем сне. Я со страхом ввинчиваюсь в вертящуюся дверь. Я боюсь выйти в темноту и оказаться на глинистой дороге у бетонной стены. Но нет – бульвар Адольф Макс, как всегда, освещен и блещет витринами. Нищие еще стоят, сидят на асфальте – странно, обычно в это позднее время их уже нет, – и я подаю на этот раз каждому. Я думаю о своем сне. Я думаю о том, что я сплю в котельной, сидя на железной кровати, положив голову на рулон оберточной бумаги, и мне снится сон, что я иду по бульвару Адольф Макс к площади Рожье.

Я не в порядке – легкое головокружение, которое не проходит уже несколько дней, и подташнивает. Я ничего не ел с самого утра. Не могу привыкнуть к этой разнообразной и красивой пище. Но надо заставлять себя, а то совсем сил не будет. Я делаю зигзаг, на рю Нёв, и захожу в кафе «Таиланд». Там все мгновенно и безвкусно. Это лучше. Я разламываю ложкой рисовый куличик и крошу в жижу креветок. Сейчас я начну думать о роли. Вот съем еще три ложки и начну.

Я пересекаю полную движения площадь Рожье и углубляюсь в мрачный пассаж внутри театра. На этот раз я не захожу в свою неуютную артистическую номер пять, а сразу иду в общую гримерную. Здесь в актерской среде принято всегда при встрече целоваться и всем быть на «ты», без различия возраста и ранга – на этот раз я задерживаю рукопожатия и объятия. Я все хочу убедиться, что они живые, во плоти: молодой красавец Тьерри, мужественная Алиса, добродушная Афра, резкая Хильда...

– Ça va?*

– Ça va, ça va. Et toi?**

Да, да, живые, я здесь... Вот как мы обнялись!.. И вдруг острая, колющая мыслишка: а мой алюминиевый человек разве не прижимался ко мне еще дольше, еще крепче, еще реальнее?

Я иду по дуге коридора с красными стенами. Тяжелые серые двери артистических. Номер один... номер два... номер три... Моя – номер пять. Но я не хочу в нее, я еще не готов. Я пойду на сцену, проверю там реквизит, вообще пойду немного похожу по сцене. Поворот на сто восемьдесят градусов. Номер три... номер два... номер один... общая гримерная...

– Ça va?

– Ça va. – Мы уже здоровались.

Где же дверь на сцену? Я ее проскочил. Поворот. Номер один... номер два... номер три... Сейчас будет номер пять. А сцена где? Бешено забилось сердце. Спокойно! А ну, еще раз все сначала. Вон же люди – Хильда рукой машет, гример Андре пробежал. Да вот и мой приятель Жак, знаток всех сортов виски. Не могу же я его спросить: где сцена? Мы на этой сцене уже месяц. Так, спокойно. Телефонная будка... туалет... поворот... номер три... номер два...

---

* Как дела? *(фр.)*

** Нормально. А у тебя? *(фр.)*

гримерная. Круг замыкается, еще несколько метров красных стен без дверей и... моя серая дверь – номер пять. Я прислонил вспотевший лоб к холоду железной двери. Но тут – да что я, из ума, что ли, выжил? Я же на другом этаже! Через три ступеньки вниз. Да вот он, этаж сцены. Синий, синие тут стены, а вовсе не красные. Это наверху красные, а тут синие! Господи, благодарю тебя! Сейчас загляну на сцену и зайду-ка еще в бар – надо выпить стакан ледяного сока. Деньги с собой? Я сую руку в карман брюк – гладкий, удобного размера бумажник на месте – Хофманн, милейший Хофманн подарил бумажник. Я бегу так быстро, что в извилистом коридоре беру не то направление – это путь не на нашу, а на малую сцену. Но тут-то я знаю. Хоть и темно – малая сцена сейчас не работает, – но там есть ход налево. И вот... сюда... Тут даже короче выйдет. Ага, полированное дерево – это стоит в темноте декорация спектакля «Леди Уилл»... Теперь ступеньки вниз... Где-то тут выключатель... должен быть... Это не он. И это не он... Это труба... Железная, горячая. Какие-то мягкие тряпки. И запах. Ужасный запах нагретого ржавого железа и почти кипящей мочи... Я чувствую невыносимую слабость и принимаю безумное решение – сомкнуть глаза прямо здесь, на этих невидимых тряпках. Всего две минуты, и пройдет головокружение, тошнота и эта слабость, слабость, слабость... Я еще успею, я еще зайду на сцену... Соку! Ну, соку, может быть, и не выпью. Неважно. Который час? Тут темно, не видать. Я успею, но потом. Бог с ним, с соком. Только лечь. Прислонить голову к этому рулону оберточной бумаги. Не трогайте меня, не трогайте. Вот так – тепло голове. Но очень мерзнут ноги.

– Эй, отец, ты чего разлегся?

Дегенеративного вида парень ледяной рукой трогает мои голые ноги. Я выдыхаю остатки сна и сажусь на железной кровати. На мне нет ни брюк, ни ботинок. А во мне пока нет ни протеста, ни отчаянья. Да и как может протестовать и отчаиваться человек, сидящий без штанов, в этом хоть и отвратительном, но все же общественном месте?

Только вот холодно в одних носках-то да в этом легком вонючем пиджаке-рубахе. Я поджимаю ноги, сажусь по-турецки и обнаруживаю под правой ягодицей – я некоторое время сам не верю – бумажник гер-ра Хофманна. Это значит, когда меня раздевали, он вывалился, а они, дураки, не заметили и меня, бесчувственного, на него навалили. Мне становится весело. Покосился на нутро «своего» пиджака – и там все на месте: и деньги, и удостоверение. Дай-ка его разгляжу. Да, это мой, алюминиевый. На фото он поприличнее: Геннадий Адынович Белееев. Что-о? Ошибка? Не может быть такой фамилии. Нет, написано так – Белееев. Да я сплю. Ну конечно. Теперь все нормально. Пошла смешная часть сна. Наверное, я на боку лежал и сдавил сердце. А теперь, теперь нормально. Ну надо же – Белееев. Вот это описка! Видимо, Белсеев... или Белсеев. Впрочем, тоже глупо. Но написано-то ясно – Белееев. Конечно, я сплю.

Только вот вопрос – где? Если в Москве, тогда второй вопрос – в каком месяце? Я ж оттуда давно уехал, еще в октябре – в Брюссель, работать. Значит, сплю в Брюсселе. Где? В гостинице. Но я же встал, вышел из отеля, пообедал... Может, у себя в гримерной? Так сколько же я тогда сплю? Спектакль вот-вот начнется. А я еще и одеваться не начал. Ух ты, как заколотилось опять сердце.

– Товарищи, который час?

– Полвосьмого, – отозвался один из доминошников и хлопнул костью по столу.

– Ребята, будьте людьми, что за шутки, отдайте вещи. Мне идти надо, у меня работа. А где тут у вас?..

– Чего, поссать, что ли? – спросил добродушный бородатый, сидевший отдельно. – На улицу иди. Здесь не ссы.

– Да бросьте вы в самом деле, мне же через полчаса...

Ай-яй-яй, я ведь уже и время спросил, а только сейчас понял, почему я время спросил, – с меня часы сняли. И именно от этого почувствовал такую обиду, такое унижение – меня же всего, значит, общупывали, перекатывали, только денег не нашли, придурки. Так, так, надо проснуться. Все, что вокруг, – это ерунда, мираж. Ноги голые – вот реальность. Бумажник, что Хофманн подарил, – тоже реальность. Вот по крохам и соберем.

– Ну, как там, за границей живут? Ничего? – спросил бородатый.

– Живут... – медленно ответил я, выгадывая время. – А откуда вы знаете, что я...

– Ну-у! – Бородатый не терял добродушия. – Телик-то глядим изредка.

Мысль заработала аналитически: если здесь УЖЕ что-то показывали, значит, ТАМ должны были снимать? Но ведь этого не было, не было этого. Мы ЕЩЕ только репетируем... Или все УЖЕ было? И я давно уехал оттуда. Почему я здесь? Ах да! Мы с костюмершей должны были сесть в автобус и ехать в Пушгоры. Мерзкое такое сокращение – «Пушгоры». Даже ко мне прицепилось – «Пушгоры»!

– Который час?

– Ты что, глухой? Полвосьмого.

О, как я быстро думаю. Еще и минуты не прошло, а я уже успел столько всего передумать. Конечно, это сон, так бывает только во сне. Сейчас все кончится. Значит, полвосьмого... Стоп! Это здесь полвосьмого... но ведь два часа разницы! Значит, там, у нас, у них, вернее, еще только полшестого. Господи, а я-то волнуюсь! Все нормально. Немножко беспокоит, что я там, в Брюсселе, проснулся в шесть и уже шел в театр. Как же сейчас может быть полшестого? Но это детали, с этим разберемся. Со временем. Со всем разберемся. И со временем разберемся со временем.

– Кончайте, ребята! Кто взял штаны?

В глубине барака стукнула дверь, холодом пахнуло. И там, в полутьме, за играющими в домино, среди перегородок и арматуры запрыгало, задвоилось в пятнах света и тьмы лицо (морда, наверное, нужно сказать) Гены Белееева, алюминиевого моего человека. Это он ответил на мой призыв.

— Кончаем, кончаем. Щас будем кончать! — хрипел он, пробираясь ко мне.

Острое жало страха вонзилось изнутри в солнечное сплетение. Но лучше это жало, чем тот ножик, который он вертит кончиками пальцев.

— Приоделся, шкура? Смотри, артист, а! Он клифт у меня попер. Ты чего по домам ходил? Тебе Попова надо? Щас будет тебе Попов. Щас вы с ним встренетесь.

— Да ладно, Ген! — сказал примирительно бородатый, но не сделал никакого останавливающего движения.

А Гена шел на меня, играя ножичком. Нарочно медленно шел. Пугал. И было страшно. И заполнило пылающую голову одно сладкое желание — скорее бы! Всем своим существом я торопил его — скорее, скорее эта большая боль, большая, но короткая, да? И потерять сознание, себя потерять, все, все, все. А он шел медленно, пританцовывая вправо и влево, почти не продвигаясь вперед.

Снова дверь грохнула, и ввалилось сразу несколько человек. Замелькали, закричали. На одном милицейская форма. Он и кричал громче всех:

— А чули она приказывать будет? У них свои дела, а я при чем? Меня латыши тоже не помилуют. Аймалетдинову полчерепа снесли. У них зарплата двести пятьдесят тысяч и кормежка на халяву. Пускай своих афганцев вызывает. А то «Альфа, Альфа!», а как пломбы наложили — давай, Курков! Лейтенанта вчера под вагон бросили. У нас с Чечней жесткий контракт. А он где был?

Все повскакали, сгрудились в глубине, спинами к нам. А Гена все пляшет.

– Товарищи! – крикнул я, ловя глазами в толпе родную милицейскую шинель, но голоса не было. Пустой воздух.

Внутри толпы что-то произошло. Мужики отхлынули от центра, вздымая руки, хором мощно выдохнули «хха!» и, склонив головы, снова рванулись к середине, хватая друг друга за плечи, за локти. Закружились, как будто танцуя молдавский народный танец жок.

В этот момент и Гену схватили за шиворот «моего» пиджака и втянули в толпу. «Хха!» И кто-то завизжал одно слово, очень длинное:

– Ра-а-збо-о-ор-ка!

Я осел на пол и полез под кровать. Но там лежал длинный плоский ящик, покрытый мягкой, толщиной в палец пылью. Не пролезть. А если... Я полз по мягкой, как шерсть, пыли, спиной приподнимая тяжелую кровать, обдирая плечи железками. Фанерная крышка ящика трещала, напрягалась и смачно лопнула подо мной. Я провалился в новую пыль, еще более толстую, смешанную с болтами, гвоздями, гайками...

– T'es tu fatigué, Serguei?*

Я открыл глаза.

– Oui, un peu. Pas important. J'ai mal dormi cette nuit. Alors, Moshé, on commense?**

Я сидел в неудобном пластиковом кресле. Болел бок, в который впился подлокотник. Наш режиссер весело улыбался, щурился сквозь очки добрыми глазами.

– Je voudrais te prévenir, que je dois tout de suite travailler avec les jeunes. Tu as une heure, une heure et demi à peu près. Nous commencerons le filage à neuf heures exactement. Veus-tu aller à l'hôtel?

– Non, non. Je me promène. Il faut prendre de l'air.

---

* – Утомился, Сергей? *(фр.)*

** – Да, немного. Неважно. Плохо спал ночью. Ну что, Моше, начинаем? *(фр.)*

– Excuse-moi.
– De rien, ça va*.

Действительно, надо пройтись. Как хорошо, что еще есть время. Я подумаю о роли, я вспомню текст и забуду этот сон. Коридор с синими стенами равнодушно ведет меня по своей дуге... Номер два... номер три... это по левой стороне. А по правой – телефон, туалет, лифт. Дверца лифта открывается, и навстречу мне выскакивает Этьен – художник по костюмам. Он говорит очень быстро, я с трудом понимаю отдельные слова, но все-таки догадываюсь – он просит зайти в мою комнату номер пять и примерить второй костюм.

Мы входим. Основной костюм расположился на трех вешалках в нише – пальто, пиджак, брюки, жилет, рубашка. А этот, второй, мятой грудой лежит на пластиковом кресле. Это для второго акта, когда мой герой становится бродягой. Это называется «дубль». Точно такие же вещи, но они нарочно испорчены – измяты, скукожены. Я начинаю одеваться. Нижняя рубашка цвета желчи – во работают: ведь нарочно подыскивали, старались. Запонок на рубашке нет. Надо отстегнуть от той, белой, основной. Я забыл, как по-французски «запонки», и показываю Этьену болтающиеся рукава:

– Эти... как их?

– Les boutons de manchette, – подсказывает Этьен и говорит, что сейчас принесет вторую пару.

Уже в дверях он жалуется, что настоящей мятости, ветхости, грязи достигнуть не удалось. Конечно, перед выхо-

* – Я хотел предупредить тебя, что сейчас мне надо работать с молодыми. Ты свободен час или полтора. Прогон мы начнем ровно в девять. Ты, может быть, пойдешь в гостиницу?

– Нет, нет. Просто пройдусь. Воздуху дыхну.

– Ты меня извини.

– Ничего. Все нормально. *(фр.)*

дом меня опылят специальным составом, но это не то. Хорошо бы мне походить в этом костюме, поваляться, даже на улицу бы выйти под дождь, потереться о стены. Я обещаю это сделать немедленно. Тем более что перспектива опять переодеваться в свое меня не прельщает – во всем теле слабость и каждое движение стоит труда.

Этьен выходит. Я снимаю ботинки, брюки. Вынимаю из брючного кармана гладкий хофманновский бумажник – с ним я на всякий случай никогда не расстаюсь. Я тянусь за скомканными штанами бродяги. Нет сил. Я сажусь передохнуть минуту в пластиковое кресло. Плиточный пол пронизывает холодом сквозь тонкие носки.

Стены совершенно синие, слегка облупившиеся. На окне плотная штора жалюзи. Звуков нет. Хотя Северный вокзал совсем рядом и под окном железнодорожный мост. Там, на сцене, репетируют мои коллеги, мои друзья. Но мы никогда не сможем стать близкими людьми, потому что при любых обстоятельствах им не могут сниться такие сны, какие снятся мне. Мои люди – там. Там, где барак и желтая глина, там, где сейчас уже полвосьмого. Но ведь им, тамошним, – добродушному бородатому милиционеру Куркову и Гене Белееву – тоже не может присниться то, что я вижу сейчас, то, что всплывает во мне картинками воспоминаний...

Всей труппой мы сидим в «La maison du Homar» – «Доме Омара». Это дорогой ресторан, и я никак не понимаю, почему в общем-то небогатые актеры потащились именно сюда. Называется ресторан странно – «Rugbyman number two»*. Почему регбист? Почему по-английски во франкофонном Брюсселе? Почему номер два? Это сон, который мучает меня своей реальностью. Я не люблю ни устриц, ни улиток, ни омаров. Мне трудно заставить себя поглощать эти непонятные существа, с ужасом смотрю на

---

* «Регбист номер два». *(англ.)*

устрашающие приготовления – приносят какие-то двузубые инструменты для вскрытия панцирей, иголки для сдирания черных шляпок с маленьких escargots – единственной их защиты. Мои друзья надевают бумажные передники – сколько просыплется крошки от тел обитателей моря и песчаных пляжей. Мои друзья готовятся к операции.

– Elles hurlent!* – говорит моя пожилая подруга с ужасом и восхищением.

– Parfois**, – успокаивает кто-то.

И вот несут, несут обваренных красных омаров, распластанных живых устриц. За инструменты! К оружию! Тутти!

Вот какой странный сон снится мне, лежащему в пыльном ящике с гвоздями под железной кроватью...

Я оделся наконец в свой «второй» костюм. Этьен прав, пожалуй, – настоящей потасканности, кондовости нет. И главное, запах не тот. Они его мяли, смачивая каким-то дезодорантом. Костюмчик вполне. А жилет, пальто... в Пскове выглядело бы очень даже нарядно. Странное у них представление о бомжах. Поглядели бы они на тот, белееевский пиджачок из моего кошмара. Ну ладно, пора идти. Подышу – и обратно. Не забыть хофманновский бумажник. Какой он все-таки приятный, гладкий. Прикосновение к нему – единственное, что доставляет мне одинаковое удовольствие и во сне, и наяву. Он соединяет две половинки этого тягостного дня.

Я выхожу на улицу в своем аккуратно помятом пальто, пахнущем дезодорантом. Я пойду к Gare du Nord*** – там темные улицы. Не могу же я в таком виде гулять по rue Neuve. Да, я пойду к Северному вокзалу через «Розовый квартал». Целая цепочка проституток среди припаркован-

* – Они пищат! *(фр.)*
** – Иногда. *(фр.)*
*** Северный вокзал *(фр.)*

ных в середине улицы машин. Черные, красные юбочки, едва прикрывающие бедра. Привычка привычкой, профессия профессией, но как, наверное, мерзнут ноги. Я миную неоновые окна секс-шопов и публичных домов и подхожу к виадуку вокзала. Да! Надо же попачкать костюм! Иду обходным путем через туннель. Вот то, что надо. Шершавые прокопченные стены.

Я прислонился одним боком к стене и потерся. Потом вторым. У идущего мимо джентльмена с зонтом слегка приподнялись брови. Ничего, ничего, гуляй дальше! И я гуляю по туннелю. Вот совсем хорошее местечко – тут стена мокрая. Та-а-ак и та-а-ак! И спину... и рукав... А это уже лишнее – обо что это я обмарался? Пи́сали, что ли, на стену? Тоже не исключено. Туннель кончился, и я оказался уже по другую сторону вокзала. Одинокий уличный киоск – сэндвичи, напитки в банках. Да, совсем забыл, я же хотел выпить соку. Я заказываю апельсиновый, но запах жареного лука раздражает ноздри, и я прошу еще сделать мне сэндвич с сосиской и луком. Черноволосая девушка с серым лицом и громадными неподвижными глазами механически проделывает привычную работу, уставив взгляд на экранчик малюсенького телевизора возле плиты. Я думаю о том, что мой костюм хорошо сочетается с этим одиноким киоском. Самое время начать думать о роли. В пьесе тоже бродяга и такая вот черноволосая служанка... Почему у нее такое серое лицо? Всегда такая или от усталости?

– Cent francs*, – говорит она, не отрывая глаз от телевизора.

Я вытягиваю из бумажника стофранковую бумажку. Сок нехорош, отдает жестяной банкой, в которой, видимо, слишком долго простоял. Сэндвич еще хуже – сосиска мягкая, вялая, лук терпкий, специально для изжоги. Я с тру-

---

* – Сто франков. *(фр.)*

дом съедаю половину, а вторую незаметно бросаю в бачок под прилавком.

– Спасибо, – говорю я и иду прочь.

На вокзальных часах десять минут девятого.

– Monsieur! – Девушка высунулась из окошка. – Vôtre portefeuille*.

Мой бумажник лежит на прилавке рядом с пустой банкой.

– Большое спасибо, мадемуазель, – говорю я и улыбаюсь.

Девушка смотрит на экран телевизора. Там стреляют.

На вокзальных часах двенадцать минут девятого.

Пошел дождь. Сперва слегка, а потом припустил прилично. Надо зайти в вокзал, переждать. Но что-то все заперто. Никаких признаков жизни. Я прибавил шагу. Неужели с этой стороны нет входа?

Вот бежит парень через улицу, прикрываясь сумкой от хлынувшего ливня.

– Monsieur, s'il vous plaît – l'entrée à la gare?** – кричу я.

Он оборачивается на бегу, но ничего не отвечает. Я тоже перехожу на бег. Хоть бы какое-нибудь укрытие. Сворачиваю в разрез между домами. Тут стройка. Грязь под ногами – мгновенно все размокло от дождя. Забубнило вокзальное радио. Как это похоже во всех городах и во всех странах, эти квакающие голоса, и не разобрать ни слова. Бегу на звук. Я уже весь мокрый. Костюм отфактурен что надо. Даже запах появился. От моего пиджачка несет какой-то гадостью. Этьен будет доволен. Что там бормочет радио? И где же, где же, наконец, вокзал?

Наугад быстро свернул еще несколько раз. Но стройка не кончалась. Пошли ямы, загородки. Через что-то пере-

* – Мсье, ваш бумажник. *(фр.)*

** – Мсье, скажите, пожалуйста, где вход в вокзал? *(фр.)*

лез, где-то протиснулся. Во! Теперь ближе слышно радио. Что? Что она говорит? Ну не разобрать, не разобра...

— Поезд «Псков — Пыталово» будет отправляться с третьего пути, с третьего «Псков — Пыталово». Отправление в двадцать два восемнадцать.

Нет! Нет! Быть не может. Ребята, где вы? Мне на спектакль, в театр. Этьен, я в твоем костюме. У меня выход на сцену. Там зрители, там пахнет хорошими духами. Ребята, как же вы без меня, как же я без вас? Я здесь, эй! Мне что-то снится!

Заблудился. Спокойно. Надо назад, только назад. Вот этот кран. Обогнуть слева. За тем разрушенным домом опять налево... Я вдруг заметил, что ноги прилипают к земле, и эта рыжая глина подымается пластом на каждом шагу вместе с ботинком.

Не-е-е-ет! Туда, на большую улицу. Я подлез под ограждение и побежал по длинной закруглявшейся тропе. Слева шли дома с выбитыми стеклами, а справа — я уже не бежал, а медленно шел, тяжело дыша, — справа начался щербатый бетонный забор.

Сеюки

Приключения владельцев интеллектуальной собственности

Это было как землетрясение. Я имею в виду первые слухи, что будет принят закон «О защите интеллектуальной собственности». Все объединение прямо-таки раскололось. Трещина прошла через парочку наших ведущих рэп-текстовиков Кретинина и Савелиса.

– Больше я свои мозги дарить не намерен! – кричал Кретинин. – Каждое слово регистрирую, и точка – любая, малейшая часть текста за-щи-ще-на! Все права принадлежат автору!

Савелис открыл четыре бутылки пива и налил нам всем. Отпив не отрываясь больше полбокала, он облизал губы, закурил и сказал:

– В пасть крокодилу руку не суют. Откусит. С ВААПом баловаться дураков нет. Что ты, Юра, зарегистрируешь? Ну что ты там, Юра, зарегистрируешь? – Он потряс открытой ладонью под небритым подбородком Кретинина и пропел хрипло:

Ударь, Василий, по струне,
С гитарой по родной стране

11-5868

Мы бродим…
Нам что Камчатка, что Тува,
Была бы речка да трава,
У нас нет родин…

Это? Я спрашиваю – это? Так это класс! Понял? Это класс! Ты сам никогда больше так не напишешь. Это хит навсегда. Понял? И ты это хочешь отдать серой шобле из ВААПа? И они будут сидеть и ждать, когда тебе капнет пять рублей из какого-нибудь Новосибирска, чтобы три рубля из этих пяти отобрать? За что? Нет, Юра, ты мне объясни – за что? Может, это они тебе устроили прокат в Новосибирске? Ах, не они? Ладно! Может, они рекламу тебе сделали, писали о тебе? Клип твой финансировали? Нет? Ни хрена этого они не делали! А что они делали? Почему они взяли эти три рубля? Да потому, что они крокодилы! А ты – дурак дураком – принес им своего собственного мяса. И они от тебя нормально откусили больше половины.

– А что же нам делать, если мы сами не можем защитить свою интеллектуальную собственность? – спросил самый глупый из нас Коля Чебулин.

Савелис встал и молча отошел от стола. Но отошел, как выяснилось, недалеко и ненадолго. Он взял у буфетчицы еще четыре бутылки пива «Stella Artois», громыхнув, поставил их на наш стол, низко наклонился над столом, почти касаясь подбородком пенящихся горлышек бутылок (а мы потянулись все со своих мест к нему, то есть к центру стола за словом правды и разума), и тогда только Савелис сказал:

– Мудаки! Были ими, есть ими и останетесь ими!

– Что значит «есть ими»? Что это значит? – воспротивился филологически безупречный Кретинин.

– Неважно! Важно, что мудаки. Почему вы не можете отказаться на фиг от этого совкового убеждения, что вам должны давать, вас должны защищать, вами должны интересоваться? Никто ничего не должен. Все счета погашены. Ноль! Голый ноль, и вы все должны сами себе. Хотите иметь? Имейте. Хотите защищать? Защищайте. Сами! А не выпрашивайте корм, как собачки у выжившей из ума старухи. Прошло время на задних лапах стоять.

– Ну, хватит обзываться, – обиделся самый глупый из нас Коля Чебулин. – Что нам делать-то?

– При-ва-ти-зи-ро-вать-ся!

– То есть? – твердо и честно спросил я.

– Создаем объединение – частный кооператив с некоммерческой благотворительной целью помощи начинающим поэтам и драматургам. Уставной капитал – один миллион рублей. Миллион рублей собрать можем?

– Это можем, – буркнул Кретинин. (Это было время, когда жетон в метро стоил две тысячи, а приличные брюки полмиллиона.)

– Директорат объединения – мы четверо, – продолжал Савелис, взасос затягиваясь сигаретным дымом. – Главный бухгалтер – жена Юрки. Адрес правления – служебный кабинет Сереги. Можно дать твой адрес?

– Не исключено, – смело и определенно сказал я. (Серега – это мое имя, а кабинет мой находится в отделе народных ансамблей Мосгорфилармонии, где я лаборант-инспектор. Правда, в моем кабинете стоит пять столов и, кроме меня, сидят еще четыре человека, но это другой разговор.)

– Заметано! – сказал Савелис и допил пиво.

– А о каких начинающих поэтах и драматургах идет речь и почему мы должны им помогать? – спросил самый глупый из нас Коля Чебулин.

– Так это мы и есть! – воскликнул Савелис и раскинул руки от удивления. – Кто же еще!

Кооператив был создан и зарегистрирован под названием СЕЮКИ – начальные буквы наших имен: Серега –

Юра – Коля – Илья. Оформляя бесконечные разрешения, выписывая друг другу нескончаемые доверенности на право представлять, исполнять, отменять, продавать, покупать, предоставлять в аренду и ликвидировать без остатка, мы думали только о том, как бы дать знать о себе, как сделать так, чтобы нас заметили.

Но жизнь все пустила наперекосяк. У нас отбоя не было от владельцев интеллектуальной собственности, которые хотели всеми силами ее защитить.

Антон Антонов напечатал (на машинке) толстую пачку жутких стихов, вбил ее в скоросшиватель и тушью жирно вывел заголовок:

РАСПУТИЦА

И ниже – помельче, но тоже жирно: «Все права сохранены за автором. Перепечатка любой, даже малейшей части сборника карается по закону».

К нам в «Сеюки» он пришел с целью узнать выходные данные закона, по которому будет караться возможный перепечатчик «Распутицы» в целом или отдельных ее частей. Когда, где, кем издан такой закон и какой срок дают нарушителю?

Инга Сульц развелась со своим мужем Львом Сульцем. А они вместе (естественно, еще до развода) создали кукольный театр и даже ездили на международный фестиваль семейных театров в город Русе (Болгария). Теперь же надо было кукол поделить, и Инга искала у нас помощи в доказательстве того, что сама идея изготовлять кукол из хлебного мякиша принадлежит ей, а вовсе не ее бывшему мужу. Бывший же муж (видимо, ловкий парень) сумел со своими мякишами подобраться к фонду Сороса, схватил там грант, смылся к приятелю в город Мюлуз (Франция) и там лепит «Царевну-лягушку» из французских булок.

Пересказать всю путаницу и неразбериху чужих интриг, которые на нас свалились, нет никакой возможности. Рекордсменом был совершенно безумный человек с зарослью черных проволочных волос, вившихся вокруг ослепительно желтой лысины. Безумец принес кейс, который категорически отказался открыть, боясь пиратской кражи его идеи стосерийного телевизионного фильма. Более того, из страха плагиата он не открыл нам даже своего имени и фамилии. Он требовал вперед гарантию полной защиты его авторства и, когда мы твердо пообещали, сообщил только одно – что он из Домодедова и что (так он сказал) пока для нас этого достаточно.

Самый глупый из нас – Коля Чебулин – оказался прав: зачем и почему должны мы помогать всем этим людям? И когда, наконец, мы займемся собой?

«Сеюки» работал на пределе возможностей. То, что нам обещали заплатить клиенты, мы обещали заплатить за пользование факсом, ксероксом и прочей аппаратурой. Директор филармонии уже дважды вызывал меня к себе и грозил увольнением, если я не ликвидирую толпу посторонних возле нашей комнаты.

Тысячу долларов мы одолжили на текущие расходы и на чай с печеньем для клиентов и для себя. Половина всех денег ушла на трехдневную командировку Коли Чебулина в Петербург. Собирались открыть там филиал, а у Чебулина оказался в Питере родственник жены – большой энтузиаст в любом деле, человек, по словам Коли, нервный и недалекий. Надеялись залучить его в бесплатные постоянные представители «Сеюки». Но дело не заладилось. Энтузиаст так разнервничался от ответственного предложения, что угодил в больницу. Коле самому пришлось везти его, а нам оплачивать представленный Колей счет такси на двести с лишним тысяч, потому что больной долго копался со сборами, а водитель ждал у подъезда почти полчаса.

Филиала не открыли, а пятьсот долларов ухнули.

Бумагу для деловой переписки мы беззастенчиво крали в отделе поп-музыки. С авторучками — наоборот: на свои кровные мы купили двадцать штук «Made in France», а они мгновенно все исчезли и потом по одной обнаруживались все в том же отделе поп-музыки. Это уже мелочи. Пустяки. Важно одно — мы бдительно охраняли горы какой-то ерунды, которая никому не была нужна, а деньги таяли. Но тут...

Но тут случилось событие ослепительное и невероятное. Пришел пакет из USA. Целая пачка малопонятных бумаг на английском. И письмо на русском — Акционерной Компании «СЕЮКИ» и господину ЮРИЮ РЕТИНИНУ. Речь шла о песне «Ударь, Василий, по струне...». Автор письма — Василий Оскал-Оол — полагал, что эта песня адресована ему лично. Дело не только в имени Василий, дело в упоминании родины американского предпринимателя — Тувы.

«О Туве, о прекрасной Туве перестали вообще говорить и вспоминать с тех пор, как исчезли треугольные тувинские почтовые марки», — писал Оскал-Оол. Он покинул Россию, забытой частью которой является маленькая Тува, всего три с половиной года назад. В России он был жонглером в цирке, потом администратором. В Штатах расцвели оба его таланта, и он нашел себя в бензиновом бизнесе. Теперь, когда он ворочает большими деньгами, он хочет вернуться в Туву и сделать что-нибудь для своей родины. Страшно, писал он, когда даже названия страны, в которой ты родился, никто не слышал... И вдруг... эта песня! Она случайно проклюнулась в какой-то передаче по местному русскому радио. И эти слова:

Нам что Камчатка, что Тува,
Была бы речка да трава... —

и так далее. Хоть кто-то произнес по крайней мере это дорогое имя.

Но хватит сантиментов. Он не будет рассказывать о своих планах, но уверен, что сможет улучшить жизнь своего народа, а народ в свою очередь демократическим голосованием сумеет сказать свое слово. Короче, когда самостоятельной Туве понадобится гимн, он — Василий — знает, что ей предложить. Конечно, текст придется подработать и кое-что изменить. Но первая блистательная строчка должна остаться:

Ударь, Василий, по струне... —

и Тува, конечно, должна в песне присутствовать.

Поэтому пока что он хочет купить все права на эту замечательную песню, включая все возможные будущие переделки. Нет сомнений, что о цене мы договоримся. Но он должен поставить уважаемому автору и фирме «СЕЮКИ» два условия...

— Стоп! Дальше не читай! — крикнул Савелис и накрыл текст рукой. — Поклянитесь! Вот самым что есть дорогим — поклянитесь — ни слова дальше не читать! Я схожу вниз за пивом, хлебом и сыром. Мы выпьем, закусим и поздравим друг друга. А потом спокойно, без поспешения, я подчеркиваю — без поспешения! — прочитаем, какие там условия он ставит. Клянитесь!

Мы поклялись, и Савелис сделал, как сказал. Он всегда и во всем был нашим лидером. Пива было много, и пили мы его долго. Вспоминали разные невероятные истории и много смеялись. И только потом — был десятый час вечера уже — Савелис сказал:

— Давай текст.

Потом мне сказал:

— Читай, Серега. С того места, где «мы сговоримся».

И я прочел:

– «Нет сомнений, что о цене мы договоримся...»

– Стоп! – снова сказал Илюша Савелис. – Юра, ты, конечно, автор, и речь о тебе. Ты с нами? Ты из «Сеюки» или ты сам по себе? Учти, что письмо адресовано и тебе, и «Сеюки» тоже. Так ты с нами?

– Я с вами, – с некоторым надрывом сказал Юра Кретинин.

– Читай текст, Серега.

И я прочел:

– «Нет сомнений, что о цене мы договоримся...»

– Громче читай и медленнее! – крикнул Савелис.

И я прочел:

– «Но я должен поставить два условия. Первое – «СЕЮКИ» обязуется исключить всякую возможность издания или исполнения песни в нынешнем виде. Второе – автор обязуется изменить текст в нужном направлении, а также изменить в нужном направлении свою фамилию...»

– Так я и знал! Ну вот чувствовал я это, вот прямо чувствовал, – вскинулся Юра Кретинин. – Да пошел он со своими условиями! Обычный жлоб и совок! Я горжусь своей фамилией! Он думает, что Кретинин – это от слова «кретин». А мы старинный итальянский род! Мы – Crettini! Cret – это хребет! Мы – захребетные... в смысле живущие за хребтом! Мы горцы – Crettini! Вот кто мы!

– Кончай! – крикнул Савелис.

– Правда, кончай, Юра, – спокойно и убедительно сказал я.

– Что ты, в самом деле, по пустякам-то? – продолжал Савелис. – Он же предлагает сразу, уже в обращении – он же пишет – ГОСПОДИНУ РЕТИНИНУ. И все, и вся проблема.

– Нет, не вся! И дело не в одной букве, а дело в оскорблении меня! Он меня хочет прямо с потрохами купить. А я не согласен. Все мои предки были Креттини. Их полно по всему миру – родственников, я имею в виду. Нас – Кретининых – навалом в Италии и в Штатах. А в Голландии – я вообще не говорю! Это случайность и несчастье, что вот нас – конкретно нашу семью – забросило в Россию, где каждый вздрагивает от моей фамилии!

– Черт догадал тебя родиться в России с талантом и итальянской фамилией! – прогнусавил издевательски Савелис.

Юра бросился на него и ухватил за лацканы пиджака.

– Да вы что, ребята?! – очень властно и очень вовремя сказал я. – Прекратите, господа! У нас же общее дело.

– А может, взять не Ретинин, а Картинин? – предложил самый глупый из нас Коля Чебулин.

Юра отпустил Савелиса и кинулся на Колю. Но тут уж мы все втроем на него навалились, и Кретинин погас... ослаб.

Уже утрело, и заголубело уже чистое, умытое апрельское небо, а мы всё не могли разойтись. То братались, то ругались, то клялись. Благородный Кретинин от своих слов не отказался – он подтвердил: да, «Ударь, Василий, по струне...» принадлежит в смысле собственности не ему одному, а «Сеюки» в целом, и если (тьфу-тьфу-тьфу!) будет гонорар, то каждому по четвертинке... Но... Но! Есть и другая сторона этого дела. Стихи ведь надо переработать! Логично это делать самому автору. А вот тут уже счет другой. Прежний текст по договору принадлежит «Сеюки» в целом, а новый текст – это новый труд. И по закону, и по справедливости это уже предмет НОВОГО ДОГОВОРА. Между АВТОРОМ, с одной стороны, и «СЕЮКИ» – с другой. И тут пошла путаница. Юрка Кретинин принадлежал одновременно обеим сторонам – он и АВТОР, он и буква «Ю» в слове «СЕЮКИ». Что правда, то правда. Но ведь и мы (тоже забывать не надо) – мы тоже не из бакалейного отдела. Мы тоже поэты. И еще неизвестно, справится ли Кретинин без нас, чтобы ублажить Оскал-Оола. И еще обязательная перемена фамилии – это ведь условие ДО-

ГОВОРА, а Юрка артачится и не хочет выполнять. Значит... Запуталось все вконец.

– Сколько просить за гимн?! Вот вопрос. Да, да, подчеркиваю – за гимн! Он, Василий, сам его так назвал в официальной бумаге. Не песня, а гимн. Сколько? – обозначил я проблему.

– Просить – так по максимуму! – решительно рубанул Савелис.

– Сколько это? Что значит «по максимуму»? Сколько это? – бубнил самый глупый из нас Коля Чебулин.

– «По максимуму» – значит не по минимуму! Не по средней зарплате учительницы литературы в средней школе.

– Ну сколько, ну сколько? – не унимался Чебулин.

– Откуда я знаю. Чего ты пристал? Сказано тебе: по макси-му-му!

– А может, пока эту тему не поднимать? – задумался вслух Кретинин. – Он не называет сумму, и мы не называем. Пишем просто: «Ваш факс получили. Рады будем с вами сотрудничать. Искренне ваши».

– Да! И еще целуем!!! – перебил Савелис. – Что значит «сотрудничать»? Он трудиться не должен, он должен платить...

– По макси-му-му! – подхватил я.

– Это как понимать... и как договоримся... но запрашивать надо сразу, без разных интеллигентских... (и Савелис вдруг завизжал на очень высокой ноте)... запрашивать надо по макси-му-му!

– Давайте определим понятия, – сказал самый глупый из нас Коля Чебулин, у которого в прошлом были два курса юридического института. – Мы продаем нашу интеллектуальную собственность, так? Ее хотят сделать *гимном страны*, так? Значит, тут не просто договор купли-продажи: была наша интеллектуальная собственность – стала ваша интеллектуальная собственность... То есть нет... я спутал! Интеллектуальная собственность вообще не отчуждается! Покупатель, то есть народ страны, нуждающийся в гимне, может ею пользоваться, то есть петь гимн, но сама интеллектуальная собственность как была наша, так и остается...

– Почему наша? – вскочил с дивана Савелис. – Это собственность Кретинина. Придумал он.

– Но он же не соглашается менять фамилию, – возразил я. – А это пункт договора.

– Не будем про это! Вот про это давайте не будем! – говорил Кретинин, постукивая кулаком по столу, и чашки с недопитым чаем подрагивали на своих блюдцах.

– Мы посылаем факс или мы факс не посылаем? – подвел я итог сказанному.

– Посылаем факс и называем сумму по максимуму, – сказал Коля.

– Да? – спросил Савелис и выключил верхний свет. За окном было уже полнокровное утро. – Да? – снова спросил Савелис и закурил. – Возможно... Очень возможно... И вы представляете, как технически все это осуществить? Ну, вот мы пишем «по максимуму», и он принимает условие... дальше что? Он переводит деньги на счет «Сеюки»... да? А налоги! Триста пятьдесят долларов с каждой тысячи. Значит (допустим, допустим!), с десяти тысяч – три с половиной тысячи долларов. Вы готовы уплатить три тысячи пятьсот долларов? Готовы?

– Нет! – закричали мы с Колей Чебулиным.

И мы действительно не были к этому готовы. У нас в жизни таких денег не было.

Василий Петрович Оскал-Оол оказался крайне интересным мужчиной. Во-первых, он был законченный алкоголик. Во-вторых, он действительно был миллиардером. В-третьих... Но сперва надо остановиться на том, что во-вторых: он действительно был миллиардером. Он сразу по приезде, в один день умудрился купить несколько квартир в Москве, несколько машин и еще санаторий на Рублевско-Успенском шоссе. Вокруг него мгновенно образовался целый взвод охраны и порученцев. Во всех новокупленных квартирах чудесным образом появились умелые слуги и служанки, и с ними тоже похаживали и посиживали другие охранники и посыльные.

Мы сперва ушам своим не поверили, когда раздался телефонный звонок и голос в трубке сказал:

– Это «Сеюки», да? Это Василий. Я приехал песню забрать, да? Как к вам проехать? Объясните шоферу. Ахмет, поговори с ними.

Да, сперва мы не поверили своим ушам. А потом поверили, и нас охватила паника. Песня не переделана – раз! Как принимать такого гостя – неизвестно – два! Программу действий мы так и не выработали – три! А главное... мы совершенно не ожидали, что все будет так быстро, и вообще, что все это всерьез. Мы абсолютно не были готовы психологически. А когда в комнату вошел двухметровый (буквально – двухметровый!) богатырь в синем халате, перепоясанном широким красным поясом, в остроконечной шапке, похожей на красноармейский шлем, мы буквально языки проглотили.

Но, как ни странно, на первых порах все обошлось и даже как бы упростилось. Человек в шлеме оказался не Василием, а его представителем. Он сказал, что машина ждет и что с собой ничего брать не надо. На улице возле дома стояла молчаливая толпа с опущенными головами – как на похоронах. Толпа окружала длинный восьмиместный белый «мерседес». В него-то мы и погрузились вместе с великаном в халате. В углу заднего дивана (дымчатого цвета и бесконечно мягкого и одновременно упругого) сидел Василий – худенький, в очках, с горбатеньким носиком и с залысинками в темных слабовьющихся волосах. Василий пожал нам руки слабым пожатием и сказал, что его зовут Иерусалим Анатольевич, и что он референт, и что факс, присланный нам, составлял он.

Вот правда, с самого начала было во всем этом что-то похоронное: эта толпа вокруг машины с опущенными головами, и хриплый шепот Иерусалима Анатольевича, и этот белый пароход под названием «автомобиль», который плыл по запруженным людьми и машинами улицам со скоростью катафалка...

Приехали мы в ресторан «Лилиомфи» на 2-й Пороховской. Я никогда не слыхал про такую улицу, но тут внимание обострилось до предела, и я четко запомнил: ЛИЛИОМФИ, ресторан венгерской кухни, 2-я Пороховская, 10. В ресторане шел банкет. Пять длинных столов стояли параллельно друг другу. Человек с очень широким лицом и без одного уха говорил речь, держа в руках рог с вином. Нас усадили в торцевой части крайнего стола.

– Кто захочет плюнуть в лицо своему отцу? – спросил аудиторию одноухий оратор. Люди молчали. – Нет среди нас таких! – сделал вывод одноухий. – Вот за это и выпьем. И спасибо тому, кто дал нам такую возможность! Ура!

Все встали.

Мы выпили по одной, по второй и по третьей и очень вкусно закусили. Большей частью крабовым салатом и миногами. И только тогда Коля осмелился спросить: «Иерусалим Анатольевич, а где Василий Петрович?» Иерусалим попросил звать его Русей, как зовут его друзья, и объяснил, что Василий Петрович захворал и сейчас находится в бане, куда мы через полчасика все и поедем. Мы переглянулись и не стали больше ни о чем расспрашивать, а только опять выпили по две рюмки и закусили крабами с картошкой и миногами.

На эстраду в это время вышел ансамбль, быстро подключился к проводам и заиграл что-то жутко знакомое. Сперва мы обратили внимание, что лицо Юрки Кретинина стало ярко-алым и обильный пот потек из-под волос по всей его физиономии, а потом поняли, что исполняется инструментальный вариант в ритме марша песни «Ударь, Василий, по струне...».

Иерусалим отошел к другому столу, поговорил, пошептался с тем, с другим... и решительно двинулся к дверям, делая нам на ходу знаки, – дескать, трогаемся!

«Мерседеса» уже не было, и ехали мы на старом ЛАЗе с надписью по бортам: «Санаторий Лесные Поляны». Ехали по Рублевскому и Успенскому шоссе и по Рублевско-Успенскому, мимо Барвихи, Жуковки и разных Горок... Минут через сорок прошли сперва шлагбаум, потом автоматические железные ворота, а потом двойной – праволевый – пост с автоматчиками в камуфляже.

Баня занимала весь подвал бывшего санаторского корпуса, и рассчитана она была на помывку целой роты. Помещений много, и народу было много, разного: совсем одетые, и совсем раздетые, и наполовинку – все вперемешку. Больше мужчины, но попадались и женщины, типа уборщиц – старые, в каких-то тертых платьях с тряпками и ведрами в руках.

Василий Петрович лежал возле мраморного бассейна на матах, покрытых большими махровыми простынями. Возле него стояло большое блюдо с фруктами, орехами и курагой. А с другой стороны блюда сидела закутанная в простыни сильно азиатская женщина и рассматривала свои фиолетовые ногти.

Василий Петрович тоже был весь обернут простынями и полотенцами.

– Вот скажи, да? Если человек не держит слово, да? Если он не держит слово, то он хороший человек или он подонок полный и конченый? – минуя всякие «здравствуйте» и «приветы» сказал Василий Петрович, обращаясь исключительно ко мне.

Я улыбнулся несколько напряженно, потому что не мог понять: это вопрос или такая шутка.

– Если к тебе приехал друг, да? Можно немножко отодвинуть все дела и посидеть с другом? – продолжал Василий Петрович. На слове «отодвинуть» он нажал правой рукой на бедро сидящей рядом азиатки, и она легко отъехала сантиметров на двадцать по гладкому мрамору, не меняя при этом позы и продолжая рассматривать свои ногти. – Нет, скажи, да? Можно отодвинуть дела или что, да? Зачем тогда было затевать все дела и запутывать? Садитесь! Что стоите, как на похоронах?.. Купаться будете?

Мы себя чувствовали очень неловко. Ботинки и носки мы сняли еще в самой первой комнате, а про костюмы както никто ничего не сказал, и теперь мы стояли вчетвером в полной одежде и босиком у края бассейна, из которого поднимался пар. Становилось жарко.

– Интересно получается, – сказал Василий Петрович. – Хочешь добра людям, да? А они себе добра не хотят. Подойди, Валентин!

С другого конца бассейна через пар подошел человек с растрепанной седой шевелюрой. На нем был синий тренировочный костюм с широким красным кантом. В руках он держал маленький флакон и пипетку.

– Капни, Валентин, – сказал со вздохом Василий Петрович и задрал голову.

Валентин аккуратно, нежно капнул в обе ноздри.

– Простудился, – объяснил нам Василий Петрович, засасывая носом лекарство. – Ничего не помогает. Не может лечить Валентин. Потому что не хочет. В казИно проигрывать пятьдесят тысяч зеленых за одну ночь хочет, а лечить меня не хочет. Представляете, Сергей, – Василий Петрович снова обратился непосредственно ко мне. – Представляете, Сергей, седой уже человек... доктор... и сам уже больной, поджелудочная железа барахлит, с женщинами проблемы... ты, Валентин, извини, что я так прямо, но ребята все свои, да?.. Это, ребята, мой друг – Валентин. Вчера в «Голден Пэлэсе» за пять часов просадил пятьдесят тысяч чужих зеленых денег. Ну вот что мне с ним делать, да? Он думал маленько заработать, а его на счетчик поставили. Он думал, я ничего не узнаю, а мне, как только он в дверь вошел «Пэлэса», мне уже донесли, что Валентин понес в «Голден» чужие пятьдесят тысяч. Вот такие друзья, да?.. Чего вы стоите, ребята? Садитесь, здесь пол чистый. – Мы неловко начали усаживаться. – Ну, что делать-то будем, Валентин? Сдавать тебя будем или сами секир-башка делать будем, да? – Валентин смущенно улыбался и прятал глаза. – Я ему дам пятьдесят тысяч и еще пять тысяч, чтобы проценты заплатить за опоздание, а он их в другой казИно понесет, да? Вот так дружим, да?.. Капни себе в нос, козел. У тебя тоже сопли, как у меня, текут. Чего ждешь, капай! По пять капель в каждую, да? Хочешь, я тебе капну?

Валентин послушно набрал полную пипетку и влил себе масляную жидкость, не переставая улыбаться. Масло потекло по губе и залилось в рот. Валентин весело морщился.

– Вон что выделывает, да? – Василий Петрович брезгливо следил за его манипуляциями. – Взрослый человек, старый человек, заслуженный импотент республики, что выделывает, а? Такие козлы кругом, страшное дело, ребята, какие козлы кругом. Тут уже ничего не поправить, всё разворуют, бандиты, хуже меня... Всё в казИны снесут и друг другу проиграют. Надо свое государство делать. Все новое надо, да? Головы новые надо... флаг новый... гимн новый... Принесли гимн?

Было очень страшно. Мы потом все четверо признавались между собой, что в тот момент было очень страшно. И когда он так странно произносил – «казИно» и называл его в мужском, а не в среднем роде, тоже было страшно. И когда Василий Петрович вдруг так неожиданно произнес: «Принесли гимн?» – и так остро посмотрел своими маленькими припухшими глазками, все мы как языки проглотили. Ну ничего выдавить из себя не можем. А он еще смотрит прямо и конкретно на меня. Не знаю почему, но он меня выбрал. Понял ведь, что я не Юрка Кретинин, назвал меня правильно по имени, и даже несколько раз. Говорил «ребята», а обращался почему-то ко мне, на них даже не смотрел. И это тоже пугало. Коля Чебулин уж на что глупый, а признался потом: «Я подумал, вот всё, тут и конец».

Пауза затягивалась. Василий Петрович убрал наконец с меня свои пугающие глаза, взгляд его обратился вовнутрь. Он печально вздохнул и произнес раздельно и внятно:

– Ни хера вы мне не принесли.

Савелис с трудом и нескладно (это Савелис-то, который кого хочешь заговорит и что хочешь сформулирует) стал объяснять, что мы не знали, что хотелось сперва точно понять, какая именно задача... потому что если, с одной стороны, даже при всем желании...

– Да ладно... – устало произнес Василий Петрович. – Все правильно, да? Халтура не нужна. Сейчас фруктов поедим... из Самарканда. Гранаты очень полезные... Будешь, Валентин, гранаты? Знаю, что будешь. Много гранатов съешь... – Василий Петрович становился все более сонным и задумчивым. – А ты, Таиска, чего все сидишь и ногти свои полируешь? Не надоело, да? Пошла на хер отсюда.

Восточная девушка поднялась и, придерживая на бедрах маленькое полотенечко, пошла к выходу.

– Скажи, чтоб гранаты несли! – сонным голосом крикнул ей вслед хозяин.

Глаза его закрылись, и очень большая, очень круглая голова устало легла на маленькую подушечку. Из-под подушечки выползла широкая некрасивая кисть руки с короткими толстыми пальцами. Хозяин (только теперь мы поняли, что он был до всех возможных уровней налит алкоголем) мгновенно впал в глубокий сон. Все мышцы ослабли, освободились... короткие пальцы правой руки растопырились... между пальцами стали видны знаки старой, почти стершейся наколки... и мы (почему-то с ужасом!) прочли на руке Василия Петровича: ГУРАМ.

Нас распределили. Снова появился маленький, но какой-то очень надежный Иерусалим Анатольевич и как ни в чем не бывало сказал:

– Ваши номера приготовлены. Еда, ну там, завтрак, обед, ужин – расписано, когда что. Холодильники в номерах набиты. Машина дежурит. Позвоните – там телефон написан, на столе лежит у Ильи – и вас отвезут, куда скажете. Но только чтоб не позже одиннадцати быть на месте. Лады?

– На каком месте? Где наше место? Мы где находимся? Где мы? – вскинулись мы все четверо под руководством Савелиса, который опомнился наконец и взял бразды правления. – Руся! Что все это значит? Мы же еще ни о чем не договорились. Мы же еще даже не начинали...

– Спокойно. Спокойно, ребятки! Все предусмотрено. Василий Цетрович пошел в отключку. Выйдет через четыре дня. Вот и весь орех! Разгрызть просто – здесь санаторий «Лесные поляны». Василий Петрович его купил. На четыре дня четыре полулюкса ваши. Обеспечение полное. Вам четыре дня свободы творчества. Но... ребята... Василий Петрович, когда до дела дойдет, он мужик серьезный, и не только лапшу, но даже серьги с бриллиантами на уши ему вешать не стоит. Так что, сами понимаете...

Мы поняли. Я не уверен, что действительно поняли, но после переглядки мы все утвердительно кивнули головами и тем объявили Иерусалиму Анатольевичу, что – да, поняли!

Мы получили ключи и поднялись в лифте на шестой этаж. Дальше очень трудно описывать, потому что... Господи, за что нам? Мы же... в конечном счете... мы очень простые, очень скромные люди. Ну что мы такого сделали, чтобы нас вот так вот... Полулюксы были... это нельзя выразить... кровати были... подушки, простыни... балконы... эти девушки утром: «Вы будете завтракать в номере или спуститесь вниз?» А внизу... там были... три варианта омлета, ветчина, сыры любых вкусов, салатики, рыба жареная, тушеная, вареная, тертая морковь, свекла с чесночком, лук моченый, маслины, мясные продукты кубиками и полосками, хлеб, хлебцы, хлебные добавки, крабы, бобы, грейпфруты, но не просто грейпфруты, а гораздо лучше и... штучки мясные... я даже не знаю, как назвать эти шипящие на решетке... не кебабы, кебабы я знаю... эти шипящие с луком на раскаленном железе... куинджи... не куинджи, Куинджи – это художник... не знаю, не знаю, как это назвать, но я это ел! Четыре дня каждое утро.

Мы гуляли по обширному парку, обнесенному, как мы случайно выяснили, оградой с высоковольтным проводом. Мы смотрели на небо, с которого смотрели на нас чисто вымытые светила. Мы смотрели на землю, которая рождает изумительные странности – необыкновенно красивые деревья и ни на что не похожие цветы. Мы ездили на велосипедах, мы ходили на лыжах (я не вру, не вру! – были такие приспособления в прохладном, но теплом спортивном зале). Мы играли в теннис! Умел играть, и то совсем немного, один только глупый Коля Чебулин, но мы играли в теннис! Все четверо! Двое на двое!

И мы пили! Вот это настоящая правда! Мы пили от просыпа до заката! Потому что напитки всех видов были и на столах, и в буфете, и в холодильнике каждого номера. К концу вторых суток мы, с трудом связывая слова и облизывая все время пересыхающие губы, обвинили друг друга в том, что мы друг друга разлагаем. Светила полная луна. Вечер был прохладный. И Кретинин демонстративно, сильно размахнувшись, забросил в кусты опустевшую бутылку – какую по счету за этот день, вспомнить было нельзя.

На следующее утро мы собрались все вместе у Ильи. Собрались сразу после завтрака, чтобы работать до полуночи. Нужен гимн! И нужна фамилия автора. Любая, но не Кретинин. Все ясно! Исполняйте! Время пошло!

Мы не могли! Вот в чем вся соль... весь перец... вся подлячность этой истории... мы – ничего – не – могли!

Савелис поначалу верховодил и, казалось, был в ударе. Острил, поддевал всех. Когда заметил, что дело не двигается и все какие-то сонные, сам предложил принять по холодненькому пиву, а потом и по малой дозе. Долго спорили, что открыть – джин, виски или водку? В конце концов кидали жребий, и выпало на виски. Но потом открыли и джин, потому что у Кретинина была жажда и он все равно уже открыл тоник. А Чебулин принес от себя водку и боржоми. Потом обедали внизу с красным вином. Савелис не пьянел, а становился все более остроумным и разговорчивым. А мы трое мрачнели – сами чувствовали. После обеда, затяжелев, опять сидели у Савелиса. Он сказал, что мы ему надоели, и стал без конца звонить по телефону – прямо подряд по своей записной книжке всем знакомым. Всех разыгрывал, представляясь то телевидением, то Советом Министров, хохотал, описывал наше житье, божился, что все правда, и орал в трубку, чтобы немедленно приезжали проверить.

Связь у нас была через коммутатор, и женский голос исправно давал линию. Но вечером, когда Савелис сорвал с аппарата трубку и бодро крикнул: «А ну-ка, дайте город-городок!», ему ответил мужской голос: «Спит город. И тебе спать пора».

– Не спится, дорогуша, а у меня таблетки нет снотворной, – еще шутил Савелис.

А голос сказал серьезно (мы это слышали):

– Хочешь, я тебя без таблетки уложу? – И пошли сигналы отбоя.

Савелис вдруг скис. Как-то странно и сильно испугался. И опомнился.

– Давай, Юра, – сказал он Кретинину, – давай за дело. Кто подпишет – без разницы. «Сеюки» подпишет и... с концами. Возьмем псевдоним – Андрей Сеюки – и порядок. Но стих твой... чего там, стих твой! Так что давай варианты.

Кретинин, надо сказать, все эти дни в санатории был мрачен и молчалив. Шуток не принимал, на подколы огрызался.

– Мой вариант ты знаешь, – угрюмо сказал Юра. – А если автор Сеюки, то и давайте ваши сеюкины варианты.

– А-а-а! – протянул Савелис. – Будем крутыми? Давай! Можно и так. Вот бумага, вот ручки. Замеряю – пятнадцать минут! Через пятнадцать минут все до кучи! Лучший вариант сдаем, и кончено дело.

Был уже полный вечер, и мы устали. От перепоя, от пересыпа, от свежего санаторского воздуха. Через пятнадцать минут все положили на стол чистые листы.

– Что такое? – вскричал Савелис и выпил еще рюмку, не закусывая. – А ну-ка, ну-ка, наобум! – он схватил свой лист и написал размашисто:

Ударь, Василий, по струне,
И будешь счастлив ты вдвойне.

– Это так, для разгону, – добавил он.

Помолчали. Кретинин пропел тихонько:

Ударь, Василий, по струне.
С гитарой по родной стране
Мы бродим...

Струне – стране... У меня лучше, – так же тихо сказал он.

Савелис покраснел.

– Спать пошли, – разумно предложил я. – Завтра с утра.

– Нет, не с утра, а сей момент! – Савелис крепко стукнул кулаком по столу. И подпрыгнули рюмки и тарелочки с орешками и маслинами. – Хватит раздувать вола из лягушки. Вот сейчас открываю бутыля. Пьем и пишем, и к концу этой поллитры все должно быть готово. А что, «Боржом» кончился? Где «Боржом»? Чебулин, сходи к себе, принеси воды! Буля! Ты чего тут разлегся?

Коля Чебулин, самый глупый из нас, отвалился на валик дивана и похрапывал с широко раскрытым ртом. Савелис схватил его за плечи и потряс крепко:

– Кончай, Буля! Это дезертирство! Давай работать! Ты тут не у тети Сони на даче, ты тут на деле. Серега, колбаски, рыбки подрежь еще и сделай бутерброды! А ты, Юрка, с этого стола все долой, чтоб чисто было, чтоб было где писать.

– Ты чего раскомандовался? – уставился на него исподлобья Кретинин. – Что ты из себя строишь полковника какого-то? Делай то, не делай сё. Пусть каждый сам решает.

– Так... – Савелис крепко потер лицо руками. – Так! Вы понимаете, что день остался? Фактически – один день. У нас эта ночь и один день! Понимаете?

– А до чего один день? – пришел в сознание глупый Коля Чебулин. – Мы ж юридически так договора и не оформляли. Значит, пока это наша интеллектуальная собственность, за нами сохраняются все права...

– Ты чью водку пьешь? – заорал Савелис. – Ты чьим воздухом в полулюксе дышишь? Ты в чью сауну вчера ходил и горничную Люсю лапал?

– А ты, Илья, чье виски пьешь? – справедливо заметил я.

– Так я же и говорю, что за это надо вкалывать. Сейчас! Разбирайте листы. Наливаю по рюмке, даю по одной маслине, и пошли работать. Кто первый хоть какую-то рыбу напишет, получает бутерброд... с рыбой!

Это может показаться странным, но мы подчинились. И выпили, и разобрали бумагу, и взяли ручки, и... стали думать.

– Интеллектуальная собственность! Спохватились! – все не успокаивался и глухо ворчал Савелис. – Интеллекта ни хрена нет, а собственность есть! Меня вот уже по телефону отшили – это первый сигнал, а будет и второй, дождетесь... Шутки шутками, а мы ж в этом раю заперты, и на всех выходах хлопцы с автоматами, а кто такой этот Василий Петрович, я лично вообще уже перестал понимать. Может, он Гурам – видели буковки на пальчиках? Тогда что?

– Кончай ворчать. Мешаешь, – буркнул Кретинин.

Полчаса молчали, сопели, шуршали бумагами. Только раз глупый Чебулин спросил:

– А какая у них столица, у Тувы?

– Кызыл, – не поднимая глаз от бумаги, сказал Кретинин.

Через полчаса на центр стола положили листки с каракулями и множеством зачеркнутых слов и строчек. Результат был ужасен.

Ударь, Василий, по струне,
Смотри, какая жизнь вовне... –

писали Сеюки.

...Смотри, страна лежит в говне... (зачеркнуто)

...Поджарь картошку на огне... (зачеркнуто)

...Гудят гитарные низы,
О, как хорош родной Кызыл!
Я видел много разных сёл,
Но вспять вернулся, как козёл.

– Что происходит?! – кричал Савелис. – Мы же профессиональные ребята. – А ты-то что, Юра? Ты-то что?

– Я свое не умею поправлять, мне лучше новое писать.

– Ну, пиши новое! Пиши что-нибудь! Но не про козла же! Кто про козла написал?

Коля Чебулин надул губы:

– Ты сам сказал, пишите любую рыбу, потом поправим.

– Так рыбу! Рыбу не значит ахинею про козла. А это что, это кто:

Так бей, Василий, по струне,
Я не хочу, чтоб мир был мне
Широк, удобен.
Я сам построю весь его
Среди народа песьего,
Среди колдобин.

– Это кто?

– Это я, – сказал Кретинин. – А что, плохо?

– Хорошо. «Весь его – песьего»? Хорошо!.. Ты соображаешь, что ты пишешь? Ты гимн пишешь! Гимн! Среди каких колдобин? Ты понимаешь, что этот Василий, или Гурам, или как его там... не по струне ударит, а по твоей башке... И так вдарит, что не покажется нам мир «широк-удобен»... «среди народа песьего»... Ты это про какой народ? – вдруг вскинулся Савелис. – Ты понимаешь, что катастрофа?

Накаркал Илюша Савелис! Как старый ворон накаркал. Утром нас вызвали вниз к администратору. Сперва одного Илью, потом всех остальных. Миловидная молодуха, не отрывая глаз от экрана компьютера, сказала:

– Да у вас оплачено по завтрашнее утро. Но телефон не входит.

– Утро – это до какого часа?

– Утро – это утро, до десяти. Но телефон не входит.

– В каком смысле? Какой именно телефон?

– Петербург двадцать три минуты и семнадцать минут... это будет... восемьдесят пять долларов шестьдесят центов.

Савелис схватился за челюсть.

Звонили Иерусалиму Анатольевичу (он нам оставил, слава Богу, свой мобильный), и он (слава Богу!) откликнулся. Приехал, сходил к администраторше, все уладил. Мы еще хотели расспросить его, объяснить, посоветоваться, но он прятал почему-то глаза и говорил только:

– Это-то все лабуда, ребята, это лабуда, а вот... – А что «вот», так и не договаривал. С тем и исчез.

В этот день мы не пили вообще. Только позавтракали с пивом и перед обедом бутылку красного (вот уже в привычку вошло, это всё быстро так!), а к водке вообще даже не прикасались. Но дело все равно не шло. Шел шлак. Породы не было. Вот даже приведу примеры:

Ударь, Василий, по струне,
А я на ретивом коне...

И будешь счастлив ты вполне...

И вспомни – счастье не в вине...

Скажи – не быть большой войне... волне...

Ударь, Василий, по струне.
Я словно бы в кошмарном сне

На верхней полке,
Мне снятся лодки на реке,
А там на пальцах, на руке
Наколки... (слова Кретинина)
Моя Тува, моя Тува!
С тебя пылинки я сдувал.
Моя Тува, моя Тува!
Пусть окружит тебя дувал.

(Дувал – это такой забор, что ли?) Это я написал. Не хуже других, но тоже, конечно, не годилось.

Мы выбились из сил. Мы вспоминали, как работали вместе Ильф и Петров, но юмор не спасал. Мы говорили, что Михалков с напарником сочинили не что-нибудь, а гимн Советского Союза за одну ночь, но и это не помогало. Мы ничего не могли сочинить.

Утром следующего дня позвонила дежурная:

– У вас до десяти часов. Продлевать будете?

Опять разыскивали Иерусалима Анатольевича (а что делать?), он обещал приехать, но сказал, чтоб собирали вещи. Три номера мы сдали, и все собрались в полулюксе у меня. По привычке опять открыли бутылку (холодильники по-прежнему каждый день регулярно пополнялись). Пили. Ждали. Вхолостую работал в углу телевизор – не слушали. И вдруг глупый Коля крикнул:

– Тихо! Чего, чего он говорит?

Говорил диктор. Конец очередных новостей. И мелькнуло что-то... мафиозная разборка... заказное убийство... личный врач Валентин Безличко... баня... И вспомнился – всем сразу вспомнился – доктор с каплями в нос...

И стало страшно.

Приехал Руся. Мы спрашиваем:

– Вот непонятно – или тут санаторий, или Василий Петрович нас...

– Был санаторий, – сказал Иерусалим Анатольевич. – Потом Василий Петрович его купил. А вчера Василий Петрович его продал. Значит, обратно санаторий.

– А где Василий Петрович, он поправился? – спросил самый глупый из нас Коля Чебулин.

– Он поправляется, – ответил, поправляя очки, Иерусалим Анатольевич. – Он сейчас поправляется в Барселоне, но у него еще дела в Нигерии. Большие дела, поэтому задержится... Вы очень счастливые люди, – сказал еще Иерусалим Анатольевич. – Вы сейчас выйдете с территории, и вас выпустят... вы сядете на троллейбус и поедете по домам...

– Тут же нет троллейбуса. До троллейбуса еще доехать надо, – сказал самый глупый из нас.

– А вы и доедете. Уж как-нибудь доберетесь. Или возьмете левака в складчину за пару сотен тысяч. Или пешком дойдете к вечеру... Вам очень повезло...

По коридору, сильно топая, пробежало несколько человек.

– Руся, – осторожно сказал Илья, – я понимаю, что про песню, про гимн то есть, говорить сейчас не время... Но ты... извините, но вы не можете ли нам объяснить... у Василия Петровича на пальцах написано ГУРАМ... Это странно... Если он настоящий тувинец, или там... и потом, наш гимн – он же весь на этом построен: «Ударь, Василий, по струне...»

– Гурам... – Иерусалим Анатольевич вдруг задышал носом и стал быстро облизывать губы. – Гурам – это Главное Управление Работ... – Тут ему стало плохо.

И к тому же в дверь вошли.

В Москве в это утро по метеосводкам было плюс 3 градуса. А по ощущению настоящий минус. Очень промозгло.

Москва–Токио,
3 ноября 1997 – 19 марта 1998

Выборы со старухой

Собирался уезжать. Времени в обрез. Дел по горло. А тут надо еще подкрепиться, а заодно открепиться. Зайду, думаю, в префектуру – там, знаю, за раздевалкой буфетик, несколько ступенек вниз, холодные блюда очень приличные и недорого. Там и подкреплюсь. А на втором этаже как раз избирательная комиссия – паспорт с собой, чего тянуть, возьму с божьей помощью открепительный талон. Приму участие в выборах за рубежами нашей родины. В консульство, а то и в посольство с открепительным талоном обязаны впустить. Там, прикидываю, тоже, наверное, какой-никакой буфет есть – возьму пирожков, или просто сэндвичей с каким-нибудь повидлом, за валюту, конечно, но все-таки, надеюсь, подешевле, чем в кафетериях общего пользования.

Вот хотел написать: «И РАСПАХНУЛ Я ДВЕРИ ПРЕФЕКТУРЫ», честно, хотел так написать. Но не напишу – реальности не соответствует. Бывший дворец князей, чтоб не соврать, Гагариных – Запесоцких, где помещается префектура, двери имеет высотой 2 м 85 см, а вес не менее двух центнеров. Так что насчет «распахнул» – это сильное преувеличение. Мужик я, прямо скажем, не совсем слабый, но эту дверь я слегка только отодвинул, а потом пролез в образовавшуюся щель.

Шесть белых ступенек вверх и потом длинный стол, перегораживающий дальнейшее движение посетителя. За столом молодой мент. Вежливый и распорядительный. По телефону говорит, со мной разговаривает и еще толковые советы дает девице, которая стоит на стуле и привешивает к стене наглядную агитацию.

– Не знаю, не знаю... не знаю... – говорит мент в телефон. – Не знаю... может, позже будет, а может, совсем не будет... это когда как... не знаю... а секретарша в отгулах до конца месяца... не знаю, не знаю, – это он все в телефон.

В то же время мне:

– Слушаю вас! Ноги оботрите как следует, у нас ковровая дорожка только-только из чистки.

А в телефон:

– Не знаю... может, в среду... попробуйте пораньше... пожалуйста, запишите... 956-23-18... ну да, этот самый телефон... по которому вы звоните... ко мне и попадете... а его не знаю... не знаю... не знаю... не знаю...

И тут же девице с доброй хорошей улыбкой:

– Люда, ну не достанешь. Ну, высоко же для тебя. Люда... ну, навернешься же сейчас со стула... Лестницу надо... Люд, навернешься...

И опять мне:

– Слушаю вас внимательно! Вы к кому? У нас все закрыто. Неприемный день.

Я говорю:

– Мне в избирательную комиссию.

Он даже слегка как бы поперхнулся. Вскочил с места, рявкнул в телефон:

– Ничего не знаю! – и положил трубку. – Пожалуйста! – говорит, откидывает вверх часть своего стола, вроде как похоже на прилавок, и образовался такой неширокий проход. – Прошу вас, – говорит, – проходите, только не зацепитесь, обратите внимание – там гвоздь торчит.

Прошел я, значит, через этот стол и поворачиваю к раздевалке. А он говорит быстро:

– Можете в пальто. Избирателям разрешается. А гардеробщица больна.

Я спрашиваю:

– А буфет у вас сегодня работает?

– Работает, – говорит мент. – Буфет – это каждый день. Милости просим. Но только он до 12.30. Так что уже закрыто.

– А с какого часа? – спрашиваю я, сам не знаю к чему, не пойду же я в самом деле с утра в префектуру чай пить?!

– С 8.15, – говорит вежливый мент.

– Понятно, – говорю я и при этом сам на себя раздражаюсь. Чего «понятно»? Ясное дело – «понятно» – работает буфет с 8.15. до 12.30. Чего тут не понять?! Но мне-то какое до этого дело?! Я-то чего этак «подхватываю»? «Понятно» – говорю. Хотя странные какие-то часы работы – это тоже раздражает: что ж они, как придут на службу, так и едят в буфете, а как время обедать, так все и закрывается?! Так, что ли? И я еще со своим «понятно»! Глупость какая-то. Никакой логики.

В это время, как и предвидел милиционер, девица на стуле слишком потянулась вверх, слишком уж встала на цыпочки, и стул под ней поехал по мраморному полу всеми четырьмя ножками. И девица завизжала, и стул под ней по мрамору завизжал. Мы с ментом подскочили и подхватили ее за довольно приятные ноги в блестящих колготках.

– Я ж тебе говорю – лестницу надо, – по-доброму сказал мент, когда мы ее составили на пол.

Люда ушла, смеясь и виляя задом. А плакат так и остался висеть криво на одной точке. На плакате была сфотографирована несметная толпа людей, которые торопились войти под высокую арку с поднятыми вверх листками, и черными буквами большая надпись:

ГОЛОСУЙ, А ТО НЕ ПРОГОЛОСУЕШЬ!

Я раскланялся с милиционером и пошел по свежей ковровой дорожке на второй этаж.

– 236-я комната! – ободрил меня вслед расторопный мент. – Там Елена Герасимовна, она все объяснит.

Елена Герасимовна как увидела меня на пороге, так прямо руками развела:

– Здравствуйте! – говорит. – Здравствуйте, дорогой мой человек! Какие у нас проблемы?

Я ей протянул два паспорта – нормальный и заграничный. Объяснил, что уезжаю в командировку, а выборы почти уж на носу. Хочу, дескать, открепиться.

– Игорь Александрович! – говорит она. – Да это ж не у нас. Это на участке надо. А мы – комиссия.

– Ах ты, господи! Надо же! А где участок?

– Так, Игорь Александрович, вы же живете на Дубенецком, не так ли? Там у нас за уголком Тишков переулочек. Дом 2 и квартира 2. Там ваш участок. С 3 до 6.

– Вон что... – говорю я, а самому так неловко: она меня и по имени-отчеству и где живу знает, а я – вот убей бог! – не помню, откуда мы с ней знакомы. Ну, неловкость! Прямо-таки неловкость! Или это жена художника, который всегда пьяный, надо мной живет? Вроде она. Надо же – совсем зрительная память отказывать стала. – Спасибо, – говорю. – До свидания.

И пошел по коридору к лестнице.

А она вслед так игриво:

– Игорь Александрови-и-ич!

– А? – обернулся я.

– Паспорта-а-а! – и так шутливо как бы грозит мне моими паспортами.

– Фф-у ты! Вот так бы ушел. Спасибо вам.

– Игорь Александрович! – говорит она, теперь уже даже с укоризной. – Вот вы в Мексике проголосуете за наши центральные органы. А московское руководство что же, так без вашего мнения и останется?

– Почему? Я там и за мэра, и за вице-мэра, и за кого там еще...

– Не-е-ет! В Мексике вы только за Думу будете голосовать – за центральные органы. А местные выборы – это только здесь. В Мексике этих бюллетеней не будет.

У меня ледяной холод вдруг по спине пошел. Откуда, думаю, может она знать, что еду я в Мексику? А? Что за чертовщина? А сам уже беру паспорта из ее рук и говорю как бы на прощанье:

– Придется, значит, им без моего голоса побеждать соперников.

А она:

– Так вы же можете досрочно проголосовать. Хоть сейчас. Прямо здесь, у нас. Это предусмотрено – за местные власти можно досрочно.

– Ну, давайте. Проголосую.

– Пойдемте-ка, пойдемте... это в комнате 201, в том коридоре.

Идем. А она деловито так:

– А Виктория Львовна от вас выписалась? Или она голосовать будет по прежнему адресу?

Я прямо-таки внутренне ахнул. Виктория – это моя жена, с которой мы год назад развелись. Но это совершенно частное дело, мало ли что! Откуда, откуда эта Герасимовна всю мою подноготную знает и ворошит?!

Промолчал я. Ничего не ответил. Иду. А она опять:

– Виктория Львовна не уезжает с вами? Остается?

– Она вроде на месте. Я не особо в курсе, – сказал я, не скрывая некоторой хмурости.

– Зинаидочка! Я к вам гостя веду. Еще один голосочек у вас будет! – крикнула вперед Елена Герасимовна.

А полная Зинаида в очках уже стояла в розовом пиджаке на пороге 201-й.

– Подождать придется немного, – сказала она, поправляя очки, когда мы подошли.

Дверь в 201-ю была приоткрыта. Кто-то в сером сидел за столом, но я не успел разглядеть, Зинаида крепко, со щелчком, затворила дверь и вздохнула.

– Го-ло-су-ют! – беззвучно, одними губами, пояснила мне жена пьяницы-художника.

– Она уже час голосует, – Зинаида снова сердито поправила очки.

– А-а-а-а! Торопить нельзя! – пропела Елена Герасимовна и объяснила мне: – У нас ведь специальной кабины нет, значит, избиратель принимает решение в кабинете.

– Второй час пошел, как принимает решение, – Зинаида взглянула на часы.

– Ну, это право избирателя. Выбор теперь большой. Не то, что раньше – кабина была только так, для проформы. К ней и подходить-то боялись, чтоб не подумали, что есть сомнения. Вы, Игорь Александрович, родились в 54-м, да еще 7 ноября, так вам все это по настоящему-то, слава богу, не знакомо.

«Что за черт! – стукнуло у меня в голове. – Это ж просто... от этого свихнуться можно... Откуда она все...»

– Ну, я вас оставлю. Зинаидочка вас не обидит, – сказала Елена Герасимовна и пошла по коридору, уверенно впе-

12-5868

чатывая в красную дорожку низкие широкие каблуки своих туфель. Потом обернулась и почти игриво пропела: – Игорь Александрови-ич! Паспорта больше не за-быва-ать!

Тут меня и пронзило, как иглой, – ПАСПОРТА! Это все она из двух моих паспортов знает! И про жену, и про развод, и про Мексику – там же виза стоит с датой! Вот и вся разгадка. Но вопрос – когда же она успела все заметить и все запомнить?! Это же прямо цирк какой-то!

Зинаида приоткрыла дверь, заглянула и снова закрыла. Я перелистывал свои паспорта и только ахал – там же все, ну все про человека рассказано. Только видеть надо.

– Какая у вас Елена Герасимовна наблюдательная.

– О-о! Конечно, – сказала Зинаида. – Елена Герасимовна уникум. Колоссальный опыт. – И добавила, помолчав: – Она здесь еще при Гробовщикове работала.

– Понятно, – сказал я и опять на себя обозлился. Что ты все подлаживаешься, подлизываешься, – говорил я сам себе, – ну, что тебе «понятно», к чему ты это сказал? Веди себя независимее, развязнее... Как я мог эту Герасимовну с женой пьяницы-художника спутать? Ну ничего же общего! Ничего! Эта красится, а та совсем седая, и лицо у той в два раза шире, и зовут ту, теперь вспомнил, кажется, Нина с чем-то. Это ж надо, какая рассеянность, невнимательность, когда рядом есть люди, которые прямо р-раз – и вся твоя жизнь отпечаталась.

Зинаида приоткрыла дверь:

– Ну что, Вера Тимофеевна, заканчиваем?

За дверью что-то проскрипели.

– Ну, ладно, – сказала Зинаида и посмотрела на меня. – Что ж вам так стоять... входите, присаживайтесь, я схожу за вашими реквизитами.

В 201-й стояли три стола и по стулу возле каждого. За правым столом сидела старуха в сером потертом пальто и зеленоватых резиновых ботах. Голову покрывал сильно свалявшийся оренбургский платок. Перед старухой лежали листы. В руке она держала шариковую ручку и держала каким-то особым манером... как художник, наверное, держит кисть, примеряясь, куда бы посадить пятно.

Я сел за левый стол. А третий стол был пуст. На нем только стояли графин и цветок в горшке. Я было спохватился, что теряю время, а мне завтра уезжать, но почувствовал вдруг, что устал ходить и стоять и что посидеть на стуле очень даже приятно.

– Чеботарев?.. – вопросительно произнесла старуха.

– Что?

– Конечно... сей месяц... и прошлый ... пенсию носят. Но май... и август... и задержки, и грубости такие...

«Не вмешивайся! – сказал я сам себе внутри себя. – Не твое дело. А старуха и не со мной вовсе говорила, а с бумагами или, может, с этим Чеботаревым, над фамилией которого она сейчас трясла шариковой ручкой. Но знака так и не поставила».

– Если мэр и вице-мэр... что ж они, как склеенные?.. А если вице-мэра от другого?.. Пол прогнил совсем... в прихожей возле двери прямо дыра, и там пробегает кто-то... может, мышь или крыса... а может, еще кто хуже... Даже писали вице-мэру... на РЭУ–5 для передачи... ну, и где пиломатериалы?.. Жжем... второй год... все жжем... А нонешний мэр от какой партии? – подняла она на меня круглые неглупые глаза.

– У него своя партия, он ее и возглавляет. Если смотреть объективно, то наш мэр...

– Этого нельзя! Пожалуйста, никакой агитации в кабине. Молча, молча! Вера Тимофеевна сама должна... без давления... – это показалась в дверях Зинаида. – Я уже заказала, сейчас принесут ваши реквизиты, буквально через две минуты... Я пока покурю на лестнице. Только, пожалуйста, вы без разговоров.

Я стал листать свои паспорта. Да-а... Мексика... Как еще будет в Мексике-то? Там сейчас жарко, наверное, в Мексике. Но вообще-то, это ж надо додуматься – купили в Мексике какую-то машину... шлифовальную, что ли?.. В Мексике!!! Это наш главный только спьяну мог, его там, наверное, поили неделю на переговорах, вот он и... Или взятку дали... Мексиканская шлифовальная машина... в шести ящиках. Она не то что ни одного дня, она ни одной минуты у нас не работала. Она даже не завелась. Может, там напряжение другое... И вот теперь – оттуда вызывать наладчика, дорого... долларов нет. А по перечислению доллары есть. Значит, везем машину обратно... уже в восьми ящиках... она в свои шесть почему-то ни за что не влезла... Ремонт четыре недели... И опять едет главный... и я, значит, приставлен, чтоб он там совсем с рельсов не сошел. ... Месяц в Мексике... Может, и повезло... а может, и нет... тут дел много... выборы вот пропускаем...

– Зубов, написано, от партии Яблоко... – произнесла старуха. – С 60-го года рождения... в Сокольниках живет... это ж далеко, если что... телевизор вдруг... и звук хриплый, и рябит... на всех каналах, кроме «Канал Культура»... Тоже плохо видно, но не рябит... и всегда бывает под выходные... звоним, звоним... говорят, в понедельник мастер придет, заменит что-то, вставит... украли важную деталь на цветные металлы... А еще суббота – воскресенье... все жжем, жжем... а как ждать без телевизора, сериал прерывается... ...Если деталь, то почему тогда «Канал Культура» не рябит? А тут... Сокольники! Это сколько ехать! Не знаю... что они там думают... в партии Яблоко?..

– Ну, вот, – вошла Зинаида и выложила передо мной обширные листы хорошей качественной бумаги. – Вот это за мэра, вице-мэра, а это за советников. Тут надо одну галочку, а здесь четыре. Разберетесь?.. (Повернулась к правому столу)... Ну, что, Вера Тимофеевна, будем заканчивать или как?

– Назамсон Ефим Борисович, – прочла старуха. – Это как?

– Давайте, давайте за Назамсона. Решайтесь. Я не агитирую, но если вы выбрали, то ставьте крестик или галочку.

– За Назамсона?

– Нет, вы меня не спрашиваете, вы сами. Я только создаю вам условия для свободного волеизъявления.

– Сказали, как выборы пройдут, поднимут опять за электричество... и за телефон... в полтора раза поднимут.

– Кто сказал?

– В угловом магазине... А вообще-то нонешний мэр неплохой... неплохой... представительный...

– Ну и давайте за него, – сказала Зинаида.

– Но он же вместе с вице-мэром... прямо не знаю. Вице-мэра я, считай, ни разу не видела... не показывали... или телевизор плохой... по «Канал Культура» симфония... все время...

– Я закончил, – сказал я.

– Вот и чудесно. Сложите листы вдвое. Я не смотрю. А теперь этот в этот конверт, а этот в этот.

– Шикарная бумага. И конверты какие... большие, белые, с самоклеем.

– Ой, не говорите, – вздохнула Зинаида. – Я ведь тут совмещаю, а так я в мединституте работаю. У нас же совсем бумаги нет, карту больному на обрывках школьных тетрадок пишем. А тут... смотреть больно.

– Сколько ж надо таких листов, таких конвертов?

– Да миллионы! Миллионы, поверьте! Так, подождите. Теперь я заклеиваю... и вы распишитесь... прямо на сгибе... а здесь я распишусь. Сейчас... Теперь на подписях две печати... И... то же самое со вторым конвертом... это, значит, за советников...

– У ней шумят в неположенное время, – сказала старуха. – И гости, и магнитофон... выпивка, конечно, хохот. Я писала на нее и ей говорила – уймись. ...Смеется, водку предлагает. Я, говорит, скоро магнитофон продам, а куплю СИ – ДИ, звук будет чище и мягче... Чего СИ – ДИ? Как понять – СИ – ДИ?.. А если за Чеботарева... он вообще влияние имеет?

Мне показалось, что время умерло и стало неподвижным. Я подумал: ну, ладно, я в Мексику уезжаю... по важному делу... а старуха-то эта в зеленых резиновых ботах и сплющенном платке оренбургском, она почему раньше времени голосует? Она-то куда уезжает? Она ж тут вросла. Никуда она не может уезжать! Значит, это какое-то незаконное предварительное голосование. Хотел у Зинаиды спросить, но опыт подсказал: не вмешивайся! Не вмешивайся, Игорь, не в свои дела! И людям не поможешь, и сам запутаешься. ...Уже четвертый час. Надо на участок бежать – там открыто уже. Не решена же ни одна проблема – опять и открепляться надо, и подкрепляться. В животе бурчит.

Я распрощался с обеими женщинами. Зинаиде даже ручку поцеловал. Поклонился Вере Тимофеевне, но она нависла над бюллетенями, трясла шариковой ручкой и поклона моего не заметила.

На улице уже темнело. Некоторые машины зажгли фары. Куда денешься – декабрь! Стою. Передо мной магистраль. За спиной фасад дворца князей Гагариных – Запесоцких. Я вдохнул сырого прохладного воздуха. И вдруг отчасти даже как-то радостно удивился: смотри-ка, все-таки еще что-то движется. Троллейбус поехал. Машины в очередь на поворот стали. Девка в расстегнутой дубленке яблоками из ведра торгует. И кто-то покупает. Человек с бородой цветы понес быстрым шагом. Дети безобразничают около тумбы. Даже аккордеон слышится – это, наверное, нищий около метро. Я вот в Мексику еду. Жизнь.

Я вспомнил, как быстро провел я свое голосование. И правильно – чего тянуть! А с другой стороны... я ведь галочек понаставил, потому что мне уже все равно. Я завтра в Мексике. А старуха... старуха еще надеется, что кто-то что-то переменить может.

Теперь уже все машины шли с зажженными огнями. И люди побежали быстрее. Торопятся люди. Дорогу друг другу перебегают. Куда бегут? Непонятно.

Свободный рынок времен застоя

Настоящий мужчина должен торговаться. Тот, кто соглашается на первую названную цену, есть либо дурак, либо слабак. Первая цена – это как «здравствуйте!», и тот, кто на нее сразу соглашается, фактически на «здравствуйте!» отвечает «до свиданья!», а это уже хамство. Тебя пригласили к разговору? Ну и разговаривай! Будь человеком!

– Сколько? – 85! – А чего так? Я вчера такие же видел по 60. – По 60??? Где это? – На Энгельса. – Ну, сказал! Это возле Дома моряка, что ли? Так там же летние, без второго слоя. За них и 60 много. Они на Башиловке по 40 идут. А у меня – это другой товар. Вы в руки возьмите, пощупайте! Чувствуете? – Чувствую. Но все равно – 85 это не цена! – А сколько? Ну, сколько?

Вот это разговор! Неважно, чем кончится, важно, что завязалось. Это для шлифовки мастерства. Чтобы кровь не застаивалась. А бывает и другое – бывает страсть!

Боба повел меня на самый край финского города Турку.

«Хочу кожан! Хочу кожаную куртку. Мотоциклетную. На металлических застежках».

Так говорил он подряд несколько дней. Говорил, как бредил: глаза смотрели в пустое пространство, руки машинально привычно рисовали в воздухе предмет — куртка короткая, рукава широкие, воротник высокий, застежки — кнопки и молнии.

Мы шли уже час. А может, и больше. Ноги пооббивали о камни порядком. Но что поделаешь — такая ситуация и привычка такая — транспорт у них больно дорогой, приходилось и на трамвае экономить.

Магазин занимал низ двухэтажного облупившегося домика. Рыжий широколицый хозяин втолковывал что-то понурому старику, может, отцу, а скорее — тестю. Звякнул дверной колокольчик — это мы вошли с Бобой. Хозяин не сразу обернулся, а когда обернулся — буквально вспыхнул. Щеки и лоб налились красным цветом, глаза сверкнули радостной злобой. Они оба закричали сразу — и Боба, и рыжий финн.

«Здорово, фашистяра! — орал Боба. — Насосался пива, чухонская твоя рожа? Гутен морген! Ага, понял? По-немецки сразу понимаешь, а по-русски херушки. Надо же какую морду отрастил! Гутен морден! Ага!»

При этом он радостно тряс хозяйскую руку. А толстолицый хозяин, может, меньше слов говорил, но тоже орал. И слышалось среди финского распева и «сп-а-а-сиба» и «давай, давай, работай». В общем, сразу видно, старые друзья.

«Куртку давай!» — оборвал приветствия Боба. Финн сразу понял и безошибочно стянул с вешалки из массы похожих ту самую — вожделенную, мотоциклетную.

— Во, сынок! — Боба напялил на себя куртку. — Видал? Сегодня я ее куплю. Я его обломаю. Смотри! — крикнул он хозяину. — У тебя тут рукав потертый. Она ношеная, что ли? Ты, оказывается, старьевщик, а? Second hand, а?

– No, no! – закричал толстолицый. – No second hand! Das ist gut! New!

– Но рукав-то тертый. Папаша, глянь объективным глазом – тертый рукав?

Тесть беззвучно открывал рот и мотал головой непонятно – то утвердительно, то отрицательно.

«Сынок, ты посмотри – ну тертый же! Нет, это не пойдет. Давай другую посмотрим».

Смотрели, надевали – и на Бобу, и на меня, и на тестя. Сам хозяин не подходил по размеру. Не меньше десятка разных перемеряли. Но все время возвращались к той, первой. И опять надевали, и рукав слюнявили, и к окну подносили, к свету ближе – все спорили, потертая или нет.

– Ладно, все! Пусть потертая – сделаешь скидку, возьму твой second hand. Сколько? Wievel? Только не как вчера. Ты нормальную цену называй. Ты привык тут лапошить всяких миллионеров... португальских... А я твой сосед, понял? Сосед! Ленинград и Турку близнецы и братья! Понял? – Боба потер указательные пальцы друг о друга. – Братья! Ну? Wieviel?

– Куппала-пуппала, – сказал финн.

– Не куппала-пуппала, а пиши! На бумажке пиши. Сколько?

Рыжий написал и повернул бумажку к Бобе: 800.

– Ты опять за свое? – завопил Боба. – Пойдем отсюда, сынок. – Боба сделал движение к двери, но финн ухватил его за рукав, притянул к прилавку. Зачеркнул 800 и написал: 750.

– Что? – закричал Боба. Он выхватил из толстых пальцев хозяина толстый карандаш, зачеркнул толстой чертой 750 и жирно написал: 27.

Глаза рыжего налились кровью. Он взвыл на октаву выше, чем раньше, и со страшной скоростью понес непонятные слова. Потом схватил карандаш и несколько раз перечеркнул жуткую цифру 27.

720 – написал он.

Боба написал: 29.

31 – 690

32 – 690

33 – 690.

18 – написал Боба.

Финн порвал бумажку и повесил куртку на место.

– Слушай, как тебя... Тойво! Социализм – слово – знаешь? Социализм, Ленин? Знаешь? Ленин, социализм, СССР? Знаешь? Так вот, я тебе устрою социализм здесь. Я тебе его сюда принесу... на штыках. Понял? У тебя будет социализм, и тогда ты меня вспомнишь.

– Боба, ты с ума сошел, – зашептал я. – Пойдем отсюда. Пойдем.

– Но я ему пообещал. А что пообещал, то сделаю.

– Давай, давай, работай! – сказал финн и сделал жест рукой нам на выход.

– Царь! Знаешь, Тойво, – царь! Николай цвай! Он правильно вас держал. А Ленин отпустил. И вы теперь думаете, что бога за бороду схватили? Вы окраина России и все. И больше ничего. Окраина! Понял, Тойво?

– Nicht Тойво. Их бин Эрик! – финн ткнул себя пальцем в грудь. – Эрик!

– Эрик. Херик! – сказал Боба и вышел из магазина.

– Зачем тебе эта куртка? Зачем мы сюда пошли? И мнето зачем это надо? – бубнил я.

– Ничего, сынок, я к нему завтра заеду. Возьму с собой Володьку, мы его дожмем. Вон трамвай, поедем, хрен с ними, с деньгами, ноги отваливаются.

– Ээкка-майя! – донеслось сзади.

Финн стоял на пороге магазина и махал рукой.

– Чего машешь? Чего машешь-то? Раньше махать надо было, – сказал Боба. – Идем, сынок, не оборачивайся.

Сзади затопали ноги. Мы наддали. Стало слышно сопение за спиной.

– Корка мутта, – сказал финн примирительно.

Мы снова поплелись в магазин. Боба надел куртку. Помоему, вид у него в этой куртке был дурацкий. Но сам себе он очень нравился. И широколицый выдавил из себя:

– Харра-а-шёё.

Потом он крякнул, ухнул, покрутил головой и написал на бумажке:

380.

Я глазам своим не поверил. В семью он, что ли, Бобу взять хочет, усыновить? Это уже не скидка, а царский подарок.

– Ой, мамо! Ой, мамо! – закричал Боба и написал:

73.

380 – 100.

380 – 112.

380 – 150.

380.

– Эрик, у тебя дети есть? Дети? Сын есть? – мягко спросил Боба, но Эрик не понял. – Киндер есть?

– A, ja, ja!

– Такой, такой? – Боба показывал от земли 40 сантиметров, метр, метр тридцать...

– Ja! – сказал Эрик. – Таакой! – и показал метр.

– Чтоб он сдох! – заорал Боба. – С таким жмотом папашей на хрен ему жить на свете! Ну, на хрен ему гнить среди этих курток second hand, которые все равно никто не купит? Как зовут твоего киндера? Шмерик? Шмерик Эрикович? Чтоб он сдох!

Я выскочил из магазина и побежал к трамвайной остановке.

Вечером после спектакля Боба позвонил ко мне в номер и спросил, не осталось ли у меня сыру.

– Зайди ко мне, сынок, и возьми сыру, если не жалко.

В комнате сидели Боба, его сожитель по номеру Володя Хозин и... счастливый улыбающийся Эрик. Боба был в кожаной куртке. На столе стояла «Столичная».

– Садись, сынок, – сказал Боба. – Обмоем это дело. Хорошая куртка, а? Рукав только потертый. Ну ладно, это не заметно. 152 монеты отдал. Но не жалко. Правда, хорошая куртка? Ну... у всех налито? За дружбу!

Случай с доктором Лекриным

Юлию Крелину

В очень жаркий день пятеро мужчин пили водку на квартире. От безнадежной тупости начальства автобазы № 63 разговор перекинулся на неопознанные летающие тарелки. Трое из пятерых хотели верить в их существование, но в то же время сомневались. Один отрицал даже возможность постановки такой нелепой проблемы, а хозяин квартиры сам видел тарелку в виде сковородки с короткой ручкой, причем видел не один раз, а целых три. Дело пахло скандалом.

Хозяин, не добившись понимания, налил себе три четверти стакана, в сердцах выпил залпом, закусил осклизлым развалившимся пельменем и вышел покурить на балкон. Четверо же гостей сдвинули головы над столом, заставленным грязными тарелками и бутылками, и продолжили спор.

Духота была страшенная. Цветные футболки, в которые были одеты все присутствующие, промокли насквозь от пота. Гости выпили еще и решили потребовать от хозяина уточнения некоторых подробностей – сковородка появлялась засветло или уже в темноте и какой именно длины была ручка?

– Гвоздь!.. Коля!.. Николай Иванович! – крикнули сквозь занавеску, задернутую для спасения от прямых лучей солнца.

Хозяин не откликнулся. Главный обидчик пошел за ним на балкон. Балкон был пуст.

С высоты 9-го этажа было видно: на зеленой траве газона, широко раскинув руки и ноги, лежал на животе тот, кого так недавно они называли Гвоздем и который был их товарищем, а может быть, даже другом, короче, с которым было пито и пито. И пито совсем не плохо.

Был такой жаркий воскресный день, что, видимо, все сбежали за город или лежали по квартирам в ванных – потому что никто не вышел поглядеть на несчастного. Приехала труповозка с красным крестом, и никто не поинтересовался – к кому? Ждали милиционера, но было так жарко, что не дождались. Четверо непротрезвевших мужчин помогли санитарам, и носилки с грузным телом вкатили по взвизгнувшим рельсам в кузов.

Доктор Лекрин заступил на суточное дежурство по больнице в 10 утра. После обхода он поболтал с сестрами, покурил под деревьями в больничном садике, а потом подремал минут сорок на диване в кабинете завотделением. Больничный обед – по случаю воскресенья, что ли? – был на удивление приличен, и доктор скрасил его еще рюмкой коньяку из дареной бутылки.

В три позвонили из морга. Доктор вышел через левое крыло здания во двор и направился к низкому флигелю у забора.

– Что? – спросил доктор.

Сестра прочла:

– Гвоздев Николай Иванович, 42 полных лет, упал с балкона 9-го этажа.

– Упал или бросился?

Сестра пожала плечами.

– А милиция?

Сестра снова пожала плечами.

Простыня, покрывавшая тело на носилках, была серая, застиранная. Ближе к правому верхнему углу слабо просвечивало с изнанки красное пятно.

– Крови как мало... – шепнула сестра.

– Девятый этаж? – переспросил доктор.

Сестра вздохнула.

Тело под простыней слабо откашлялось.

Сестра выронила тетрадку.

Доктор Лекрин слегка присел, наклонил голову и осторожно двинулся вперед на полусогнутых, как разведчик на вражеской территории. Звучно потянул носом холодный сырой воздух каменного толстостенного помещения.

– Алкоголь. У вас записано опьянение? – спросил доктор.

Сестра хлопала очень круглыми глазами и молчала.

Доктор Лекрин отвернул простыню.

– В приемный покой! – распорядился доктор военным голосом и сам повез каталку к выходу из морга.

Аспирант Богданов как раз ел макароны в столовой 6-го отделения, когда его позвали к телефону.

– Давай сразу в приемное, – сказал в трубке голос доктора Лекрина. – Есть на что взглянуть.

Было нечто такое в голосе врача, что аспирант не стал даже доедать макароны, а отглотнул только из стакана с компотом, поправил очки на носу и тронулся к лифтам.

– Летел с девятого этажа. Упал плашмя на травяной газон. Лицом вниз. Ни одного перелома, – объяснял доктор. – Ни одного!

Богданов осторожно трогал бока, ноги, спину лежащего мужчины.

– А кровь?

– Ссадина на плече. Царапина. Это все! Посмотри.

Аспирант Богданов смотрел и мелко утвердительно кивал головой.

– Глубокий шок на фоне примерно литра-полутора алкоголя – чистая водка и водка в смесях, – пояснил Лекрин.

Доктор Лекрин был талантливым доктором и был наделен серьезными амбициями. У него была своя теория болезней и здоровья. Краеугольным камнем сложных умственных построений служила, как часто бывает, элементарная общеизвестная фразочка: «Все как на собаке заживет!» Именно так – ВСЕ заживет, ЕСЛИ сможешь стать как собака. В каком смысле? Болезни такие же живые существа, как животные и растения. Мы пожираем растения и тела животных, но это не мешает им продолжать сосуществовать с нами. Болезни пожирают нас, но мы при определенных условиях можем сосуществовать с ними. Их преувеличенную агрессию, их смертельную опасность для нас провоцирует наше сознание – верхний слой нашего «я». Ниже лежит подсознание. Оно управляет тайно, но определяет очень многое. В этом доктор Лекрин соглашался с доктором Фрейдом. Но он шел дальше – под подсознанием лежит сама природа. Там, в мире инстинктов, лишенном самокритики и честолюбия, мы равны с собакой. Если дать действовать этому слою – болезней нет, и человек свободен. Алкоголь, наркотики, сильные стрессы подавляют сознание, и именно тут (по доктору Лекрину) есть шанс для природного слоя. Мудрость пьяных, ловкость лунатиков, непостижимая находчивость и изворотливость наркоманов – вот что интересовало автора новой ТЕОРИИ ЗДОРОВЬЯ.

Поэтому он горящим глазом смотрел на распростертое грузное тело Гвоздева – тело без единого перелома.

Аспирант Богданов восхищался доктором Лекриным и высоко ценил его дружбу. Аспирант Богданов был узким специалистом с весьма широкими взглядами. Он писал диссертацию на тему «Костные травмы при падении со средневысоких конструкций» (по темам падений при гололеде, выпадений из рельсового транспорта и падений с летающих аппаратов работали его смежники – аспирант Клеверов, аспирант Пехотин и доцент Вахид-заде).

Поэтому он горящим глазом смотрел на распростертое грузное тело Гвоздева – тело без единого перелома.

– Традиционная медицина уже может говорить о чуде – костных переломов нет вообще, ни одного, за это я ручаюсь. Но у меня жуткое подозрение, что и внутри все в порядке. Он в шоке, не хочу торопить события, но внутри, я имею в виду не у него, а у меня внутри, все трясется. Ты понимаешь, что это значит? Здесь природа благодаря мощной дозе алкоголя сыграла ва-банк – и выиграла! Это значит, что при отключенном сознании человек может прыгать с небоскребов.

Гвоздев всхрапнул и слегка пошевелился. Медики рванулись. Чудо-пациент замер. Чуть сочилась кровь из ссадины на плече.

Доктор Лекрин осторожно протер гвоздевское плечо ваткой с перекисью. Даже йод не хотел он применять – все, все оставить природе!

– Достань посуду! – сказал доктор и указал долговязому аспиранту верхнюю полочку над умывальником.

Разлили коньяк в стопочки.

– За будущее не пьют, – сказал доктор Лекрин. – Выпьем за сегодняшний день, за это воскресенье. За начало новой эры в медицине!

Вечером в клинику зашел профессор Драшку. Доктор Лекрин доложил ему общую обстановку, а потом поведал о случае с выпавшим с балкона Гвоздевым.

– Где он?

– Я поместил его в реанимацию.

– Пойдемте.

В 203-й реанимационной палате была полутьма. Тикали и подмигивали приборы. Единственная яркая лампа горела над столиком дежурной сестры. Сестра спала, положив голову на раскрытую книгу.

– Где он?

– Здесь, профессор, здесь... мы не стали перекладывать его на кровать... он лежит на тележке... я не хотел рисковать и поэтому...

Тележка была пуста.

– Как вас зовут, сестра?

– Люся.

– Вы, Люся, красивая девушка... но вы знаете, что такое пост в реанимационной палате?

– Это случайно! Это я на секунду... отключилась, профессор...

– На этом посту нельзя читать книги, на этом посту надо помнить...

Аспирант Богданов схватил за руку доктора Лекрина:

– Вот он!

В дверях реанимации, завернутый в серую простыню, стоял Гвоздев.

– Как вы себя чувствуете, Николай Иванович?

– Плохо.

– Почему же вы встали-то? Вы же понимаете, что после того, что случилось, вам никак нельзя... Как же можно вставать?

– В уборную.

– Вам все принесут! Все! Лягте. Вам нельзя ходить!

– Да ничего...

Разговор происходил в кабинете завотделением. Гвоздев сидел на диване, обитом коричневым кожзаменителем, а три врача разных возрастов и степеней сидели перед ним на стульях.

– Можно мне позвонить? – спросил Гвоздев.

Доктор Лекрин и аспирант Богданов посмотрели на профессора. Профессор взял руку больного, нащупал пульс, беззвучно пошептал губами, глядя на часы. И только после этого сделал вежливый, разрешающий жест рукой.

– Пожалуйста! – сказал он с едва заметным молдавским акцентом.

Гвоздев набрал номер.

– Бобер, как ты? Как там все кончилось-то? Ключ от моей хаты у кого?.. Ты пьяный, что ли?.. Ну, я... Ну, Гвоздь это... Чего?.. Чего, чего?.. Куда отвезли?.. Меня? Ну, я тут и нахожусь... Да, поздно сегодня... Давай часов в десять. Ну, будь! – Гвоздев повесил трубку. – Спасибо. Завтра за мной кореш приедет, заберет меня... Я не знаю, как все это... голова плохо варит у меня... если у вас платная, я завтра вечером все... в общем, все будет о'кей... а я по «скорой» попал?

Медики слушали и напряженно молчали. Доктор Лекрин поднялся со стула, подошел к Гвоздеву и осторожным сильным движением уложил его на диван.

– Вы многое забыли, Николай Иванович. Полежите. Закройте глаза.

Гвоздев подчинился.

– Что вы помните о вашем полете? – тихо и медленно спросил доктор Лекрин.

Пациент помолчал. Подышал, закрыв глаза и положив голову на валик дивана. Потом сказал:

– Три раза я видел... Бобер не верит, а я видел... Она как сковородка... с короткой ручкой... и летает такими уменьшающимися кругами, вроде как воронка...

В кабинете наступила тишина. За распахнутым настежь окном в жаркой темноте лета далеко-далеко слышались тревожные вскрики «скорой помощи». Медики пошептались, и прошелестели в полутьме слова «амнезия», «иридиогиперимия», «антипиретики».

Гвоздев на диване пукнул и стал дышать ровнее.

– Понаблюдайте его! – Профессор Драшку указал Богданову на лежащего. – А вас, Лекрин, прошу со мной.

На лестничной площадке возле цельного стекла большого окна профессор сказал:

– Поздравляю, коллега! Очень интересно, и хочу подчеркнуть, что это исключительно ваше достижение.

– В каком смысле? – спросил озадаченный Лекрин.

– Ну, в том смысле, что это не вполне по профилю нашего института, но... в меру своего влияния могу обещать, что поставим вопрос об открытии нового направления... и тогда... ваши перспективы становятся... – Профессор пожевал губами и рукой показал дальнейшее развитие перспективы.

– Спасибо, профессор. – Лекрин опустил глаза. Сердце колотилось.

– У меня к вам просьба, голубчик, – сказал профессор, беря Лекрина за пуговицу халата и внимательно ее разглядывая. – Вы дежурите, так что... вас не затруднит? ...Часа через два позвоните ко мне домой и скажите жене, что у нас тут с вами срочные дела... и я никак не могу оторваться... Одним словом, что дома буду утром, после обхода... Короче, голубчик, поздравляю вас с большой удачей! Вы поняли меня?

Профессор отбыл в темноту, а молодые медики обустроились в том же кабинете возле больного, поужинали чем бог послал, выпили по две рюмки коньяку, а потом еще по одной и начали строить планы. Мысль колебалась между получением гранта от фонда Сороса на дальнейшие разработки (Международный вариант) и созданием собственной «Клиники Отключения Сознания» в Крыму, где хорошее сочетание высоких скал и качественного алкоголя (Патриотический вариант).

В 4.27 утра пациент проснулся и попросился в уборную. По возвращении он был подвергнут общему осмотру, измерению температуры и давления. Все параметры были в порядке. Система «сердце – легкие» работала нормально. Больной выглядел выспавшимся, и доктор решился на короткий неутомительный разговор. Доктора не покидало счастливое возбуждение. Доктор спросил больного о его памяти вообще, о количестве потребляемого обычно алкоголя, о наследственных болезнях и подошел наконец к вчерашнему провалу сознания. Важно было установить, произошло ли отключение от удара о землю или до удара. И если последнее, тогда – от чего?

Больной опять мутно заговорил о сковородке с ручкой и воронкообразном движении, а потом, резко выдохнув воздух, указал на полупустую бутылку коньяка и попросил налить ему рюмочку. Исследователи переглянулись. Богданов поправил очки и вопросительно вздернул подбородок. Лекрин махнул рукой и сказал:

– А-а! Под мою ответственность!

В 5.09 опять измерили температуру и давление. После чего втроем допили коньяк и еще развели немного спирта.

В 6 часов, когда за стеной в комнате старшей сестры замурлыкало радио утренними позывными, все трое задремали – Гвоздев на диване, а медики по углам в неудобных креслах.

Сестра-хозяйка Анна Игнатьевна решительно потребовала убрать больного из кабинета заведующего. В 9.30, когда начался обход, Гвоздев был уже в 229-й – светлой общей палате на шесть человек.

Профессор Драшку, веселый, оживленный, но слегка обросший за ночь щетиной, бодро шел во главе своей свиты. В 229-й присел на кровать к Гвоздеву, оттянул ему веки и близко заглянул в глаза:

– Ну что, голубчик, в рубашке, можно сказать, родились? Мы вас еще понаблюдаем, а там, глядишь... Рентген? – обронил он, вопросительно повернув голову назад.

Из свиты выдвинулся доктор Лекрин и, щуря слипающиеся, покрасневшие глаза, сказал:

– Рентген сразу после обхода.

– Хорошо! – Профессор Драшку удовлетворенно потер руки. – Очень хорошо! Сделайте снимки, а мы их... – профессор почмокал губами, – посмотрим!

Свита тронулась дальше вслед за лидером. Больные, шаркая тапочками, потянулись на процедуры. В палате остались только Гвоздев и доктор Лекрин. Врач нежно взял гвоздевскую руку и нащупал пульс.

– Николай Иванович, скажите, вы боитесь высоты? Когда вы стояли на балконе... перед самым падением, вы смотрели вниз?

Гвоздев погрузился взглядом вовнутрь себя. Потом глаза его снова обрели осмысленность, и он уставился на доктора:

– Вы, извините, что имеете в виду? Вы о чем все время говорите?

– Я имею в виду, – терпеливо проговорил Лекрин, – что, когда вы падали...

– А с чего вы взяли, что я падал? Никуда я не падал.

– То есть?

– Чего «то есть»? Почему я должен падать... с девятого этажа?

– А как же вы внизу оказались?

– А вы чего, не знаете, как внизу оказываются? По лестнице... или на лифте.

– Но вы же вышли на балкон.

– Ну, вышел. А потом обратно вошел.

– А почему же вас никто не видел?

– Да они пьяные были! Сидели, носом стол клевали. А я смотрю сверху – вижу – трава зеленая, свежая, а тут жара такая и накурено... и еще обозлился я на них... и пошел.

– По лестнице?

– По лестнице.

– А почему не в лифте?

– А он не шел – дверь кто-то не закрыл.

Доктор Лекрин крепко потер глаза кулаками и с ужасом посмотрел на Гвоздева:

– Ну, и дальше?

– А вот дальше ничего. Лег на траву... помню, стало хорошо, и все – отключился.

– А откуда же у вас кровь на плече?

Гвоздев поглядел на плечо и подумал.

– Вспомнил! – сказал он. – Когда по лестнице вниз бежал, меня на поворотах все время заносило, и я правым плечом каждый раз об стенку... а она шершавая... ух, я злой был!

Доктор Лекрин встал и, пошатываясь, пошел к двери.

– А вещи мои где остались? – негромко спросил Гвоздев.

Но доктор его не услышал.

Доктор Ленникова вступила на суточное дежурство. Просматривала журнал за прошедший день.

– Володя! – крикнула она за ширму, где Лекрин тщательно мыл руки под краном. – Вот тут запись по Гвоздеву – доставлен в морг. Ты его принимал?

– Там зачеркнуто, – глухо донеслось из-за ширмы.

– Я вижу. А куда же он девался?

– Домой ушел.

Утренняя толпа уже схлынула, и Володя Лекрин ехал домой в полупустом троллейбусе. Дремал, опершись локтем на отворенное окошко. Рот его был раскрыт, и он по-детски всхлипывал во сне.

Ему снилась сковородка с короткой ручкой, вращающаяся воронкообразно в необозримом небесном пространстве.

Жизнь

Евгений Борисович окрестился и начал вести дневник уже в зрелом возрасте. В журнале «Знание — сила» он прочел, что человек рассчитан Создателем на сорок лет. Дальнейшие года — подарок судьбы или, в редких случаях, совсем новая жизнь. Евгений Борисович ходил в церковь не часто — работа не позволяла, да, признаться, скучал он на литургии. Смысл текста по-церковнославянски ускользал, ноги от долгого стояния немели. Причащался раз в два или в три месяца. А вот дневник вел регулярно — редко пропускал день, и тогда честно писал: был там-то, встретил того-то, но все это было вчера, запись сделать не хватило сил, уснул. А сегодня (такого-то такого-то) видел то-то, думал о том-то и — отдельно — «прич.» — значит, причащался.

Так сложилось, что жизнь Евгения Борисовича становилась все более одинокой и замкнутой. Работа вошла в скучную ровную колею и много времени не занимала. Событий в жизни становилось все меньше, а записи все подробнее. Евгений Борисович писал:

«Такого-то такого-то. Дождь. +14 градусов.

Зарядку сделал не полностью – болит живот.

Мылся под душем без головы. Голову вымою завтра (не забыть!). Не завтракал. Прич.

На работе встретил Мануйлова-Скобло. Он хочет бросить курить.

Обедал в столовой. Котлеты стали совсем говно.

Смотрел «Новости». Опять неспокойно в Южной Африке.

Купил водки. Выпил три рюмки и одну пролил.

Плохо стал видеть. Надо менять очки (не забыть!).

Сейчас вычищу зубы и лягу спать».

Прошло несколько лет, и Евгений Борисович совсем втянулся в новую свою жизнь. Она, новая жизнь, шла ровно и параллельно его записям. Дневник стал занимать больше времени, чем жизнь. Евгений Борисович писал:

«Такого-то такого-то. 9.15 утра. Морозно.

Пишу на столе для записок в углу церкви. Только что окончилась литургия оглашенных, занял очередь на исповедь к отцу Иллариону».

Институт, в котором работал Евгений Борисович, перепрофилировали, а их отдел закрыли совсем. Евгению Борисовичу повезло больше других – почти сразу он устроился дежурить у телефона в каком-то полуподвальном офисе. Комната была чистенькая, хотя темноватая. Звонков мало. Евгений Борисович писал в дневнике:

«Такого-то такого-то. 13.50.

У нашего окна идет драка. Мне видны только ноги. Судя по движениям, люди немолодые и не очень пьяные. Побеждает тот, что в вельветовых брюках. Но вот он упал. Лица не видно – он лежит затылком ко мне. У него хорошая модная стрижка. Трет рукой ухо. Вся рука в угольной крошке. Двое других продолжают драку без него».

Очень халтурные ручки стала выпускать фабрика «Союз». Пасты в трубочке хватало на какой-нибудь десяток страниц, не более. Пару раз он купил французские ручки в магазине на Дорогомиловке. Писали хорошо, но уж слишком тонко – это не нравилось. К тому же стоили они дорого. Евгений Борисович перешел на карандаш. Он писал:

«17.20.

Пишу наскоро, прислонясь к телефонной будке на станции метро «Маяковская». Только что на встречном эскалаторе видел женщину, похожую на мои прежнюю жену Регину. Если бы это была Регина, я воскликнул бы: «Боже, как она постарела!» Но, видимо, это не Регина, потому что я кричал ей – Регина! – и махал руками, а она только оборачивалась и искала позади себя – кому это кричат? Сейчас я жду, что, если это Регина, она поймет, что это был я, и поднимется на эскалаторе наверх. Хорошо бы повидаться. Буду ждать еще ровно 10 минут. Если не появится, зайду в булочную – и домой».

Толстые дневниковые тетради кончались быстро. Евгений Борисович складывал их в стопки. Смотреть на стопки было приятно, но заглядывать в тетрадки и перечитывать было некогда. Евгений Борисович писал:

«9.40 утра. Очень холодно. Мерзнут руки.

Кратко. На коленке. В троллейб. Встретил старого друга Веню Басова. Как он постарел. Рад увидеть. Веня пошел сейчас к водителю покупать талоны. Когда он вернется, обязательно спрошу, как его дела. У него очень большая и теплая шапка».

Дневник летел вперед и постепенно обгонял жизнь. Евгений Борисович писал:

«Такого-то такого-то. Жаркое утро. 7 ч. 11 мин.

Я только что перекрестился, сейчас начну молитву. Буду просить у Господа, чтобы дал мне хотя бы намек на ЕГО замысел относительно меня. Бывает, я полон добра и любви, но не знаю, кому это выразить, как подступиться. А иногда наоборот – люди кажутся мне такими жуткими, что я с удовольствием ушел бы от них в иной мир. Но опять же не знаю, с какого конца за это взя... Прерываю запись, звонок в дверь.

Это не ко мне, ошибка. Так вот, как за это взяться? Конец тетради № 19. Такого-то такого-то».

Мелькнуло лето, и рано, без предисловий началась зима. Снег лег в сентябре. Евгений Борисович отвечал на редкие звонки. Под Рождество офис закрылся. Глава компании предложил Евгению Борисовичу поехать на одну из его дальних дач сторожем – просто жить и немного присматривать за домом. Зимой Евгений Борисович писал:

«18.00.

Скоро должен проехать ореховский автобус. Снег начнется часов в 10 и будет идти всю ночь.

Утром должно снова упасть крайнее звено изгороди. Я оставлю птицам хлеб на перилах крыльца».

К концу зимы Евгений Борисович впервые за много лет ощутил скуку. Писать не хотелось. Дневник остановился. Евгений Борисович взялся за подробное чтение Нового Завета, но ничего не понимал, а только плакал.

Дружно грянула весна. Великая грязь и великое предчувствие разлились вдоль и вширь. Снег стаял, и на другом берегу реки обнажилась таившаяся под снегом обширная и непонятная стройка. Там, вдалеке, зашевелилось множество людей. Мимо дачи по дороге к дальнему мосту потянулись груженые машины.

В конце апреля в дверь дачи мелко и часто постучали. Молодая женщина с ребенком лет пяти, путаясь в словах и в слезах, умоляла перевезти ее на тот берег. Евгений Борисович опешил. Женщина говорила, что тут внизу, в сарае, была лодка, она знает, что прошлым летом уже так было. Спустились к сараю, и правда, нашли лодку. Евгений Борисович отвык от усилий – он стащил лодку в воду и долго не мог отдышаться. Кровь бухала в виски, голова кружилась. Переплыли, хотя лодка протекала и воды набралось по щиколотку. Женщина что-то длинно объясняла. Евгений Борисович не понимал, но обещал ее ждать и перевезти обратно. Весь день он вычерпывал воду и сушил лодку. Вечером переехали обратно.

К концу мая понаехал народ на дачи, и к Евгению Борисовичу многие обращались. Всем почему-то что-то надо было на стройке. Везли кирпичи, доски, мешки с цементом. Иногда Евгений Борисович делал по семь и даже по восемь рейсов. Стал хорошо спать. Снова появилась та, первая, женщина, теперь без ребенка. Она принесла Евгению Борисовичу бутылку водки и бутерброды с сыром.

Евгений Борисович сбрил отросшую за зиму бороду и стал прибираться в доме. Долго с недоумением смотрел на четыре высокие стопки тетрадей. Разжег камин и начал жечь их. Тетради горели медленно и дымно.

Приехал хозяин и сказал, что продает дачу. Он отвез Евгения Борисовича в город на своей просторной машине «мерседес». Евгений Борисович радовался, глядя на знакомые окраины, а потом на знакомый центр столицы. Хозяин расплатился щедро, и денег, казалось, хватит навсегда. Но месяца через два пачка стала очень быстро худеть.

Когда она стала совсем тоненькой, Евгений Борисович встрепенулся и пошел в церковь. Был праздник. Он подал всем нищим, положил во все сборные ящики, поставил большие свечи. Отстоял всю службу, не вслушиваясь и не вдумываясь в слова, а только вдыхая сладкий свечной запах и кислый запах толпы.

Светило солнце. Он шел из церкви и смотрел на вывески магазинов. В кармане нащупалась еще одна (и крупная) бумажка. Евгений Борисович зашел в магазин «Культтовары», купил толстую тетрадку и шариковую ручку. Евгений Борисович писал:

«Такого-то такого-то. Полчетвертого ночи. Тепло.

Черный кот из дома напротив перебежал улицу и пошел в наш двор. Я знаю – обратно он пойдет около шести. Саша из 17 квартиры пойдет на рыбалку в 4.30. В 5 часов проедет поливальная машина. Я знаю, что старик из дома 38 начнет пробежку ровно в 6 часов. Я лягу спать в 7 часов 30 минут, когда уже уедут «Москвич» и «хонда», которые стоят у ларька. Я знаю, что, когда я проснусь, будет день».

Москва,
21 августа 1994

СКАЗКА

Петров день

Потерял старик юмор.

И за печкой искал, и в подклетье искал, и в подпитье искал – нет нигде. Загорюнился старик, занюнился.

Что ни оглянется – весь мир точно сажей выпачкан. В окно зыркнет – дождь идет. В будущее глянет – зима надвигается. Свет зажжет – мухи оживают, жужжат, роятся, в волосах путаются. Погасит свет – мыши бегают, ногами стучат.

Лег старик на кровать лицом кверху. Заскрипела кровать. Паук с потолка козявку спустил на паутине к самому стариковому носу. Закрыл старик глаза и возроптал своим стариковым голосом:

– За что мне такая обида? И обеда у меня нет. И обрыдло мне все на свете. И ободья на колесах полопались, телега не на ходу, уехать нельзя. Вот сейчас плюну на все и отдам концы, узнаете тогда, как без меня!

Вдруг из темноты пискнул непонятный голос:

– А что с тобой, что без тебя, все равно материя едина!

13-5868

Вскинулся старик, вздернулся, лицом в паутине попутался, вскочил с кровати. Тихо все, ничего не слышно, даже мыши замолкли. Только сердце в ребра стучит, как почтальон в дверь: туктук-тук, туктук-тук! Потоптался старик в темноте неслышно и шепнул:

– Померещилось!

А голос как ухнет нахально:

– Будто ба!

Гикнулся старик к дверям, да так тетехнулся лбом о притолоку, что вспух на лбу небывалый синяк. Осветилась от него изба неземным утро-фиолетовым светом. Насквозь все видно стало – что было, что будет, что за чем прячется.

Видит старик сундук в углу, да так ясно видит – каждую соскоблинку на дереве, каждую ржавчину на железе замечает. А сквозь сундук, сквозь стенки его, видит пустоту и пыль его нутра. А в пустоте и в пыли лежит мяч, который старик в детстве в воздух подбрасывал. Видит кота на печке, а внутри кота видит мурок – комочек кожаный скрипучий, которым кот мурлычет.

Видит старик желтую фотографию на стене – народу много на фотографии, лица махонькие – а старик, будто телескопы на глаза надел, всех узнает, родинку знакомую возле ушка замечает. А сквозь фотографию видит: идут к нему, кто по траве, кто по снегу, папочка и мамочка, и жена его, и детки – знакомые, милые, и незнакомые, те, что родиться собирались, да не родились.

На себя старик оборотился и разглядел душу свою – маленькую звездочку затухающую. Ежится, сама в себе прячется, последними лучиками посверкивает.

А посреди избы – то ли стоит, то ли в воздухе плавает – ОНО – вроде плотное, а прозрачное, в пиджаке, с плечами и при галстуке, а на длинной голой шее птичья голова. Рукава на рубашке кружевные, из-под них перья. Порты в сапоги заправлены. Один сапог рваный, и из дыры коготь торчит. Когтем ОНО себя за щель в полу придерживает, чтоб к потолку не улететь – легкое! Покачивается. А голова птичья вся под абажур ушла, словно шапку надел. Глаз не видно, только клюв высовывается.

Страх старика силит, а любопытство сильнее.

– Кто ты? – спросил старик стариковским голосом.

– То-то? – эхом ответило ОНО и клювом щелкнуло.

– Не пугай меня! – попросил старик.

– А чего еще с тобой делать? – скрипит чудище. – Я есть Птица-Джентльмен Феликс Мария Удаль-Ман. Материя первична, а сознание вторично.

– К чему ты это? – тоскует старик без юмора.

– К чему-у-у-у? – заверещала птица Феликс. – А к тому, что все кончается и только энергия вечна – один вид энергии в другой переходит. Вот тебе и весь сказ, старый козел. А куда, по-твоему, уходит энергия, которая впустую тратится? Куда ушла та, от которой никакого толку не было? Думаешь, идеалист недорезанный, исчезла она? Думаешь, кишка тонкая, все шито-крыто? Не-е-е-ет! Она вся в меня ушла! Я весь из нее состою, из бестолковой энергии. И потому с каждой минутой моей вечной жизни сил во мне все прибывает и прибывает, ибо я весь с головы до ног научно обоснован. Я есть центральный парадокс, и ко мне идут линии питания от трех главнейших сил. От Бога – сила Творения неизвестно зачем, от природы – сила Воспроизведения неизвестно зачем, от разума человеческого – сила Постижения неизвестно зачем. И ты, калоша старая, видишь перед собой сосуд, в котором клокочет силою непостижимая пустопорожность жизни. Челюсть-то подбери да, чем рот разевать, призадумайся! Это я тебе говорю, Птица-Джентльмен Феликс Мария Удаль-Ман!

– Лоб болит, – говорит старик. – Соображение угасает.

– Да, – подтвердила Птица-Джентльмен, – перпендикулярно ты в косяк втемясился, долгая будет шишка.

И пока она освещает мир утро-фиолетовым светом, успей понять, как ты в меня переливаешься, как всякое твое движение бестолково и как бестолкова неподвижность твоя. И воспоминания, и слезы твои гроша ломаного не стоят. А ко лбу, шляпа ты мятая, пятак приложи, легче будет тяготу чувствовать. Будь здоров, мракобес!

И исчезла Мария Удаль-Ман, будто ее и не было.

Старик пошарил по карманам пятак, не нашел. Снял с гвоздика большой ключ от амбарного замка. Приложил ко лбу холодный ключ и... отключился.

А когда очнулся, светало за окнами. Старик зажег огонь, поставил воду кипеть. Радио в сеть воткнул. Запело радио странную песню:

Утро красит фиолетом
Место, где была земля.
Наши люди этим летом
Просыпаются, дремля.

Постучал Почтальон, как сердце давеча: туктук-тук, туктук-тук!

– Пляши, радуйся! – говорит Почтальон. – Тридцать три письма я тебе принес – все, которые ты за три года отправил. Все назад вернулись, все адресаты выбыли. Теперь можешь их в книгу издать. Переписка, том первый, в один конец. И делать ничего не надо. Пей чай да кофеем запивай!

– А ты, я смотрю, с юмором, – говорит старик.

– Оставить не на кого, – смеется Почтальон, – везде его с собой таскаю. Мамка-то наша сбежала.

А юмор кудрявый прыгает вокруг Почтальона, щекочет. И старика в покое не оставляет – то травинку в нос засунет, то лепешку коровью за шиворот ему пустит.

– А твой где? – спрашивает Почтальон.

– Потерял, – говорит старик. – Может, в сене, а может, в прошлом году на ярмарке. По-твоему, небо на что похоже?

– На море, – сразу говорит Почтальон.

– А по-моему, на трубу печную, если изнутри смотреть.

– Ну! – засмеялся Почтальон с юмором. – Это ж надо! Да ты больной, к врачу сходи. Вон у тебя и голова тряпкой обвязана. Болит, что ли?

– Птица приходила, – говорит старик, – я испугался, что примета плохая, в дверь сунулся, да на косяк и попал.

Почтальон с юмором упали на землю со смеху и ну кататься. Снял старик тряпицу с головы, открыл шишку. Осветился день утро-фиолетовым светом. И видно стало сквозь Почтальона и сквозь юмор его, что вовсе они не смеются, а плачут и всё думают о сбежавшей своей мамке. И по земле всё катаются.

Снова повязал голову старик. Поднялись Почтальон с юмором.

– Ну, – говорят, – умора! Прямо до слез!

– Ладно! – говорит Почтальон. – Пойдем дальше. Вот тебе газеты свежие, пахучие, вот тебе заграничный журнал «Тамс», а вот тебе наш местный журнал «Тутс». И везде все новое-переновое. Читай да радуйся. То война, то авария, то разбойники свирепствуют, но все это где-то, не здесь, а словно в сказке. У нас солнце светит. Где-то, пишут, воздух совсем протух, жизнь вымерла. А у нас травой да грибами пахнет. Хорошо! Сегодня Петров день – стемнеет, соловьи запоют. В последний уж раз. Соловьи только до Петрова дня. Но день-то ведь впереди. А за ним длинный вечер. Эхма, не горюй!

Пошел Почтальон с юмором по тропинке и запел на два голоса:

Без тебя мне не жить,
Без тебя мне не жить,
Я умел лишь однажды любить.

– Почтальон! – далеко крикнул старик. – А Почтальон! Ты Феликса Удаль-Мана не знаешь?

– Зна-а-ю! – донеслось из-за холмика. – Он журнал «Вокруг круга» выписывает.

Много ли, мало ли прошло времени, а только десять утра по радио пропикало. Сообщило радио, что урожай сгнил, и перешло к симфонической музыке.

А старик перешел дорогу и постучался к врачу.

Из верхнего окошка высунулась жена врача и сказала добрым голосом:

– Толкайте дверь, она и откроется. Толкайте, толкайте! Там еще одна дверь будет, ее тоже толкайте. Все двери толкайте. Потом одна не поддастся, сколько ни толкайте. А вы ее потяните. За ней будет темная комната. Там мой и сидит, опыты делает.

Пошел старик двери толкать. Шесть толкнул, а седьмая не поддается. Вспомнил старик, что добрая жена врача ему говорила, и потянул осторожно.

– Ну чего ты тянешь! – рыкнул доктор из-за двери. – Входи скорей, темноту мне не рассеивай!

Вошел старик. Ни зги не видно.

Врач в темноте крякнул, плюнул, посуду какую-то разбил и рявкнул:

– Деньги вперед!

Старик выхватил из кармана деньги и протянул вперед себя.

Врач в темноте нащупал его руку, забрал деньги.

– Какие-то они у тебя, – говорит, – жухлые. Ну да ладно уж. Присаживайтесь! – и толкнул старика в грудь.

Старик попятился и свалился к кому-то на колени. Тот, другой, охнул, а потом говорит:

– Доктор! На меня сели. Это так надо?

– Надо! – крикнул доктор, как ножом отрезал.

И стало темно и тихо. Сидит старик на коленках у другого и думает: когда же лечение начнется? Пощупал рукой слева – еще чьи-то коленки, пощупал справа –

опять коленки. «Э-э, – смекнул старик, – да мы тут не одни!»

Тут доктор опять посуду разбил и крикнул:

– Чтобы раскрепоститься, надо закрепоститься! Ешьте горох!

Кто-то невидимый сунул старику миску и ложку в руки.

Понюхал старик – и вправду горох. Стал жевать. И кругом, слышит, жуют, чавкают. А тот, другой, говорит тонким голосом:

– Доктор, мне гороху не досталось, а который на мне сидит, ест! Это так надо?

– Надо! – отрезал доктор и опять крикнул: – Чтобы объединиться, надо размежеваться! Ешьте горох! А которым не досталось, так сидите.

Доел старик горох, ложку облизал и думает: куда бы миску девать? Поставил тихонько на левые коленки. А в это время невидимая рука на его коленки другую грязную миску поставила. Пристроил ее старик на правые коленки, невидимая рука новую опускает. Схватил старик невидимую руку. Задергалась рука и говорит человечьим голосом:

– Отпусти меня, сестра милосердная, пожалей меня, хилого.

Старик говорит:

– Не сестра я милосердная, а мешок с хворями. А у тебя, видать, совсем сознания нет, что ты пустоту гороха своего незнакомому человеку тычешь.

– Сознание вторично, – говорит рука. – А первичен Дух. Он соединяет, он и разделяет. Свой дух – благодать, чужой – мерзость. И потому – каждый отойди к своим! Чужого я по запаху знаю. Кто ты, а?

И уж не старик руку держать стал, а рука в него впилась.

Тут доктор новую посуду разбил и крикнул:

– Чтобы освободиться, надо подчиниться. Бейте друг друга, врага найдете!

Загремели миски, посыпался горох, заиграла гармошка. И началось в темноте великое побоище. Только и слышно: «Эх, эх!» Левые коленки старику в живот молотят. Правые коленки кулаком пудовым в ухо тычут. Другой, который под стариком был, верещит металлическим голосом:

– Доктор! Мне гороху не досталось, а теперь мне грязную миску на морду надели. Это так надо?

– Надо! – крикнули хором.

Старик прыгает в темноте, отмахивается. То пустоту рубанет, то челюсть нащупает.

Доктор кричит:

– Играй, музыка! Оживай, игры заветные! Раззудись, плечо спондилезное! Кругом заговор! Бей их, врагов ненавистных! Вся беда от них. Расступись, толпа инородная, дай зациклиться добру молодцу!

Тут вцепилась невидимая рука старику в волосы. Рванула вправо, рванула влево, и слетела с головы старика щадящая тряпица. Осветилась тьма утро-фиолетовым светом. Замерли все. Видно стало насквозь. И разглядел старик, что он в большой зале и полна зала дураков. Которые бьющие, которые битые, которые хилые, которые плечистые, но все сплошь дураки. А самый большой дурак – сам доктор, с бородою большою и усами до ушей.

– Свет, свет! Что это, что это? – закричали дураки.

А доктор говорит громким голосом:

– Это есть инородное, научно доказанное явление, подревнееврейскому называемое Рентген, а по-нашему светопреставление. А исходит оно изо лба чужого человека. Во лбу том шишка, в шишке Рентген. Сейчас мы эту шишку вскроем.

– Доктор, доктор! – загоревал старик, видя все как есть. – Да причина-то не тут.

– А мы и причину вскроем! – загремел доктор. Схватил он нож скальпельный, навостренный и кинулся к старику.

Старик от него, а он за ним.

Потянул старик дверь – не тянется. Толкнул тогда ее и выскочил. Помнит старик слова жены докторовой и делает все как прежде, только наоборот – другие двери не толкает, а тянет, тянет. Открываются двери. Бегут по комнатам. Медленно бежит доктор, потому толстый, а старик еще медленнее, потому старый. Медленно бегут, ноги скользят и цепляются. А доктор все ближе, ближе. Уж седьмую, последнюю, дверь потянул старик. Настиг его доктор, замахнулся.

Тут петушиный голос крикнул:

– Суп готов!

Застыл доктор. Жена его сверху из окошка высунулась и говорит ласково:

– Князюшко, щи простынут.

Доктор и говорит старику:

– Ну, твое счастье! Приходи еще. У нас каждый четверг сеансы. – И побежал ко щам.

Старик поклонился во все стороны и спросил добрую женщину:

– А не бывал ли во многолюдстве вашем Птица-Джентльмен Феликс Удаль-Ман?

– Будь ты к дому поближе, а я этажом пониже, плюнула б я тебе в лицо за такие фамилии, – оскалилась добрая женщина. – Иди отсюда, подозрительный человек, а то и впрямь прибьют тебя здесь, да и правильно сделают.

Надел старик тряпицу на голову. Погас утро-фиолетовый свет. Не видно стало злобы доброй женщины. Машет она ему из окна пухлой рукой: «До свидания! До свидания!» – говорит.

И пошел старик прочь, а солнце уже за полдень.

Сам не заметил старик, как пришел он в Центр. В Центре суета стоит, круговерть свистит, люди бегают. Все ворота на замки заперты; у каждых сторож стоит. Никому хода через ворота нет. А никто и не идет. Во всех стенах и заборах дыры огромадные, и через них люди толпами целыми – взад-назад, взад-назад.

Вошел старик в одну дыру. Видит – бочар стоит, бочки бочарит. Сделал три штуки и кричит:

– Кому бочки, кому новые?

А мимо него тощий человек бежит и шепчет:

– Где бы бочки достать? В доме бочки нужны.

А важный толстый на трибуне стоит, пот утирает и слезы утирает:

– Нет в Центре бочек, опять послов за бочками слать за семь рек!

И снова все вместе:

Б о ч а р. Кому бочки, кому новые?

Т о щ и й. Где бы бочки достать? В доме бочки нужны.

А толстый с трибуны:

– Нет в Центре бочек, опять послов слать.

Пока они кричали, цыган бочки украл, на дощечки разобрал. Хватился бочар – нет бочек, и щепочки не осталось.

Цыган кричит:

– Кому доски, кому кривые?

Бочар кричит:

– Где бы кривых досок купить, доски кривые нужны!

А толстый с трибуны с рыданием:

– Нет в Центре кривых досок! Опять посольство за семь рек посылать.

Удивился старик, на это глядючи. Почесал себе лоб, да тряпку со лба и сдвинул. Осветилось все утро-фиолетовым светом, и видно стало, что все в Центре слепые и глухие. Хотел старик по молодой привычке посмеяться надо всем этим, да не может. Нет с ним юмора, а в одиночку как рассмеешься?

Не знает старик, куда дальше идти, что делать, о чем думать. Стал на месте и принялся вывески читать.

На одной написано: «Будущее – за нами!»

– Как это? – сказал старик самому себе. – Если будущее уже где-то там, за нами, то где же тогда мы?

На другой:

«Страхуйте жизнь! Кому приятно
Немедля умереть бесплатно?!»

Подумал старик, да ничего не придумал, что на это сказать. Задрал старик голову, а наверху большими буквами: «Раздувайте ветер перемен в соответствии с принятыми решениями!» Глянул вбок, а там маленькими: «Мудрые советы за полцены. Вход за углом».

Завернул старик за угол и вошел к мудрецу.

На мудреце было гладкое еще лицо с очками и белый пробор в черных волосах. Мудрец сидел за большим столом. На столе стопкой лежали книги. На книгах лежала пыль. На пыли лежала многоцветная кошка.

– Давно дурью маемся? – спросил мудрец и сощурил под очками глаза.

– Да, пожалуй что давно, – отвечал старик. – Жить я разучился. Сомневаюсь, с какой ноги с кровати вставать. Юмор потерял. Ночью Птица Феликс явилась. Шишку набил. Все насквозь вижу. Радости нет. Смысла не ощущаю.

– А зубы не болят? – спросил мудрец.

– Да вроде один сверху начинает.

– Экая у вас куча всего. Надо вычленить, – сказал мудрец и погладил кошку. Кошка зашипела и укусила его за палец. Мудрец достал из ящика пластырь и заклеил палец. Старик заметил, что у него много заклеек на руках. – Терпеть умеете? – спросил мудрец.

– Пробую, – отвечал старик.

Мудрец встал из-за стола, подошел к старику и зажал ему нос двумя пальцами, а другой рукой ловко заклеил рот пластырем. Сидит старик без дыхания. В висках стучит, в глазницах пот выступает, внутри жар клокочет. Мычит старик, руками хватается. Разжал мудрец нос.

– Так лучше? – спрашивает.

– М-гу-у! – кивает старик.

Содрал мудрец с его рта пластырь.

– А так еще лучше?

– Лучше, – выдохнул старик.

– Ну вот, – сказал мудрец и опять сел за стол. – Это вы немного наедине с самим собой побыли, без всякого сообщения с миром. А теперь садитесь вон в то железное кресло. Руки всуньте в лямочки, ноги в петельки. Всунули? Удобно? Ах, телу от железа холодно? Сейчас погорячеет.

Нажал мудрец кнопку на столе, и задергался старик в кресле. Бьет его током электрическим, и сжимает, и растягивает, и мелкой дрожью трясет. Хочет крикнуть старик, да голос отнялся.

Отключил мудрец ток и спрашивает:

– Так лучше?

– Ой лучше, – говорит старик.

– Ну вот, – сказал мудрец. – Это вы сейчас в полном контакте с миром были, до абсолютного забвения себя. Что же это у нас получается? И с миром плохо, и без мира плохо.

Тут мудрец опять погладил кошку. Та зашипела и сызнова укусила его за палец. А мудрец палец пластырем заклеил и говорит:

– Ну вот! Мир живет среди человека. Человек живет среди мира. Потому всему нужна мера! Вот, скажем, этот кот по имени Панкрат – будь он в десять раз больше, он бы меня съел, потому что сильно меня не любит. Но ему дана своя мера, и он только укусить за палец может. И отсюда возможность нашего сосуществования. Очень просто! Человек есть тип. Типов таких всего восемнадцать. Девять мужских и девять женских. Внутри типа все на одно лицо. И у каждого одинаковое количество жалости и подлости, глупости и хитрости, здоровья и болезней. У меня все эти типы записаны, и я ясно вижу, что вы есть тип номер шесть, только порченный тем, что своей меры не знаете. Хотите вы быть веселым, как тип номер восемь, и нечувствительным, как тип номер два. А еще хотите, чтобы вас любили, как женский тип номер семнадцать. И потому скособочилось ваше нутро, а вы думаете, что мир кривой стал.

– Что же мне делать? – прошептал старик.

– Узнать себя и не колыхаться. Вы шестой, и шестым вам быть! И всегда ваше дело будет шестое. Платите все деньги, которые при вас, а я вам дам рубль сдачи. Это будет полцены, потому что совет мой – бесценный.

Отдал старик деньги, взял рубль и пошел к дверям. А от дверей спросил:

– А Птица-Джентльмен Феликс Мария Удаль-Ман ко всем шестым типам является или только мне?

– Знаю я ее, большой он дурак, – сказал мудрец и поднял кверху палец. – А относится он к типу номер двести пятьдесят один, но это уже типы не людские и не животные, а метафизические, и у них своя нумерация.

В этот миг Панкрат, еще и не будучи поглаженным хозяйской рукой, вцепился с визгом в мудрецов палец, крепко вцепился. Завизжал и мудрец, толкнул кота. Панкрат подскочил кверху, растопырив когти и глаза, завис в воздухе, а потом рухнул на стол, взметнув пыль и нажав лапой на кнопку в столе. Стул железный затрясся и зарычал. Панкрат прыгнул на стул, взболтался в нем и с диким взмявком перелетел через всю комнату прямо на старикову голову. Слетела с головы повязка. Осветился кабинет мудрости утро-фиолетовым светом. И увидел старик, что нет у мудреца сердца, а вместо него червовый туз. И еще увидел, что мозги мудрецовы точно на такой же пробор расчесаны, как и волосы на голове.

Повязал старик тряпицу и вышел. А уж с улицы заглянул в окно. Мудрец заклеивал палец пластырем, а Панкрат хлебал молоко в углу и поглядывал на мудреца желтым глазом.

Высоко ли, низко ли солнце стояло, а только не видно его было – заволокло небо тучами и пошел пузырящийся в лужах дождь.

У старика ботинки промокли. Стал он искать, где бы укрыться, и зашел под большую вывеску

«КООПЕРАТИВНЫЙ ВОКЗАЛ».

Дело новое, привлекательное. Всюду краска свежая, дощечки с указателями, людей множество. На первой полосе в самолет грузятся, у второй платформы поезд стоит, к третьему причалу пароход привязан. Все гудки подают, но с места не трогаются. Горючего пока нет, рельсы еще не проложены, реку к пруду еще не подвели. Не совсем развернулся кооператив, пока только вокзал построили. Но вокзал хорош – и рестораны, и закусочные, и туалеты беломраморные, и кассы. Очереди всюду маленькие, уютные – потому что цены довольно высокие. Вдоль очередей пирожки на тележках возят. Радио объявляет, кому в какой транспорт заходить, а кому уже выходить пора. На большой доске в три колонки все города, какие есть на свете, записаны. Возле каждого зеленая лампочка мигает, а поверх доски надпись: «Покупайте билеты куда попало!»

Любит народ свой вокзал, тянется к новым формам обслуживания, не жалеет денег.

Без билета в вокзал ходу нет, а у старика всего рубль остался. Но дождь не жалеет, пуще идет, вода уже внутри ботинок хлюпает. Купил старик самый дешевый, какой был, билет за семьдесят копеек до станции Зарезово, посадка в 17.45, высадка в 17.50. «Ничего, – думает, – авось пока дождь пройдет». И вошел старик с толпой под стеклянные своды. Мотается под высокой крышей по сухому полу, радуется.

И кругом все веселые. Один даму в Париж решил прокатить – к самолету бегут, другой с малыми детьми в Америку отплывает, третий вырвал немного времени на родину в Улан-Удэ съездить. Никому отказа нет, всем билеты достались. Да, правда, и дело недолгое – вон тот с дамой уж из Парижа и возвращается, и прямо в закусочную. Хорошее время настало!

Вдруг хлопнул кто-то старика сзади по спине. Обернулся старик. Стоит перед ним хмельной веселый человек, полголовы лысая, вторая половина кучерявится.

– Это ты? – спрашивает полулысый.

– Я, – говорит старик.

– Здорово, старик! – говорит полулысый. – Ты куда собрался?

– В Зарезово, – говорит старик и замечать начинает знакомое что-то в полукучерявом.

– А я тут с компахой в Куалу-Лумпур смотался, – говорит тот. – Пошли с нами в ресторан. Мы перед отъездом обед заказали. Теперь уж, наверное, подали.

В ресторане веселый свет горит. За большим столом человек двадцать, а тарелок, рюмок, стульев и того больше. И старику место нашлось. Большой ресторан, цветной ресторан! Зелень зеленеет, серебро блестит. В полстола рыба заливная легла. Из дверей шашлыком пахнет – вот-вот заносить начнут. Девушки белыми зубами улыбаются. Из ушей, из грудей камешки посверкивают. Мужчины все седоватые, пузоватые, но веселые, крепкие. Официанты на стол икру мечут – каждому по вазочке. Музыка за стенкой крякает.

– Ха-ха-ха! – смеются все за столом. – За Анастаса!

Встал тут полулысый и говорит:

– Спасибо вам, но только за меня уже было поднято. А выпьем мы за моего старого друга – вон он сидит. Как живешь, старик?

Смотрит старик во все глаза – неужто это Анастас, с которым вместе за одной партой сидели, вместе жить начинали, шутки шутили, бедовали? Вместе в гору житейскую взбирались, вместе с горы покатились, да там, под горой, и потеряли друг друга.

– Все я помню, – продолжал Анастас, – ничего не забыл. Вот только имя твое, хоть тресни, из головы вылетело. Как зовут тебя, старый друг?

– Петр... Я Петр, – сказал старик с трудом, потому что отучился в одиночестве своем выговаривать собственное имя.

– Петр! Камень! – закричал Анастас. – Так выпьем за то, что не превратился этот камень в пыль! Ни крошки от него не откололось! Вот он с нами, крепкий, как мы. Поцелуйте его, соседние девушки, и ты, Лиза, и ты, Манана!

Слева налетела на старика белая волна волос и зеленые глаза, справа – черная челка над угольным взором. Два благостных запаха: один – как травы скошенные, другой – как вода морская. Расцеловали его веселые девушки, и кругом пошла голова Петра-Камня.

Вечер наступил, и был он словно пляска – и все вместе, и парами. То по четверо в машины садились и ехали куда-то. То змейкой по лестнице поднимались. Вдруг оказывались вдвоем, втроем на мягких ковровых диванах. И опять накатывали на Петра две волны: одна – травяная, другая – морская. Кого-то теряли, кого-то находили. Тепло и шумно текло время. И разобрал Петр сквозь шум, в разговорах и шепотах причину такого веселья.

Загадало государство шесть волшебных чисел, кинуло их в общую кучу – поди найди! Написали бумажки – на каждой по сто чисел. Люди купили бумажки и стали думать – какие цифры волшебные? Многие ломали головы, книги толстые листали – не знают, пальцем в небо тычут. Тут вышел Анастас со своим листком и сказал спокойным голосом:

– Цифр этих шесть, ни больше ни меньше, и почувствовал я их нутром моим, и вот они какие – один, два, три, четыре, пять, шесть! Ибо все на свете просто, и быть посему!

Ахнуло тут государство, подивилось Анастасову уму.

– Правильно, – говорит, – отгадал ты загадку. И вот тебе за это мильён!

Пляшет умный Анастас, остатки кудрей на голове подпрыгивают. Целует умный Анастас веселых девушек. Обнимает друга Петра и говорит ему:

– Все на свете просто, и ты будь простым. Бери что хочешь и пользуйся, мы ведь молоды!

– Где же мы молоды? – удивился Петр.

– Да здесь и молоды! Где мы есть, там и молоды. Все как было, так и будет, и ничего не уходит.

– Не уходит? – сомневается Петр. – А папы наши и мамы ушли, жены наши и дети ушли, день сегодняшний смутный ушел. Они-то все куда?

– Не трогай, не трогай, не трогай этого, – сказал Анастас и прижался лысиной к Петрову лбу, глаза к глазам приложил. – Видишь меня сейчас?

– Не вижу, – говорит Петр, – слишком близко.

– То-то! – хрипит Анастас. – Близких никогда не видно, а когда они вдаль уйдут, то их тоже не разглядеть. И потому ты один, а остальное – твой сон. И вот тебе моя тайна – я есть и буду всегда.

– Как пустопорожняя Птица Феликс? – мутно спросил Петр, но Анастас уже не слышал его. Он бежал по комнатам и окликал друзей:

– Надоело тут, надоело тут, к художникам, к художникам, в мастерские, в мастерские!

Взобрались в мастерские. Нанесли с собой бутылок, банок и кусков. Пошло мастерское веселье. Анастас каждому из гостей по тыще подарил, а художникам по две. Разговорились художники.

Художник Никанор сказал:

— Весь мир состоит из мелких частей. Я каждую эту мелкую часть рисую. Вот забор. У забора дерево. Под деревом трава. Все это находится у меня на даче, но еще находится вот на этой картине. Видите? Вот стол, на столе кружка. В кружке молоко. Оно скисло. Все это находится у моего деверя и еще вот на этой картине. Видите? Вот столб, на столбе фонарь...

— Видим, видим! — закричали гости, словно прозревшие. — Как интересно! Вот лодка. В лодке ведро. В ведре пусто. Как здорово! А только зачем это, Никанор?

— Я ждал этого вопроса, непонятливые вы люди! А это затем, что мир стареет. Части его портятся, и я каждой части готовлю замену. Чтобы всегда трава росла, чтоб всегда у треклятого деверя молоко скисало, чтоб всегда в лодке про запас ведро было. И потому я полезный экологический человек, а вы все — шваль.

Выпили за Никанора.

Художник Евсей сказал:

— Мир нужно понимать не по частям, а в целом, чтобы он не рассыпался. Потому я создаю всего одну картину, и она еще не закончена. Я ее от ваших равнодушных глаз простыней завесил.

— А что, а что под простыней? — замяукали Лиза и Манана.

— Прочь, развратные! — крикнул Евсей. — На этом холсте я объединю все свои мысли. Я на нем напишу мильён раз слово «концепция». И когда ниспадет простыня, преобразится мир оттого, что хоть один человек его целиком понял. Человек этот — я, а вы все — шваль.

Выпили за Евсея.

А третий художник так сказал:

— Зовут меня Бездыр Постылов. Имя мое известно только в заграничных странах, а здесь его никто и слыхом не слыхал. Родная мать и то меня не знает, потому что имя мое выдуманное, а на самом деле меня зовут Баздык Битонов. Но вы ведь и этого имени не знаете, ибо вы есть шваль. А вот я сейчас отдам мои две тысячи, полученные от Анастаса, — тому отдам, кто угадает, где у моей картины верх, а где низ. — И показал он что-то вовсе несусветное, холст, масло, аппликация, тридцать восемь сантиметров на пятьдесят два.

– Низ сверху! – закричали одни.

– Верх сверху! – закричали другие.

Засмеялся Бездыр Постылов горьким смехом и говорит:

– Вешается моя картина не на стену, а на потолок, четыре ниточки на четыре уголка, изнанкой книзу, и смотрится на просвет. И нету у нее ни верха, ни низа, ибо сама она есть сплошной верх, и шиш вам с маслом вместо двух тысяч, сколько же тупиц на этом свете!

Выпили за Бездыра.

И за Лизу с Мананою. За Петра. Снова за Анастаса. За Лазаря, в углу уснувшего, за Прасковью, с Яковом уединившуюся, за самого Якова. За Христофора, по дороге потерявшегося, еще за Анастаса. И за Павла Аркадьевича Новожилова.

Очнулся Петр неведомо где. Голова на чьем-то животе лежит, руки подушку обнимают, под телом ковер шершавится. Свежим сеном пахнет. Хотел встать — ноги не сгибаются, не пускает что-то. Испугался Петр и открыл глаза. Живот оказался Лизочкин, ковер на полу лежит, а ноги Петровы под низкий диван засунуты.

Выполз кое-как, огляделся. Лампа одна в углу горит. Впустую шипит под лампой радиола. Дождь в окошко бьет. А в мастерской словно после побоища – лежат кто где, кто с кем, храп стоит. Евсей голову на стол уронил. На столе Манана вокруг вазы с апельсинами обернулась. Умный Анастас на диване калачиком сложился, причмокивает –

видно, сны хорошие снятся. Бездыр с Никанором, взявшись за руки, на кровати, а поперек них Лазарь. Прасковья с Яковом с кресел свесились. А Павел Аркадьевич Новожилов, толстым животом кверху, по стойке «смирно», прямо на полу лежит, головой во входную дверь упирается. И во всю стену надпись соусом кетчуп: «Концепция!»

Голова у Петра раскалывается. Потрогал он ее – ан глядь, повязки нет. Потерял. Шишку нащупал – меньше. И вдруг как стукнуло в голове: а где же утро-фиолетовый свет? Кончился, видать. Прозрачности не стало. Что лампой освещено, то и разглядеть можно, остальное в тумане. А что внутри, что под покровами спрятано – и вовсе черно. Глядит Петр – мутно на душе. И мильён Анастасов замутился – вроде не из волшебных он шести чисел возник, а вовсе из другого источника, какого – неведомо. И девушки Лиза и Манана, что спят с распахнутыми ртами, теперь показалось, какие-то тертые. И художники, что так ясно и мир и себя определяли, уткнулись друг в друга, как кутята бездомные.

– Сиротство! – прошептал Петр и, высоко подняв ногу, перешагнул через Павла Аркадьевича Новожилова.

Долго ли, коротко шел Петр под дождем, а только радио в чужом окошке гимн заиграло. Полночь. Ни души на улице, одни дома. А после и улица кончилась. Пошел пустырь. Слышит старик – кто-то ящиками железными на пустыре гремит. Подошел поближе. Замолкли ящики. Голос спрашивает:

– Время знаешь?

– Знаю, – говорит Петр.

И помолчали.

– Ну и сколько? – спрашивает голос.

– Уж за полночь.

– Только-то! Тогда можно не спешить.

– А ты что делаешь? – спросил Петр.

– Я мусорщик, – сказал человек. – Из малых ящиков в большие ссыпаю. А в два часа придет машина. Погрузим большие ящики и повезем далеко. До рассвета будем ехать.

– А дальше что? – спросил Петр.

– Сожжем мусор в большой печи. Потом вернемся. Я малые ящики по местам расставлю. И опять живите, утро настанет. Закурить есть?

– Есть, – говорит старик. – Возьми.

– У меня руки грязные, – говорит мусорщик. – Положи мне папироску в зубы да огня поднеси.

Так и сделал старик. Первая спичка потухла под дождем. Вторую ветер задул. А от третьей пламя Петр осторожно в ладонях схоронил, поднес мусорщику. Затянулся тот папироской, пустил дым и говорит:

– Сла-а-а-адко!

Вышла луна из-за тучи. Осветила железные ящики и мусор в них. Осветила весь пустырь и далекие дома. Осветила двух людей, которые стояли курили и смотрели друг на друга.

– А что ты все улыбаешься? – спросил Петр.

– Смешно, – сказал мусорщик и выплюнул окурок в бак. – Чего ты здесь стоишь и вонь нюхаешь? Ты, может, из жалостливых и меня жалеешь? Так не надо. Я ночную работу люблю. А когда на рассвете обратно с пустыми баками едешь – так вообще князем себя чувствуешь. Поём мы с шофером и смеемся.

– А чего смеетесь-то? – все допытывался Петр.

– Смешно, – сказал мусорщик, обнял малый бак и потащил его к большому. – Крышку откинь, не побрезгуй.

Петр поднял крышку. Из бака толпой выскочили голуби и кошки. Мусорщик поднатужился, поднял свой малый бак и вывернул его в просторы большого.

– Все люди в очереди стоят, проталкиваются, кто за кем занимал, выясняют. А я самый последний – всем в затылок, за мной никого. Там впереди кричат, чего-то получают. Еще какие-то подбегают, мы, говорят, стояли. Я пропускаю. Стойте дальше, раз стояли. Все равно, что там впереди наполучали – все в мусор уйдет и мне достанется, а я вывезу и сожгу. Чтоб хоть позади нас чистая дорога осталась. Может, когда по чистому-то, совсем новые подойдут. – Мусорщик ухватил ящик. – Вона, все ломают, все бросают, все теряют! – И снова поставил бак на землю, запустил в него руку в грязной рукавице. – Миска вот с горохом недоеденным, новая, а уж мятая...

– Это у доктора, когда дрались...

– Обрезков пластырей вон целая пачка...

– Это мудрецов пластырь... Это Панкрат его...

– Билет до станции Зарезово. И ненадорванный. Кому надо было в Зарезово?! Да и не больно надо, раз не поехал...

– Он уж тут! – удивился Петр. – Это мой билет. Я им от дождя закрывался.

Рассмеялся мусорщик.

Петр сказал:

– И я бы с тобой посмеялся, да не выходит, юмор потерял.

– Это такой пушистенький, с острыми краешками? – захохотал мусорщик. – Вроде видал, где-то он тут. Хочешь, пороемся?

Первый раз за много времени раздвинул старик губы в улыбке.

– Знаешь что, – сказал он, – ты, когда утром баки привезешь, приходи ко мне кофе пить. У меня кофе есть.

– Может, приду, – сказал мусорщик.

Старик пошел и обернулся:

– Я вон там живу, напротив доктора, дом без номера, возле Управления жилищного хозяйства.

Небо очистилось, и дождь перестал идти. Показались звезды. Старик шел по пустырю и смотрел на маленькую, прячущуюся в самой себе звездочку. Он думал о том, что она похожа на его душу, которую он сегодня впервые разглядел при утро-фиолетовом свете. Все глуше вдали громыхали баки. Вот и дом его.

Почудилось старику, что в окошке слабый свет горит. Туктук-тук, туктук-тук – обнаружилось сердце. Неужели? – сказалось внутри. Подошел крадучись к окну – лампа не включена, а сияние есть. Приложил лоб с шишкой к стеклу: батюшки! Сидит за столом Птица-Джентльмен, на голову до клюва панаму насунул, под метровой шеей галстук-бабочка. Чайник на плитке закипает, а Феликс Мария Удаль-Ман перьями своими неловко банку с растворимым кофе открыть старается. Не получается у Феликса. Но он все равно сам собой доволен – мурлыкает что-то, напевает, клювом шмыгает.

Постучал старик пальцем в стекло: тук-тук-тук. Повернулась голова гусиная, глазки-бусинки из-под панамы сверкнули. И сказала Птица-Джентльмен:

– Поздно шляешься. Заходи. Где у тебя сахар, найти не могу! Ну что? Понял суть вещей? Вошел в сознание? Все барахло на свете? А? Что стоишь? Заходи да наливай! Видишь, мне не с руки.

Рассмеялся старик Петр от всей души, весело, насмешливо, долго, аж до слез. И сказал сквозь смех и сквозь слезы:

– Этого и быть-то не может.

И все исчезло.

Щелыково,
21–31 августа 1988

Каждый из нас распят на горизонтальных связях. Закройте глаза, раскиньте руки в стороны. Чувствуете кончиками пальцев – через небольшой, воздухом заполненный пропуск, – они: друзья, враги, коллеги, сослуживцы, любимые, нелюбимые, желанные, надоевшие... Вожделения так быстро оборачиваются обязанностями, всякий голод и любая жажда переходят в пресыщение. Во всех начинаниях чувствительный нос мгновенно обоняет тлетворный запах конца... Бесконечно скучной становится линия ежедневного делания жизни. Вот она:

безвременьебезвременьебезвременье

Человек делает свою жизнь, готовит ее для себя, а она (ЖИЗНЬ) все никак не начинается. Прелюдия! Предисловие до самой смерти. Содержания нет. И даже при обилии наслаждений и побед голова человека опускается, и он видит только черную дыру АИДА, куда безрезультатно стекает его пот и энергия. ВОТ:

безвременьебезвременьебезвременье
в
р
е
м
е
н
а
в
р
е
м
е
н
а

Так зачем? Зачем все это было?

Человек забывает, что можно поднять голову. Не только суета горизонтальных связей определяет его существование. Есть над ним. Лично над ним есть, потому что привел его в этот мир и не оставил его в каждую минуту жизни, когда невыносимо напряжение распятия на мелких делах, когда страшно смотреть вниз, в черноту возмездия и грядущего исчезновения.

Каждый из нас волен поднять голову, взлететь взором, мыслью, духом и спросить, обращаясь наверх, к, — зачем? И ответит. И путы спадут.

Нет свободы в своеволии. Пуста работа в трех направлениях, если нет четвертого. Нет ни радости, ни достоинства, если головы не поднимаешь. Вверх, к!

н
о
в
ы
е
н
о
в
ы
безвременьебезвременьебезвременье
в
р
е
м
е
н
а
в
р
е
м
е
н
а

Эта свобода всегда с тобой.
Благодать не только над куполами, но и над каждым голову поднявшим.

(Kondraath Bukhaalt. XIIIc.)

Москва, 1998

СОДЕРЖАНИЕ

СКАЗКА

Сергей Сергеевич Юрский

ЧЕТВЕРТОЕ ИЗМЕРЕНИЕ

Главный редактор *Владимир Вестерман*
Редактор-составитель *Валерий Краснопольский*
Компьютерная верстка: *Виктория Челядинова*
Корректор *Зоя Колеченко*

Общероссийский классификатор продукции
ОК-005-93, том 2; 953000 — книги, брошюры

Санитарно-эпидемиологическое заключение
№ 77.99.02.953.Д.003857.05.06 от 05.05.2006 г.

ООО «Издательство АСТ»
170002, Россия, г. Тверь, пр. Чайковского, д. 27/32
Наши электронные адреса:
WWW.AST.RU E-mail: astpub@aha.ru

Издательство «Зебра Е»
151121, Москва, ул. Можайский вал, д. 8, корп. 20
тел./факс (495) 240-11-91
e-mail: zebrae@rambler.ru

ОАО «Владимирская книжная типография»
600000, г. Владимир, Октябрьский проспект, д. 7.
Качество печати соответствует качеству предоставленных диапозитивов

РЕГИОНЫ:

- Архангельск, 103-й квартал, ул. Садовая, 18, т. (8182) 65-44-26
- Белгород, пр. Хмельницкого, 132а, т. (0722) 31-48-39
- Волгоград, ул. Мира, 11, т. (8442) 33-13-19
- Екатеринбург, ул. Малышева, 42, т. (3433) 76-68-39
- Калининград, пл. Калинина, 17/21, т. (0112) 65-60-95
- Киев, ул. Льва Толстого, 11/61, т. (8-10-38-044) 230-25-74
- Красноярск, «ТК», ул. Телевизорная, 1, стр. 4, т. (3912) 45-87-22
- Курган, ул. Гоголя, 55, т. (3522) 43-39-29
- Курск, ул. Ленина, 11, т. (07122) 2-42-34
- Курск, ул. Радищева, 86, т. (07122) 56-70-74
- Липецк, ул. Первомайская, 57, т. (0742) 22-27-16
- Н. Новгород, ТЦ «Шоколад», ул. Белинского, 124, т. (8312) 78-77-93
- Ростов-на-Дону, пр. Космонавтов, 15, т. (8632) 35-95-99
- Рязань, ул. Почтовая, 62, т. (0912) 20-55-81
- Самара, пр. Ленина, 2, т. (8462) 37-06-79
- Санкт-Петербург, Невский пр., 140
- Санкт-Петербург, ул. Савушкина, 141, ТЦ «Меркурий», т. (812) 333-32-64
- Тверь, ул. Советская, 7, т. (0822) 34-53-11
- Тула, пр. Ленина, 18, т. (0872) 36-29-22
- Тула, ул. Первомайская, 12, т. (0872) 31-09-55
- Челябинск, пр. Ленина, 52, т. (3512) 63-46-43, 63-00-82
- Челябинск, ул. Кирова, 7, т. (3512) 91-84-86
- Череповец, Советский пр., 88а, т. (8202) 53-61-22
- Новороссийск, сквер им. Чайковского, т. (8617) 67-61-52
- Краснодар, ул. Красная, 29, т. (8612) 62-75-38
- Пенза, ул. Б. Московская, 64
- Ярославль, ул. Свободы, 12, т. (0862) 72-86-61

Заказывайте книги почтой в любом уголке России
107140, Москва, а/я 140, тел. (495) 744-29-17

ВЫСЫЛАЕТСЯ БЕСПЛАТНЫЙ КАТАЛОГ

Звонок для всех регионов бесплатный
тел. 8-800-200-30-20

Приобретайте в Интернете на сайте www.ozon.ru

Издательская группа АСТ
129085, Москва, Звездный бульвар, д. 21, 7-й этаж

Справки по телефону:
(495) 615-01-01, факс 615-51-10
E-mail: astpub@aha.ru http://www.ast.ru